A la recherche de son enfant

———————

La proie du mensonge

———————

Double jeu amoureux

CARLA CASSIDY

A la recherche
de son enfant

Traduction française de
CATHERINE VALLEROY

BLACK ROSE

HARLEQUIN

Collection : BLACK ROSE

Titre original :
SCENE OF THE CRIME : WHO KILLED SHELLY SINCLAIR?

HARPERCOLLINS FRANCE
83-85, boulevard Vincent-Auriol, 75646 PARIS CEDEX 13
Service Lectrices — Tél. : 01 45 82 47 47

www.harlequin.fr

ISBN 978-2-2803-4594-1 — ISSN 1950-2753

1

Daniel était assis dans le bureau du shérif de Lost Lagoon. Les stores vénitiens, baissés, préservaient l'intimité de la petite pièce. De l'autre côté de la paroi, un bourdonnement continu trahissait les échanges des hommes dans la salle de garde.

Ils devaient certainement parler de l'arrivée du nouveau shérif, que le procureur fédéral avait chargé de traquer la corruption au sein du service.

Cela faisait presque un mois que Trey Walker et Jim Burns — respectivement ancien shérif et ancien maire de la ville — avaient été arrêtés pour trafic de drogue et tentative de meurtre. On le savait désormais : ils débarquaient la marchandise au lagon et la transportaient chez Trey via les souterrains avant de l'expédier par camion hors de l'Etat. Le scandale avait sérieusement ébranlé la petite ville.

En tant que shérif adjoint, Daniel avait dû assurer l'intérim du poste, une responsabilité dont il avait hâte de se débarrasser.

Elle allait certainement arriver d'une minute à l'autre. Le shérif Olivia Bradford, dépêchée par la ville de Natchez. Sans rien savoir d'elle, Daniel s'attendait à une espèce de bouledogue qui, conforté par le pouvoir des gros bonnets, n'hésiterait pas à renvoyer d'un simple geste tous ceux qui ne lui plairaient pas.

Il ne fallait pas s'étonner que les hommes appréhendent de rencontrer leur nouvelle patronne. Les têtes allaient tomber si elle découvrait quelque chose qu'elle ne jugeait pas conforme au service. Ils se faisaient tous du souci pour leur poste.

Daniel consulta sa montre : 10 h 10. On lui avait dit qu'elle arriverait vers 10 heures. Il était sans doute le seul à l'attendre avec impatience.

Il détacha l'étoile de shérif épinglée sur sa chemise, la posa sur le bureau et la fit tournoyer comme une toupie. Ce mouvement lui évoqua les remous chaotiques que le scandale et les tentatives de meurtre sur Savannah Sinclair et Josh Griffin avaient déclenchés dans la bourgade.

L'exploration des souterrains continuait, supervisée par Frank Kean, l'ancien maire qui avait repris du service. Des élections seraient prochainement organisées pour désigner un nouveau maire et un nouveau shérif, mais pas avant qu'Olivia Bradford ait effectué une enquête approfondie.

Daniel considéra l'insigne. Il serait ravi de rendre cet emblème d'autorité et de retourner dans la salle de garde avec les autres. Il préférait de beaucoup être sur le terrain que coincé derrière un bureau.

A ce propos, les bruits de conversation s'étaient tus de l'autre côté de la paroi. Cela ne pouvait signifier qu'une chose : Olivia Bradford était arrivée.

Un coup ferme se fit entendre, et la porte s'ouvrit pour lui livrer passage. Au premier coup d'œil, le cerveau de Daniel se figea.

Lily.

Les souvenirs assaillirent son esprit. C'était la femme qu'il avait rencontrée cinq ans auparavant, à une conférence de criminologie à La Nouvelle-Orléans. Ensemble, ils avaient passé une nuit torride.

Ses grands yeux chocolat le fixaient, légèrement écarquillés. Elle aussi s'était immobilisée, comme un crocodile sur un tronc d'arbre. De toute évidence, elle l'avait reconnu.

Elle s'éclaircit la gorge, se retourna et ferma la porte.

Quand elle lui fit face, son visage arborait une impassibilité toute professionnelle.

— Shérif Daniel Carson ?

— Ex-shérif, maintenant que vous êtes là, répondit-il en se levant.

Ainsi ils allaient faire semblant de ne pas se connaître et se comporter comme si cette nuit n'avait jamais existé.

— Je suis le shérif Olivia Bradford, ajouta-t-elle inutilement.

— Et vous êtes ici pour prendre ma suite.

Il contourna obligeamment le bureau pour lui laisser la place et, sans se faire prier, elle s'installa dans le fauteuil qu'il venait de quitter.

Elle n'avait pas beaucoup changé depuis la dernière fois qu'il l'avait vue. Ses yeux bruns étaient toujours pleins de mystère et ses longs cheveux noirs, attachés en queue-de-cheval sur sa nuque.

Cette nuit-là, elle les avait détachés, les yeux brillants de désir.

L'uniforme kaki qu'elle portait en cet instant ne parvenait pas à dissimuler sa poitrine ronde, sa taille mince et ses longues jambes fuselées.

Des draps emmêlés, une peau douce, des gémissements rauques… Daniel retint un râle. Les souvenirs se pressaient dans son cerveau et il peinait à les écarter.

S'adossant à son fauteuil, elle lui fit signe de prendre place sur une des chaises devant elle. Tandis qu'il s'exécutait, elle ramassa l'insigne sur le bureau et l'accrocha à sa poche de poitrine.

Quand elle releva les yeux, son regard avait une froideur consommée.

— On m'a mise au courant des problèmes causés par l'ancien shérif et l'ancien maire. Vous savez certainement que ma mission ici est de débarrasser le service de toute trace de corruption. J'aimerais aussi passer en revue les affaires que vous avez traitées depuis l'élection de Trey Walker.

— Je vais demander qu'on vous communique tout ce dont vous avez besoin, promit Daniel.

Les efforts qu'il produisait pour faire correspondre la femme qu'il avait connue si intimement et celle qui se tenait devant lui lui donnaient une impression de dédoublement.

— J'espère que ma prise de fonction ne suscite pas de ressentiment de votre part.

Il rit sèchement.

— Croyez-moi, j'avais hâte de me débarrasser de cette responsabilité. Je n'ai jamais eu envie de devenir shérif. On me l'a imposé en raison des circonstances.

— Tant mieux. Bien que ma tâche ne soit pas de me faire des amis ici…, ajouta-t-elle en relevant légèrement le menton. J'ignore combien de temps je vais rester, mais je dois conduire une enquête interne à la fois sur les affaires passées et sur les agents actuels. J'ai à déterminer s'il reste des mauvais joueurs dans le service.

— Pour la plupart, nous sommes sur la même longueur d'onde, assura Daniel.

Avait-elle jamais repensé à cette nuit ? Lui, ce souvenir l'avait hanté plus d'une fois, et il s'était souvent demandé ce qu'était devenue la femme passionnée qu'il avait séduite.

Il la détailla discrètement. Elle portait une alliance en or à son doigt. Ainsi, elle était mariée.

Une légère déception le gagna, le prenant par surprise. Le mariage ne l'intéressait pas, et une nuit, même unique, n'aurait sûrement pas donné naissance à une relation entre eux.

C'était désormais sa chef, et comme son alliance, la froideur de son regard lui disait que leur brève rencontre ne lui vaudrait aucune indulgence particulière. De toute façon, il ne se serait pas aventuré à faire des bêtises avec une femme mariée.

Il n'espérait pas non plus un traitement de faveur.

Ils avaient couché ensemble et ne s'étaient plus jamais revus. Ils ne s'étaient même pas dit leurs noms de famille. Il la connaissait seulement sous le prénom de Lily.

— J'aimerais réunir tous les suppléants à 14 heures. Vous pouvez m'arranger ça ? demanda-t-elle, interrompant le fil désordonné de ses pensées.

— Oui, je ferai en sorte qu'ils soient là. L'effectif est de dix-neuf hommes. Dans l'intervalle, voulez-vous que je commence à rassembler les dossiers des affaires ?

Il désigna un classeur métallique contre le mur.

— Les fichiers du personnel sont là-dedans.

— Oui, s'il vous plaît, apportez-les-moi. Je ne veux pas perdre de temps.

Se levant, elle s'approcha du classeur, ce que Daniel prit pour un congé.

Il quitta le bureau en refermant la porte derrière lui. Une demi-douzaine de paires d'yeux le fixaient. Il les ignora et alla s'asseoir au bureau qu'il occupait un mois auparavant.

Le voyant s'installer, plusieurs des suppléants l'entourèrent.

— Comment elle est ? questionna Josh Griffin.

— On aurait dit une méchante sorcière quand elle est entrée, s'exclama Ray McClure en faisant la grimace. Une belle et méchante sorcière !

Daniel leva la main pour faire taire les questions et les commentaires.

— Si vous pensiez que vous alliez vous la couler douce parce que c'est une femme, vous feriez mieux d'oublier ça. Je vous conseille de rester vigilants et de vous conduire en professionnels. Mon instinct me dit qu'elle sera aussi dure que l'acier et qu'aucun de nous n'est certain de garder son boulot.

Refroidis, les hommes retournèrent à leurs bureaux respectifs.

Daniel, lui, contempla son buvard d'un œil vide, s'efforçant toujours d'assimiler le fait que la froide Olivia Bradford et la jeune femme passionnée qu'il avait rencontrée jadis étaient une seule et même personne.

Enfin, il tira son portable de sa poche. Il devait passer des appels pour avertir les hommes qui n'étaient pas de service qu'une réunion générale était prévue à 14 heures.

Après cela, il s'occuperait de chercher les dossiers des affaires classées dans le réduit dévolu aux archives.

Et en accomplissant ces tâches, il lui faudrait oublier qu'il avait connu, très brièvement, une femme fougueuse prénommée Lily.

Olivia empoigna la pile des dossiers du personnel et se laissa tomber dans son fauteuil. Elle avait failli perdre contenance en reconnaissant l'homme qui occupait le bureau.

Daniel.

Elle n'aurait jamais imaginé le revoir après toutes ces années. Ces cheveux noirs, ces yeux verts… Le choc se propageait encore en elle.

Ce soir-là, à La Nouvelle-Orléans, elle était une suppléante de vingt-cinq ans, qui venait de perdre son coéquipier dans une fusillade. Elle n'avait aucune envie d'aller à la conférence, mais son patron l'avait convaincue que cela lui ferait du bien de s'éloigner de Natchez.

Elle s'était tenue à l'écart durant toute la session, et c'était seulement le dernier soir qu'elle s'était aventurée dans un bar proche de l'hôtel. Elle ne cherchait pas de compagnie. Elle voulait seulement noyer son chagrin avec quelques margaritas, puis retourner préparer sa valise pour s'en aller très tôt le lendemain.

Elle n'avait pas prévu que Daniel s'assiérait près d'elle, et moins encore qu'elle trouverait dans ses bras un remède à son chagrin. Elle avait été prise d'une impulsion un peu folle.

Heureusement, il ne se doutait certainement pas combien le revoir l'avait ébranlée jusqu'au fond d'elle-même.

Repoussant ces pensées, elle s'absorba dans les dossiers des dix-huit hommes et une femme qui constituaient les forces de police de Lost Lagoon, Mississippi.

La plupart des suppléants étaient nés et avaient grandi dans la ville, même si quelques-uns étaient originaires des environs. Il n'y avait aucune mention de sanctions disciplinaires, rien qui indique que Trey Walker ait eu des problèmes avec l'un d'entre eux.

Mais l'ancien shérif s'était avéré un escroc et une ordure, et Olivia ne se fiait pas à ses dossiers.

A midi, elle sortit de son sac le sandwich au poulet que sa mère lui avait préparé avant qu'elle quitte leur petite maison.

Arrivée deux jours auparavant, Olivia avait consacré son temps à aménager la bicoque rénovée qu'elle avait louée en bordure du marais. L'endroit était partiellement équipé, et elle avait apporté des meubles supplémentaires, des affaires personnelles dans une petite remorque, pour rendre la maisonnette aussi confortable que possible.

Elle venait de finir son sandwich quand un coup résonna à la porte.

— Entrez ! dit-elle d'une voix ferme.

Aussitôt, Daniel franchit le seuil, portant un carton qu'il posa sur le bureau.

— Voici les dossiers de tous les crimes et délits des cinq dernières années.

Elle jeta un coup d'œil dubitatif à la boîte.

— C'est tout ?

Il lui adressa un sourire chaleureux qui fit battre son cœur. Elle avait oublié combien il était sexy.

— C'est une petite ville. En dehors des derniers mois, nous n'avons pas eu beaucoup d'affaires criminelles.

Elle reporta les yeux sur le carton, peu désireuse de recroiser son regard pendant que ce sourire s'attardait sur ses lèvres.

— A Natchez, ce serait l'équivalent d'une seule journée.

— Vous n'êtes pas à Natchez, ici. J'ai contacté tous les agents, et ils seront là à 14 heures pour la réunion.

Finalement, elle le dévisagea.

— Merci, je vous suis reconnaissante de votre aide.

Sur un hochement de tête, il quitta le bureau.

Prenant le carton, Olivia le déposa par terre. Elle l'emporterait le soir, pour l'examiner à loisir chez elle. Dans l'intervalle, elle devait rassembler ses pensées pour la réunion qui commençait dans moins d'une heure.

La charge qu'on avait placée sur ses épaules était une lourde responsabilité. Son travail serait scruté par de nombreux regards, elle en avait conscience. Mais cela ne l'effrayait pas. Elle n'avait jamais reculé devant le labeur.

Elle avait même fourni beaucoup d'efforts pour grimper les échelons des services du shérif de Natchez. Elle avait pris les affaires dont personne ne voulait, avait travaillé plus dur et plus longtemps que quiconque et en avait retiré non seulement une excellente réputation, mais aussi des tas de récompenses et d'honneurs.

Elle n'allait pas laisser cette affectation provisoire à Lost Lagoon ruiner son parcours sans tache. Elle ferait son job et le ferait bien.

A 14 heures pile, elle pénétra dans la salle de réunion, où dix-neuf agents attendaient, assis sur des chaises. Loin d'être nerveuse, elle était résolue à leur inspirer du respect, voire un peu de frayeur.

Il n'y avait qu'une seule policière et elle avait pris place au premier rang. Selon son dossier, elle avait quarante-trois ans, s'appelait Emma Carpenter et travaillait comme suppléante depuis une dizaine d'années.

Détachant d'elle son regard, Olivia se lança d'une voix assurée :

— Bonjour. Comme vous le savez sans doute tous, je suis le shérif Olivia Bradford, et je suis ici pour juger de la probité de ce service. Je vous avertis donc que je vais non seulement évaluer vos résultats professionnels, mais enquêter aussi sur vos vies personnelles.

Des grognements de mécontentement accueillirent ces paroles. Elle les ignora. Comme elle l'avait dit à Daniel, elle n'était pas là pour se faire des amis.

— Durant les prochains jours, je vous rencontrerai tous individuellement, poursuivit-elle.

— Elle cherche des mouchards, marmonna une voix au fond.

L'homme qui avait parlé était un petit gringalet à figure de fouine. Elle le fixa un long moment sans rien dire et il finit par baisser les yeux.

— Les mouchards ne m'intéressent pas. Je demanderai à chacun son avis sur la meilleure manière de faire fonctionner ce service, et je resterai attentive à tous ceux qui ne servent pas au mieux ses intérêts.

Elle était consciente de la nuance d'avertissement dans sa voix. Son ton ne la rendrait pas populaire. Tant pis !

Son regard tomba sur Daniel, au second rang. En tant que shérif adjoint, il devait avoir travaillé en étroite collaboration avec Trey Walker. Etait-il l'homme droit et honnête qu'elle espérait ou cachait-il, lui aussi, des secrets qui les opposeraient ?

Seul le temps le dirait.

Elle avait déjà identifié « Face de fouine » comme un faiseur d'ennuis potentiel, et le langage non verbal d'Emma Carpenter donnait une impression de fayotage. Celle-ci supposait peut-être que, étant femmes toutes les deux, elles allaient nouer une relation spéciale.

Mais quand Olivia mettait son insigne, elle n'était ni homme ni femme, elle était simplement officier de police. Elle n'aimait pas qu'on lui cire les bottes et elle détestait les fauteurs de troubles.

Aussi, elle termina la réunion en les invitant à se remettre au travail comme d'habitude, puis elle retourna à son bureau et ferma la porte.

Durant les heures suivantes, elle continua d'étudier les CV et les informations contenues dans les dossiers des dix-huit hommes et une femme qui travailleraient avec elle.

C'était son travail de découvrir si l'un de ces policiers avait été impliqué dans le trafic de drogue. Il était difficile de croire que Trey Walker et Jim Burns aient agi seuls, mais d'un autre côté, il était possible que personne d'autre n'ait été au courant. Avec un peu de chance, c'était le cas. Il n'y avait rien qu'elle détestait plus qu'un flic pourri.

Elle s'efforçait de rester concentrée sur la paperasse devant elle, mais des images de Daniel ne cessaient de s'interposer à tout moment dans son esprit, dispersant son attention.

Que le destin les ait remis en présence l'un de l'autre continuait de la stupéfier. Heureusement, il n'avait pas évoqué leur soirée à La Nouvelle-Orléans, dans ce bar où ils avaient parlé de jazz et de carnaval. Elle l'avait remarqué à cette conférence et elle savait donc qu'il était dans la police, mais aucun d'eux n'avait parlé du lieu où il travaillait ou vivait.

Ils avaient bu verre sur verre et leur conversation était restée charmante et superficielle, exactement ce dont elle avait besoin pour échapper à un chagrin accablant.

Ce qui s'était passé ensuite, dans sa chambre d'hôtel à lui, avait été insensé et merveilleux, mais elle était partie très tôt le lendemain matin, sans jamais imaginer qu'elle le reverrait un jour.

Peu après 17 heures, elle décida de fermer boutique. Elle voulait passer une partie de la soirée à examiner le contenu du carton. Il lui fournirait sans doute des informations sur les arrestations récentes de Trey Walker et Jim Burns, mais aussi sur les enquêtes effectuées sous l'autorité de Walker.

Prenant son sac et le carton, elle sortit de son bureau. Elle n'avait fait que quelques pas dans la salle de garde quand Daniel jaillit de son siège et se hâta de lui prendre la boîte des mains.

— Je vais la porter jusqu'à votre voiture.

— Merci, répondit-elle.

La tension la gagna. Avait-il l'intention d'évoquer leur rencontre une fois dehors ? Elle ne voulait ni en parler ni en entendre parler. C'était une aberration, qui n'avait rien à voir avec ce qu'elle était ou avait été.

Il la guida vers le fond du bâtiment, qui devait sans doute ouvrir sur le parking.

— Vous êtes bien installée ici ? s'enquit-il tandis qu'ils sortaient dans la chaleur de la fin du mois d'août.

— J'ai loué une des maisons rénovées en bordure du marais. Tout va bien, merci.

Elle pressa le pas vers sa voiture.

— Vous avez eu l'occasion de faire un tour en ville ?

— Pas vraiment, mais j'ai rencontré le maire hier, et il m'a assurée de son entière collaboration. J'espère pouvoir visiter la ville d'ici un jour ou deux.

Ils avaient atteint son véhicule, et elle ouvrit la portière pour permettre à Daniel de déposer le carton à l'intérieur.

— Le café Lost Lagoon est bon, mais à votre place, je me dispenserais de George's Diner. Ce n'est qu'un fast-food. Si vous voulez vraiment bien manger, je vous recommande Chez Jimmy. C'est un restaurant grill et c'est délicieux.

— Merci pour le tuyau, mais je mangerai la plupart du temps chez moi, je pense.

Il posa les dossiers sur le siège passager. Elle referma la portière et se hâta de gagner le siège conducteur.

— A demain, lança-t-elle.

Et avant qu'il puisse ajouter quelque chose, elle se glissa derrière le volant et referma sa portière.

En s'éloignant, elle jeta un coup d'œil dans le rétroviseur. Il n'avait pas bougé : grand et ridiculement beau, il la regardait s'en aller.

Quand elle l'avait rencontré, elle avait été immédiatement attirée par lui, et à sa grande surprise, cette attirance perdurait après tout ce temps.

Elle agrippa le volant avec plus de force. Peu importait

son attirance ou la sienne, rien n'en sortirait. Elle avait trop à perdre.

Sa tension retomba enfin quand elle s'arrêta devant son petit bungalow. Il était peint d'un jaune brillant, ce qui le faisait ressortir à la fois contre le vert du marécage et parmi les bicoques désertées qui bordaient la rue. Seules quelques-unes de ces maisons avaient été remises à neuf et faisaient figure de joyaux parmi les autres.

Descendant de sa voiture, elle la contourna pour récupérer le carton sur le siège passager. Elle n'était pas encore arrivée à la porte que celle-ci s'ouvrit, laissant apparaître sa mère, souriante.

Ces dernières années, Rose Christie avait été un véritable cadeau du ciel. Olivia avait toujours été proche de sa mère, mais leur relation s'était encore resserrée quand son père était mort d'une crise cardiaque, sept ans auparavant.

Rose ouvrit la porte plus grand pour lui permettre d'entrer dans le petit salon, meublé d'un rocking-chair, d'une télé et d'un futon.

Le coin-cuisine consistait en quelques appareils électroménagers, une table et des chaises.

Olivia venait de poser le carton sur cette table et défaisait sa ceinture, quand un cri de joie s'éleva dans l'une des deux chambres. S'accroupissant, elle se prépara à recevoir dans ses bras la petite fille aux cheveux noirs et aux yeux verts qui se précipitait vers elle.

— Maman, tu es là ! s'exclama sa fille en se jetant dans ses bras.

Olivia la serra contre elle et renifla son petit cou.

— Ah, rien ne sent meilleur que ma petite fleur !

Lily gloussa et la serra plus fort.

— C'est bête ce que tu dis, maman. Les biscuits de nanny sentent bien meilleur que les fleurs.

— Pas meilleur que ma Lily, assura Olivia en la relâchant. Viens t'asseoir et raconte-moi ce que tu as fait aujourd'hui.

Elles s'assirent sur le futon tandis que Rose retournait préparer le dîner.

— J'ai joué à la poupée, et nanny et moi, on a regardé un film.

Tandis que sa jolie petite fille relatait les événements de la journée, le cœur d'Olivia se gonfla d'amour.

Imprévue, Lily avait amené dans sa vie un bonheur auquel elle ne s'attendait pas. La petite était vive et plus qu'un peu précoce. Olivia n'imaginait plus la vie sans elle.

A 20 h 30, elles avaient fini de dîner. Lily avait pris son bain et était couchée dans l'une des deux chambres. Rose s'était retirée dans l'autre, laissant Olivia seule avec ses dossiers et ses pensées conflictuelles.

Elle n'avait jamais imaginé que le jour viendrait où elle rencontrerait l'homme qui avait engendré Lily. Elle n'avait jamais réfléchi à ce qu'elle ferait si elle tombait de nouveau sur lui.

Daniel.

Elle était son chef, et il était le père de son enfant. Devait-elle lui révéler l'existence de Lily ou garder le secret ? Quelle était la meilleure solution pour tout le monde ?

Elle l'ignorait.

Peut-être que la réponse finirait par se présenter d'elle-même…

Sur ce, elle ouvrit le carton et en tira le premier dossier.

2

Daniel passa une nuit agitée, peuplée de rêves sur La Nouvelle-Orléans et la femme enfiévrée qui l'avait suivi dans sa chambre d'hôtel.

Réveillé à l'aube, il prit une douche et deux tasses de café. Cela fait, il se sentit prêt à affronter celle qui était devenue son chef.

Lily n'avait été qu'un rêve, mais Olivia Bradford s'était déjà révélée une figure impressionnante. Daniel ne craignait pas qu'elle fouille dans sa vie professionnelle ou privée : il n'avait jamais accepté ne serait-ce qu'un café gratuit en sa qualité d'adjoint ou de shérif temporaire. Il n'avait rien à se reprocher, mais plusieurs de ses collègues ne s'étaient pas imposé les mêmes règles.

Or, Olivia semblait être le genre de personne qui ne laissait rien au hasard. On pouvait sans doute compter sur elle pour effectuer une minutieuse enquête interne et éplucher les affaires traitées à la légère sous le règne dictatorial de Trey.

Il arriva au bureau à 6 h 30, largement à temps pour l'appel de 7 heures. Et il ne fut pas surpris de trouver Olivia déjà au travail. Elle n'était sans doute pas femme à tolérer un manque de ponctualité.

Apparemment, les hommes le savaient aussi. Même les suppléants qui manquaient d'ordinaire à l'appel étaient présents, le regard clair et l'uniforme repassé.

Cinq suppléants assuraient la garde de jour, cinq se

chargeaient du quart jusqu'à minuit, et cinq autres prenaient leur tour de minuit à 8 heures du matin. Les quatre derniers assuraient les remplacements quand les autres étaient en congé.

Avant de devenir shérif, Daniel travaillait de nuit. Puisque Olivia était désormais là, il devait probablement faire les gardes de jour.

A 7 heures précises, les cinq hommes de garde se réunirent dans la salle de conférences, et Olivia se joignit à eux. Elle avait revêtu un pantalon noir habillé et un corsage blanc à manches courtes, sur lequel elle avait épinglé son insigne. Elle portait son arme à la taille.

Ses cheveux étaient tirés en arrière et son maquillage presque inexistant.

— Bonjour, dit-elle en leur montrant un dossier. La première chose que je vous demanderai, c'est de vous lever un par un et de me donner votre nom.

Daniel s'exécuta le premier, suivi de Josh Griffin, Wes Stiller, Ray McClure et Malcom Appleton. Daniel et Josh étaient des amis de longue date. Ils avaient collaboré pour faire tomber Trey et Jim.

Quand ils se furent tous présentés, Olivia leva de nouveau le dossier qu'elle tenait à la main.

— J'ai passé la plus grande partie de la nuit à examiner les affaires des cinq dernières années, et l'une d'elles a attiré particulièrement mon attention.

Daniel sut immédiatement de quoi il s'agissait. Le dossier en question était douloureusement mince. Un sentiment de culpabilité lui noua les entrailles. Josh et lui échangèrent un coup d'œil.

— Qui a tué Shelly Sinclair ?

La question d'Olivia flotta un long moment dans le silence avant qu'elle poursuive.

— Ce meurtre date de deux ans, et autant que je puisse voir, peu de chose a été fait pour l'élucider.

Elle posa le dossier sur la table devant elle.

— C'est parce qu'on sait qui l'a commis, intervint Ray. C'est Bo McBride qui a tué Shelly. C'était son petit ami à l'époque.

Olivia fronça les sourcils.

— Alors pourquoi l'affaire n'est-elle pas classée ?

— Nous n'avons pas pu trouver les preuves nécessaires pour l'arrêter, expliqua Wes.

— Il y a un autre dossier ? Parce que celui que j'ai là ne contient pas les interrogatoires et les dépositions des gens impliqués dans cette affaire.

Elle regarda tour à tour les hommes d'un air perplexe.

— On n'a jamais fait d'enquête sérieuse, reconnut Daniel, son nœud à l'estomac s'aggravant.

— Je ne comprends pas, lâcha Olivia.

— C'est parce que vous n'avez jamais travaillé pour Trey Walker, ajouta Josh.

Daniel se sentait aussi honteux que lui de la manière dont l'affaire avait été bâclée.

— Trey avait décidé que Bo était coupable, et il nous a clairement signifié que quiconque voulait continuer l'enquête le ferait à ses risques et périls.

Olivia pressa ses lèvres pleines en signe de désapprobation.

— On a donc un meurtre non résolu et une enquête bâclée. Nous allons rouvrir ce dossier et le résoudre. Daniel, j'aimerais vous voir dans mon bureau, et le reste d'entre vous, vous pouvez retourner à vos tâches habituelles.

Dès qu'elle fut sortie, Ray grommela :

— Quelle perte de temps ! Tout le monde sait que c'est Bo qui l'a fait. C'est pas notre faute si on n'a pas pu le prouver.

— Tout le monde n'est pas si certain que ça que c'était Bo, répliqua Josh.

Ce fut tout ce que Daniel entendit avant de s'éloigner en direction du bureau d'Olivia. Il était ravi qu'elle ait pris la décision de rouvrir l'affaire Sinclair. Cette histoire pesait sur sa conscience depuis trop longtemps.

Après avoir frappé, il entra et, à l'invitation d'Olivia, prit place sur l'une des chaises devant le bureau.

— J'ai lu le peu qu'il y avait dans le dossier, mais j'aimerais que vous me parliez de Shelly Sinclair et de sa mort, dit-elle.

Daniel hocha la tête et s'efforça de rassembler ses pensées. Un parfum de lilas flottait dans l'air. Il ne l'avait pas remarquée la veille, mais cette senteur le renvoyait à leur rencontre à La Nouvelle-Orléans. Il l'avait trouvée étourdissante ce soir-là, et elle avait encore un effet un peu primitif sur lui.

— Daniel ?

Interrompant ses pensées, la voix d'Olivia le ramena au présent.

— Désolé… Oui, Shelly… On a trouvé son corps flottant dans le lagon, au sud de la ville. Elle avait été étranglée. Il y a un banc et des buissons à cet endroit, et l'enquête a démontré qu'il y avait eu lutte. Son sac et son téléphone étaient sur le banc, mais sa bague de fiançailles avait disparu et on ne l'a jamais retrouvée.

— Et maintenant, parlez-moi de Bo McBride.

Daniel remua sur sa chaise, déçu que le regard de la jeune femme n'exprime rien d'autre qu'une curiosité professionnelle. Bien sûr, c'était ainsi que cela devait être. Une femme mariée n'avait aucune raison de se rappeler cette rencontre torride.

— A l'époque du meurtre, Bo était le propriétaire du restaurant qui s'appelle aujourd'hui Chez Jimmy. Bo et Shelly sortaient ensemble depuis le lycée et tout le monde supposait qu'ils se marieraient un jour. Ils se retrouvaient souvent en fin de soirée sur ce banc, avant que Shelly prenne son poste à la réception du Pirate's Inn. Quand Shelly a été retrouvée morte, on a naturellement mis Bo sur la liste des principaux suspects.

— D'après ce que j'ai lu dans le dossier, il a prétendu qu'il était couché avec la grippe ce soir-là.

— Et le dernier texto reçu par Shelly était de lui, disant qu'il était malade et qu'il ne pourrait pas venir la retrouver, ajouta Daniel.

Olivia feuilleta les pages du dossier.

— Et on n'a interrogé aucun autre suspect ? Tout ce que je vois là, ce sont des interrogatoires de sa sœur Savannah, de son frère Mac, de ses parents et de quelques-unes de ses amies. Y a-t-il autre chose qui ne se trouve pas dans le dossier ?

— Plusieurs éléments sont ressortis durant les derniers mois. Shelly a dit à ses amies qu'elle s'était mise dans de sales draps, mais nous n'avons jamais réussi à déterminer de quoi il s'agissait. En enquêtant sur les agressions dont a été victime Savannah, nous avons aussi découvert qu'Eric Baptiste s'était rapproché de Shelly juste avant sa mort, un détail qui n'était pas apparu durant l'enquête initiale.

Olivia leva la main pour l'arrêter.

— Je mélange déjà tous ces noms et ces incidents. C'est difficile de me mettre au courant dans un entretien aussi bref.

Elle fronça les sourcils d'un air pensif.

— Ce que je voudrais, c'est que vous formiez une équipe tactique de quatre hommes et que vous recommenciez l'enquête depuis le début.

— Je serais ravi de le faire. J'ai toujours pensé que Bo était un bouc émissaire tout trouvé et qu'on n'avait pas enquêté convenablement sur le meurtre. Quels hommes voulez-vous dans cette équipe ?

Olivia secoua la tête, ce qui fit miroiter sa splendide chevelure brune dans la lumière émanant de la fenêtre.

— Vous les connaissez mieux que moi, et vous savez avec qui vous pourrez le mieux collaborer. Je veux juste des fonceurs, des agents qui sont prêts à travailler dur et à ne refermer le dossier qu'avec le tueur derrière les barreaux.

Elle plissa les yeux.

— Je veux qu'on en finisse avec cette affaire avant mon départ.

Il ne restait rien de Lily dans la femme au regard dur qui faisait face à Daniel.

— Nous y arriverons, assura-t-il, en souhaitant ainsi adoucir l'expression d'Olivia.

Ce ne fut pas le cas. Désireux de retrouver, ne serait-ce qu'une seconde, la femme qu'il avait connue, il changea de sujet.

— Je n'ai pas pu m'empêcher de remarquer votre alliance. Je suis heureux que vous ayez trouvé quelqu'un avec qui faire votre vie.

Olivia fixa son anneau un long moment, puis reporta sur lui un regard voilé et indéchiffrable.

— J'ai épousé un homme merveilleux et nous avons eu une fille, mais il est mort l'année dernière. A présent, il n'y a plus que ma mère, ma fille et moi.

— Oh ! Je suis vraiment désolé !

Voilà ce qu'on gagnait à passer sur le plan personnel…

Olivia plissa le front.

— Je ne suis pas la première à perdre un mari et je ne serai pas la dernière. Ce qui m'importe aujourd'hui, c'est mon travail et le bien-être de ma famille. Et maintenant, vous n'avez pas une équipe à monter ?

Elle haussa un sourcil en un arc de cercle parfait et, du regard, désigna la porte.

Daniel se hâta de sortir, et ce ne fut que de retour à son bureau qu'il prit conscience de ce qu'il venait d'apprendre. Olivia n'était plus mariée, elle était veuve.

Même s'il était désolé qu'elle ait perdu son mari, il était content qu'elle soit célibataire.

Pour l'instant, la nuit qu'ils avaient passée ensemble faisait figure d'éléphant dans la pièce. Mais tôt ou tard, il remettrait le sujet sur le tapis. Il fallait qu'il en parle. Aussi fou que cela puisse paraître, il voulait que cette nuit se répète.

*
* *

Les deux jours suivants, l'équipe tactique qu'Olivia avait exigée se mit au travail dans une petite salle de réunion au fond du bâtiment.

Daniel avait choisi Josh Griffin, Wes Stiller et Derrick Bream. Il était évident qu'ils s'entendaient bien, et tout aussi évident, comme l'observa Olivia, que Daniel était un meneur-né. Les hommes le respectaient et l'admiraient.

Quant à elle, elle avait passé la plus grande partie du temps à interroger les suppléants et à finir d'étudier les affaires passées.

Daniel lui avait dit vrai : en dehors des trois derniers mois, Lost Lagoon n'avait guère connu de crimes sérieux. Bien sûr, il y avait les délits habituels, violences conjugales et autres vols à l'étalage, mais tout cela avait été promptement résolu.

Dès le mercredi soir, soit deux jours après sa prise de fonctions, elle avait compris que tout se mouvait à un rythme plus lent à Lost Lagoon. Elle avait également découvert que la ville se repaissait de ses légendes de pirates et que le nouveau parc d'attractions bâti sur le plateau suscitait beaucoup d'espoir de la part des commerçants.

Juste après 19 heures, elle rassembla ses affaires pour rentrer chez elle. Elle avait déjà appelé sa mère pour lui dire de faire manger et coucher Lily sans l'attendre.

En quittant son bureau, elle fut surprise que Daniel soit toujours assis au sien. Elle le croyait parti depuis 16 heures, l'heure à laquelle il avait fini sa garde.

— Vous êtes encore là ? Vous n'avez donc personne qui vous attend ?

Il se renversa sur sa chaise, l'air aussi frais et dispos que le matin.

— Pas de femme, pas d'enfants, et aucune envie d'en avoir. Je suis un célibataire endurci. Vous-même, vous rentrez chez vous ?

— Oui, mais je veux d'abord aller jeter un œil à la scène du meurtre de Shelly. Je n'ai pas vu grand-chose de la ville jusqu'à maintenant, et je voudrais me rendre compte par moi-même de l'endroit où on l'a tuée.

Daniel fronça les sourcils.

— Je préférerais que vous n'y alliez pas toute seule. Et si vous me suiviez en voiture ? Je pourrais vous donner une meilleure idée de l'apparence de la scène cette nuit-là.

— Je ne peux pas vous demander ça, protesta-t-elle.

— Vous ne l'avez pas fait, c'est moi qui vous le propose. En outre, c'est mon travail de vous seconder.

Il se leva comme si la question était réglée.

— J'allais partir, de toute façon.

Quelques minutes plus tard, Olivia suivit la voiture de patrouille de Daniel vers le sud de la ville. Ils parcoururent la rue principale et Olivia en profita pour examiner les commerces.

Jusque-là, elle s'était contentée de faire des allers-retours de chez elle au travail. Elle ne s'était jamais aventurée dans le centre. Elle remarqua un glacier et prit note mentalement d'y amener un jour Rose et Lily. Sa fille adorait les glaces.

Lily.

En entendant Daniel déclarer qu'il refusait d'avoir femme et enfants, elle avait compris une chose : son conflit intérieur, quant à savoir si elle devait lui parler de leur fille, était sans objet.

Elle reporta donc son attention sur l'environnement. A un carrefour, un grand panneau signalait l'échoppe d'apothicaire-magasin de souvenirs de Mama Baptiste. Un peu plus loin se dressait le Pirate's Inn, un hôtel de deux étages. Entre les deux se succédaient de petits bistrots pour touristes, une boutique de vêtements et le restaurant Chez Jimmy, dont le parking était rempli de voitures de toutes marques et tous modèles.

La pensée de ceux qui profitaient d'un bon repas à cet instant fit gargouiller son estomac. Elle avait sauté le déjeuner, et quand bien même Rose lui garderait certainement quelque chose à manger, elle se serait bien restaurée sans attendre.

Au fur et à mesure de leur progression, les bâtiments s'espacèrent et la rue principale déboucha sur une avenue extérieure dont elle savait qu'elle faisait le tour de la ville.

Elle tourna à la suite de Daniel dans l'avenue en question et, comme il ralentissait et se garait contre le trottoir, fit de même. Une haie de buissons bordait l'autre côté de la chaussée, rompue uniquement par un banc de pierre.

Daniel descendit de voiture et elle l'imita. La forte senteur du marais la saisit aux narines. La puanteur de la végétation en décomposition luttait avec l'odeur du poisson, et l'humidité était à couper au couteau.

Daniel la rejoignit près de sa voiture.

— Bo travaillait le soir au restaurant et Shelly était de nuit au Pirate's Inn. Avant qu'elle prenne son poste, Bo s'esquivait quelques minutes, et ils se retrouvaient ici.

— Donc Shelly est venue ce soir-là, même si le texto de Bo l'avait prévenue qu'il ne serait pas là.

Olivia contempla le banc où la jeune femme avait passé les dernières minutes de sa vie. Qui donc l'avait rejointe au milieu de la nuit et l'avait étranglée avant de jeter son corps dans le lagon ?

Ils traversèrent la chaussée. Derrière la haie et le banc, une bande de gazon courait d'un bout à l'autre du rivage et, au-delà, les eaux du lagon miroitaient sous le soleil couchant.

— Qu'est-ce qu'on a trouvé sur la scène ? demanda Olivia.

— Les buissons étaient piétinés à gauche du banc, indiquant une lutte, mais nous n'avons rien trouvé d'autre.

La voix de Daniel dénotait une grande frustration.

— Depuis que j'ai lu ce dossier, je ne cesse de penser à elle, confia Olivia.

— Vous n'êtes pas la seule. Depuis deux ans, elle hante mes rêves. La première année, Savannah se déguisait en fantôme et arpentait cette pelouse pour faire revivre sa sœur.

Olivia ne put masquer sa surprise.

— Vraiment ?

— Le vendredi soir, les adolescents se cachaient derrière les buissons pour la voir apparaître. Savannah empruntait un souterrain qui va de son jardin au pied de cet arbre.

Il désigna du doigt un grand cyprès qui se dressait sur la droite.

— Elle enfilait une robe blanche transparente et s'attachait une lampe de poche à la taille pour simuler une lueur fantomatique. Elle parcourait toute la pelouse jusqu'à l'autre côté, où une grotte lui permettait de rejoindre le souterrain.

— Mais pourquoi faisait-elle une chose pareille ? s'enquit Olivia, curieuse des tenants et aboutissants de l'affaire.

Daniel fourra les mains dans ses poches et contempla les eaux sombres du lagon. Il semblait effectivement hanté, les épaules un peu affaissées et les yeux fixés au loin.

— Après l'enterrement de Shelly, ses parents ont déménagé et laissé la maison à Savannah et à Mac. Puis Mac s'est marié à son tour et il est parti. Selon Savannah, ni Mac ni ses parents ne lui permettaient de parler de sa sœur. Elle a imaginé ces apparitions fantomatiques pour que les gens continuent de parler de Shelly. C'était sa façon de garder sa sœur en vie.

Il sortit les mains de ses poches et se tourna pour regarder Olivia.

— Heureusement, Josh a compris ce qu'elle faisait, et elle a pu retrouver un peu de paix grâce à son amour. Mais il faudrait qu'elle puisse tourner la page une bonne fois pour toutes. Et pour ça, il faudrait que le meurtrier de sa sœur soit enfermé.

— Demain, j'aimerais que vous veniez avec moi interroger Bo McBride. Je connais les petites villes, les gens s'y méfient souvent des étrangers. Je pense qu'on me parlera plus facilement si vous venez avec moi.

— Dites-moi quand, et je viendrai avec plaisir.

Avançant de quelques pas, Olivia s'assit sur le banc, comme pour saisir l'horreur du crime qui s'y était déroulé.

Il faisait plus sombre à cet endroit. Le soleil couchant ne parvenait pas à percer l'ombre de la végétation et les épaisses draperies de mousse espagnole qui pendaient des arbres.

Daniel s'assit à côté d'elle. Une bouffée de son eau de Cologne épicée flotta alors vers elle, lui rappelant cette nuit qui n'aurait jamais dû arriver.

— Parlez-moi de Bo McBride, reprit-elle, pour écarter des souvenirs qui n'avaient rien à faire dans l'instant.

— Il appartenait à la jeunesse dorée de la ville. Tout le monde l'aimait et le respectait. Il était beau et sa petite amie était belle. Son établissement avait beaucoup de succès et, en apparence du moins, il avait le monde à ses pieds.

— Croyez-vous qu'il ait tué Shelly ?

Les traits de Daniel étaient dans l'ombre et ses yeux verts brillaient d'un éclat argenté au crépuscule finissant. C'était ainsi qu'ils brillaient quand il avait pris possession de son corps.

Cesse de le revoir nu, cesse de penser à son désir, s'intima Olivia.

Au même instant, Daniel fourragea dans ses courts cheveux noirs et s'adossa au banc.

— Si je pense qu'il a tué Shelly ? Mon instinct me dit que non.

— Et quelle est la valeur de votre instinct ?

Il lui sourit, un éclair de dents blanches et parfaites.

— Meilleure que d'autres, mais j'imagine que le temps dira si j'ai raison.

— Qui a trouvé le corps ? Je n'ai rien vu dans le rapport.

— Un jogger matinal, nommé Tom Dempsey. Il a seize ou dix-sept ans, et il court à toute heure du jour et de la nuit. Il était 4 heures du matin quand il a vu Shelly flotter dans le marais et il nous a appelés pour nous le signaler. Heureusement, on a réussi à la sortir de là avant que les crocodiles ou d'autres bêtes ne s'attaquent à elle.

Olivia avait vu passer de nombreux cas d'homicides à Natchez, mais pour une raison quelconque, l'affaire Sinclair l'émouvait plus que de coutume. Elle se leva, ne voulant pas demeurer une minute de plus dans ce lieu de mort.

Daniel se remit aussi sur ses pieds.

— J'ai une faveur à vous demander, fit-elle tandis qu'ils regagnaient leurs véhicules.

Elle s'interrompit et le dévisagea.

— J'ai observé la manière dont vos collègues se comportent avec vous. Il est évident qu'ils vous admirent. Ce que je voudrais savoir, c'est si je peux vous faire confiance ?

Elle soutint son regard sans ciller. Elle commettait peut-être une erreur, mais elle avait besoin d'un allié, de quelqu'un qui soit en contact étroit avec les autres agents.

Elle n'avait aucune raison de se fier à Daniel. Une nuit au lit ne suffisait pas à instaurer la confiance, mais son instinct lui soufflait que c'était l'un des seuls suppléants à être droit et sans tache.

— Bien sûr que vous pouvez me faire confiance, répondit-il.

La franchise de son regard la réconforta.

— Alors j'aimerais prendre un café avec vous un de ces soirs pour que vous me parliez de vos collègues.

Il fronça les sourcils.

— A vrai dire, je préférerais ne pas aller au café, où on pourrait nous voir ou nous entendre. Je ne veux pas que les collègues pensent que je suis un mouchard.

— Bien sûr, je n'y avais pas pensé.

— Pourquoi ne pas me suivre jusque chez moi ? Nous pourrions y parler en toute tranquillité.

Olivia réfléchit aux questions qu'elle avait en tête.

— D'accord, approuva-t-elle avec toutefois un brin de réticence.

Ce n'était peut-être pas une bonne idée, songea-t-elle

en remontant en voiture. Premièrement, elle se reposait uniquement sur la parole de Daniel.

Deuxièmement, dans l'intimité de sa maison, il pourrait soulever la question de leur nuit ensemble, une nuit qu'elle avait tout fait pour oublier.

3

Daniel fut un peu surpris qu'Olivia accepte de venir chez lui.

Quand il ouvrit la porte de son garage à deux places à l'aide de sa télécommande, elle parut comprendre qu'elle devait se garer aussi à l'intérieur.

Inutile d'afficher sa voiture devant chez lui. C'était une chose qu'on les voie ensemble dans l'exercice de leurs fonctions, c'en était une autre qu'on les remarque en dehors des heures de travail.

La dernière chose qu'elle souhaitait, c'était sans doute qu'on commère à son sujet et, à ce stade, il n'y avait aucune raison d'encourager les bavardages par simple négligence.

Une fois qu'elle se fut garée, il fit redescendre la porte basculante.

— Traitez-moi de paranoïaque, dit-il quand ils furent descendus de leurs véhicules, mais je pense qu'il vaut mieux qu'on ne sache pas que nous nous rencontrons en dehors du travail.

— Je suis d'accord et je vous en suis reconnaissante.

Il ouvrit la porte qui menait du garage à la cuisine en se félicitant d'être propre et ordonné de nature. Il n'aurait pas à se soucier de caleçons jetés n'importe où, ou de bouteilles de bière vides attendant le prochain passage à la décharge.

Il lui désigna la table ronde en chêne et s'approcha du comptoir pour mettre une cafetière en route.

— Belle maison, commenta-t-elle une fois assise. Et très grande, pour un homme qui n'a pas envie de se marier.

— Merci. En fait, elle est trop grande pour moi, mais c'était une saisie et je n'ai pas pu résister au prix. Elle avait besoin de quelques travaux et j'ai réussi à tout faire moi-même.

Le café se mit à passer et, s'appuyant au placard, il se tourna vers Olivia.

— Ne vous inquiétez pas, je ne l'ai pas achetée avec de l'argent mal acquis.

— Ça ne m'a jamais traversé l'esprit. En lisant les rapports, j'ai appris que Josh et vous, vous avez joué un rôle central dans l'arrestation de Trey Walker et de Jim Burns.

— Surtout Josh. Après l'agression de Savannah, il a fouillé les souterrains dans l'espoir de trouver des indices. Au lieu de ça, il a découvert une porte débouchant sur le garage de Walker, plein de métamphétamine.

— Vous avez donc confiance en Josh.

— Je remettrais ma propre vie entre ses mains, confia-t-il avec simplicité. Lui et moi, nous ne sommes pas seulement collègues, nous sommes amis.

Il eut soudain l'envie ridicule de s'avancer vers Olivia et d'ôter la barrette qui retenait ses longs cheveux.

Se retournant, il sortit deux tasses du placard.

— Crème, sucre, ou les deux ? proposa-t-il.

— Noir, ce sera parfait, répondit-elle. Et Emma Carpenter ? C'est une bonne agente ?

Daniel sourit intérieurement. Il était évident que cette petite réunion allait être exactement ce que voulait Olivia, c'est-à-dire l'occasion de lui tirer les vers du nez.

Il versa du café dans les tasses et la rejoignit à table.

— Emma est une bosseuse. Elle est réfléchie et méticuleuse. Je lui ferais confiance dans n'importe quelles circonstances.

Olivia entoura sa tasse de ses mains.

— J'essaie juste de me faire une idée des gens qui

travaillent dans le service. Il n'y a aucun éloge, aucune sanction dans les dossiers du personnel.

— En majorité, nous formons une bonne équipe, confirma Daniel.

— En majorité..., fit-elle écho en haussant un sourcil noir.

Daniel soupira.

— Je ne peux pas croire qu'un de mes collègues ait quelque chose à voir avec cette histoire de drogue.

— Je sens un *mais* à la fin de cette phrase.

Elle avait raison.

— Disons que je ne fais pas totalement confiance à certains d'entre eux.

Elle se pencha en avant et il saisit une bouffée de cette fraîche odeur de lilas qui l'avait autrefois rendu presque fou de désir. Cela l'affectait toujours à un niveau viscéral, évoquant des souvenirs inopportuns de leur nuit ensemble.

— A qui ne faites-vous pas totalement confiance ?

Si près de ses lèvres, il se souvint des baisers ardents qu'ils avaient échangés. Il se secoua mentalement et revint au sujet qui les occupait.

— Je ne voudrais pas passer pour un mouchard à vos yeux. Je pense simplement que vous avez le droit d'être au courant des problèmes potentiels dans le service.

Olivia prit une gorgée de café. Au-dessus de la tasse, ses yeux noirs paraissaient insondables.

— Donnez-moi des noms, intima-t-elle en reposant son café sur la table.

— Ray McClure. Il était très proche de Walker, mais il n'arrête pas de dire qu'il n'avait aucune idée de ce qui se passait. Il semblait aussi très content d'accuser Bo du meurtre de Shelly.

Olivia acquiesça.

— Je l'avais déjà remarqué. Il est paresseux et son comportement confine à l'insubordination. Vous pensez qu'il pourrait avoir quelque chose à voir avec le meurtre de Shelly ?

— J'en doute. Je pense qu'il voulait simplement faire plaisir à Trey en proclamant la culpabilité de Bo, d'autant plus que cela le dispensait d'effectuer une vraie enquête.

— Qui d'autre ?

Daniel réfléchit aux hommes qu'il fréquentait quotidiennement.

— Randy Fowler n'est pas quelqu'un à qui je confierais ma vie. Il a récemment installé sa mère dans une maison de retraite très onéreuse à Jackson. Il a râlé pendant des mois à ce sujet, et soudain il ne se plaint plus du tout.

— Il était très proche de Walker ?

Daniel secoua la tête.

— Pas que je sache, mais sa femme et lui étaient amis avec Jim Burns.

— Vous pensez à quelqu'un d'autre ?

— Pas vraiment. Je travaille avec eux depuis des années et j'ai aussi grandi avec la plupart d'entre eux. Ray McClure est né ici. C'était un gosse hargneux et paresseux, et il n'a pas changé. Randy Fowler, lui, est arrivé de Tupelo il y a environ six ans. Il reste un peu à l'écart des autres.

Daniel s'interrompit, but une gorgée de café et lança un regard appuyé à Olivia.

— Nous n'allons jamais parler de cette nuit à La Nouvelle-Orléans ?

Elle se figea, les joues légèrement rosies.

— J'espérais que non.

— Je pense qu'il le faut. J'ai l'impression qu'il y a un éléphant dans la pièce chaque fois que nous sommes ensemble.

Elle reprit un peu de café et reposa sa tasse avec soin sur la table.

— Ça ne me ressemble pas du tout d'avoir fait ça. Mais je venais de perdre mon coéquipier dans une affaire de violences conjugales. Je n'avais même pas envie d'aller à la conférence. C'est pour noyer mon chagrin et pour être seule que je suis allée dans ce bar.

— Mais vous êtes tombée sur moi…

Pour la première fois depuis son arrivée, elle sourit. La beauté de ce sourire frappa Daniel.

— Oui, je suis tombée sur vous. Vous étiez charmant, volubile… Et soudain, vous m'avez paru une meilleure solution que l'alcool pour oublier.

Elle rougit un peu plus fort.

— C'était un accès de folie, quelque chose qui n'aurait jamais dû se produire.

— Pourquoi vous m'avez dit que vous vous appeliez Lily ?

— C'était comme ça que ma mère m'appelait quand j'étais petite. Elle-même s'appelle Rose, et elle disait toujours à mon père qu'il avait deux belles fleurs dans sa vie. Mais il ne m'a pas fallu longtemps pour comprendre que, dans la police, on me prendrait bien plus au sérieux si je m'appelais Olivia. C'est mon véritable prénom… Je suis donc devenue Olivia et j'ai appelé ma fille Lily.

— Je dois avouer que je me suis souvent demandé ce que vous étiez devenue, si votre carrière avait décollé, si vous aviez rencontré quelqu'un…

Le regard d'Olivia laissa filtrer une surprise promptement masquée.

— Je me suis mariée un mois après la conférence et je suis tombée tout de suite enceinte. Phil était un mari et un père formidable.

— Dites-m'en plus sur lui, demanda Daniel, curieux de savoir quel genre d'homme avait capturé le cœur d'Olivia.

Elle se renversa sur sa chaise et ses traits s'adoucirent. Une jalousie irrationnelle monta en Daniel.

— Phil tenait un petit restaurant prospère. Il avait très bon cœur, et il m'aimait à la folie. Après la naissance de ma fille, il m'a encouragée à poursuivre ma carrière. Avec l'aide de ma mère, nous formions une bonne équipe, moi dans la police et lui dans la restauration. Puis il a eu une crise cardiaque et il est mort.

— Vous aimeriez vous remarier ?

— C'est une possibilité… Mon mari était adorable, alors le mariage a été une bonne expérience pour moi. Mais si je ne rencontre personne, je me contenterai d'élever ma fille et de me consacrer à ma carrière.

— Quel âge a votre fille ?

— Elle vient d'avoir quatre ans.

— Je suis toujours attiré par vous.

Les mots étaient tombés de sa bouche avant même qu'il en ait conscience.

Détournant les yeux, Olivia contempla le soir qui tombait par la fenêtre.

— Je ne suis ici que pour peu de temps et je suis votre chef. Toute forme de relation personnelle entre nous serait déplacée.

Elle consulta sa montre puis attrapa son sac.

— Et en parlant de ma mère et de ma fille, il faut que je rentre, annonça-t-elle en se levant.

Manifestement, il s'agissait d'une échappatoire plutôt que d'une véritable obligation. Néanmoins, Daniel se leva pour la raccompagner.

— Si cela peut vous consoler, personne ne sait rien de cette nuit. Je n'en ai jamais parlé et je n'ai pas l'intention de le faire.

Il ouvrit la porte et pressa le bouton commandant celle du garage.

— Je vous en suis reconnaissante. Je suis ici pour faire mon travail, Daniel. Rien de plus.

Elle descendit les marches menant au garage et se hâta de monter en voiture.

Quand elle fut partie, Daniel referma la porte et retourna finir son café.

Du moins en avaient-ils discuté…

Mais aucune des paroles d'Olivia n'avait réussi à refroidir le désir qui le faisait frémir depuis qu'il l'avait revue.

En fait, même si elle avait tenu des propos raisonnables

sur l'inopportunité d'une nouvelle liaison, elle n'avait pas prononcé les seuls mots qui l'auraient convaincu de renoncer.

Elle n'avait pas dit qu'elle n'était plus attirée par lui, et cette omission offrait à Daniel une petite étincelle d'espoir.

Lily et Rose dormaient déjà quand Olivia fut de retour à la maison. Elle alla embrasser sa fille dans son sommeil, puis engloutit un reste de pain de viande préparé par sa mère.

A 22 h 30, elle se coucha sur le futon, mais le sommeil ne vint pas. Sa conversation avec Daniel passait et repassait dans son esprit.

Elle n'avait envie ni de parler de cette nuit, ni même d'y penser. Durant son mariage avec Phil, elle avait passé bien trop de temps à se retourner dans son lit en se demandant ce qui lui avait pris de s'abandonner à ce coup de folie.

Phil était très amoureux d'elle, mais même si elle avait beaucoup d'affection pour lui, elle n'avait jamais ressenti de véritable amour pour lui. C'était un homme bon et solide, et elle avait fait de son mieux pour être une bonne épouse. Mais c'était son aventure avec Daniel qui avait hanté ses rêves.

Le lendemain matin, elle fut réveillée par une pluie de baisers et une odeur de bacon grillé.

— Maman, tu ne m'as pas fait de bisou hier soir, alors tu dois m'en faire un million aujourd'hui.

Dans sa petite chemise de nuit rose, avec ses cheveux tout ébouriffés, Lily était l'incarnation même de l'innocence.

— Ça devrait pouvoir se faire, répondit Olivia en souriant.

Elle attira sa fille sur le futon, puis l'embrassa partout sur le visage et dans le cou.

La petite se mit à glousser, une douce musique aux oreilles de sa mère.

— Allez, vous deux... Petit déjeuner dans un quart

d'heure, annonça Rose. Lily, tu peux m'aider à mettre la table pendant que ta mère se prépare.

Olivia prit une douche rapide, revêtit un pantalon noir et un corsage blanc, puis rejoignit sa mère et sa fille à table pour le bacon et les pancakes.

Le petit déjeuner était toujours une fête quand elles étaient ensemble. Rose avait été une mère affectueuse et attentionnée et, après la naissance de Lily, elle était naturellement devenue la grand-mère chérie de sa petite-fille, dont elle s'occupait quand Olivia et Phil travaillaient.

La naïveté et le bon sens étaient ses traits les plus saillants. Elle avait aussi un humour à toute épreuve et un amour inépuisable pour sa petite famille. Elle croyait fermement que le monde était un endroit sûr et heureux. Aussi, Olivia ne lui parlait jamais des horreurs qu'elle rencontrait dans son travail.

A de nombreuses reprises, au cours des années, elle avait minimisé les dangers qu'elle courait afin de ne pas inquiéter sa mère.

— C'était délicieux, comme d'habitude, maman, déclara-t-elle.

— C'est trop bon le sirop d'érable ! pépia Lily en attrapant de la langue une goutte dudit sirop sur sa lèvre inférieure.

— Tu vas rentrer tard ce soir ? s'enquit Rose.

— Alors, tu dois revenir pour me dire bonsoir ! s'exclama Lily.

— Je t'ai embrassée pendant que tu dormais. Et puis, tu sais comment ça marche : si je ne suis pas là pour t'embrasser, nanny te donne une double ration de bisous.

— Et je crois bien que c'était une triple ration, hier soir, renchérit Rose.

Quelques minutes plus tard, Olivia quitta la maison et prit la direction du bureau. Mieux vaudrait que Daniel ait oublié leur échange de la veille, car elle avait besoin de lui pour interroger les principaux protagonistes de l'affaire Shelly Sinclair.

Ainsi, il avait pensé à elle ces dernières années. Cette déclaration l'avait surprise. Elle avait toujours cru n'être rien d'autre qu'un petit incident dans son parcours. Un type sexy comme lui ne devait pas manquer de conquêtes faciles.

Elle s'admonesta.

Peu importait qu'il ait pensé à elle ou qu'elle ait pensé à lui. Peu importait qu'il soit toujours attiré par elle ou elle par lui. Il n'y aurait pas de suite. Point final.

Elle n'était plus une jeune femme vulnérable. En fait, elle se voyait rarement comme une femme. Elle était mère et policière, et ces titres lui convenaient mieux que celui de femme.

A 9 heures, Daniel et elle quittèrent le poste pour se rendre à la petite maison du marais où vivaient Bo et Claire, son épouse.

— Bo a emménagé avec Claire après l'incendie de sa maison. Ils se sont mariés quelques semaines plus tard, l'informa Daniel.

— J'ai lu le dossier de Roger Cantor, l'entraîneur qui persécutait Claire, répondit Olivia.

On aurait dit que leur conversation de la veille n'avait jamais eu lieu, et c'était bien mieux ainsi. Olivia en était soulagée. En fait, la tension perceptible entre eux depuis son arrivée semblait s'être dissipée.

Daniel lui indiqua le chemin jusqu'à une maisonnette rénovée, très semblable à la sienne.

— Ce sont mes voisins, indiqua-t-elle en arrêtant la voiture le long du trottoir. J'habite dans la même rue, dans la maison jaune que vous voyez là-bas.

Daniel avait téléphoné pour prévenir de leur passage, et Bo leur ouvrit la porte avant même qu'ils ne frappent.

— Bonjour, Daniel. Shérif Bradford, c'est un plaisir de vous rencontrer.

Bo McBride avait une poignée de main ferme et des yeux si clairs qu'ils ne pouvaient cacher quoi que ce soit.

Ses cheveux étaient longs et un peu hirsutes, mais ses traits beaux et nets.

— Entrez, je vous en prie, dit-il en leur désignant un petit salon, où une femme blonde et frisée se leva pour les accueillir.

Les présentations se poursuivirent, puis tous quatre s'assirent dans la cuisine, où Claire leur offrit à boire, ce que Daniel et Olivia déclinèrent.

— Je suis très heureux que vous rouvriez l'enquête, déclara Bo.

— Les nouvelles vont vite, ici, répliqua sèchement Olivia.

— C'est vrai que le téléphone arabe fonctionne à merveille, reconnut Bo. Après la mort de Shelly, il n'a suffi que de quelques semaines pour qu'on me traite en paria. Le shérif Walker répétait partout que c'était moi le coupable, et je n'ai évité l'incarcération que par manque de preuves. Mais Walker a réussi à détruire ma vie à l'époque.

Claire posa une main sur le bras de Bo.

— Bo serait incapable de tuer qui que ce soit. Surtout pas Shelly, qu'il aimait de tout son cœur.

Olivia sortit de son sac un calepin et un stylo.

— J'aimerais que vous me disiez tout sur cette époque. Je veux connaître les noms des proches de Shelly, les idées qui vous sont venues sur l'identité possible du meurtrier, tout ce qui pourrait nous guider dans la résolution de l'affaire.

Durant l'heure suivante, Bo leur parla de sa relation avec Shelly. Il leur fit part avec franchise de ses doutes quant à l'issue heureuse de cet engagement. Shelly voulait quitter Lost Lagoon, tandis que lui n'avait aucune envie de partir, ayant à la fois sa mère et son restaurant dans la petite ville.

Daniel et Olivia lui posèrent des questions tour à tour, et à aucun moment, Bo ne parut leur cacher quelque chose. Il était toujours le propriétaire de Chez Jimmy. Après le meurtre, une grande partie de sa clientèle avait cessé de venir, et il avait suggéré à son meilleur ami, Jimmy Tambor, de gérer le restaurant à sa place et de l'intituler autrement.

Durant les deux années qui suivirent la mort de Shelly, il avait vécu à Jackson, où il avait repris un bar, ne passant à Lost Lagoon que de temps en temps pour voir sa mère.

— Et puis, je suis revenu il y a quelques mois, pour les obsèques de ma mère, et c'est à ce moment-là que j'ai rencontré Claire.

Il sourit à sa femme et lui caressa gentiment la main.

— Elle m'a persuadé de rester pour défendre mon innocence, mais il s'est avéré que c'était elle qui était en danger et mon seul souci a été de la protéger.

— Vous n'avez donc pas beaucoup enquêté sur le meurtre de Shelly, conclut Olivia.

— Si vous me demandez si je sais qui est le meurtrier, la réponse est non. Je ne suis pas plus près de le découvrir que la nuit où elle a été assassinée. Tout ce que je sais, c'est que ce n'est pas moi et que je donnerais cher pour qu'on l'arrête, déclara-t-il avec ferveur.

La conversation s'arrêta là et tous quatre se saluèrent.

De retour à la voiture, Daniel demanda à Olivia :

— Alors, qu'en pensez-vous ?

— Je suis plutôt pragmatique en général, mais dans ce cas, mon instinct me dit que Bo fait preuve de franchise.

— Et si nous allions manger un hamburger chez George avant de retourner au poste ? suggéra Daniel. Ce n'est pas très loin d'ici.

Olivia jeta un coup d'œil à sa montre. Il était 11 heures passées.

— D'accord.

Ce déjeuner rapide lui permettrait d'être de retour à son bureau vers midi pour surveiller les affaires courantes et rédiger un compte rendu de l'entretien avec Bo et Claire.

Daniel lui indiqua le chemin et, quelques instants plus tard, ils se garèrent devant un petit bâtiment surmonté d'une enseigne géante proclamant *George's Diner*.

— Ce n'est pas assez grand pour mériter le titre de *diner*, commenta-t-elle tandis qu'ils descendaient de voiture.

— Je vous l'ai dit, c'est plutôt un fast-food qu'un vrai restaurant. La plupart des gens viennent chercher des menus à emporter. Il n'y a que cinq tabourets devant le bar et c'est un bouge. George propose un peu de tout, depuis l'alligator frit jusqu'aux crevettes, mais ce sont les hamburgers qui font sa réputation. Je vous garantis que vous n'en mangerez jamais de meilleurs.

Le petit établissement était vide, exception faite de l'odeur de marais et de graisse chaude qui flottait dans l'air.

— On mangera dans la voiture, murmura Olivia, incommodée par ce mélange de senteurs inhabituelles.

A cet instant, un gros homme sortit pesamment de ce qu'elle supposa être la cuisine. Avec un sourire qui fit remonter ses bajoues, il posa bruyamment deux menus plastifiés sur le comptoir.

— J'ai entendu dire qu'il y avait un nouveau shérif en ville, fit-il d'une voix grave qui évoquait les coassements d'une grenouille-taureau. Je suis George King.

Il essuya une main sur son tablier sale et la tendit à Olivia, qui la serra avec une brève pensée pour le flacon de désinfectant dans son sac.

— Shérif Bradford, annonça-t-elle.

— Alors, je vous sers quoi ? J'ai reçu de l'alligator tout frais, ce matin.

— Pas d'alligator, merci. On va prendre deux hamburgers « spécial » et des sodas, répondit Daniel.

— Parfait.

George disparut dans la cuisine.

— Il connaissait Shelly ? questionna Olivia.

Daniel lui sourit.

— Tout le monde connaissait Shelly. Pourquoi ?

— George est grand et il a de grosses mains. Il lui aurait été facile d'étrangler une jeune femme et de la jeter dans le lagon.

Le sourire de Daniel s'élargit.

— Policier un jour, policier toujours ?

— Exactement, répliqua-t-elle en souhaitant que son sourire ne lui fasse pas autant d'effet.

Ils furent rapidement de retour dans la voiture. Olivia se désinfecta les doigts, plaça une serviette en papier sur ses genoux et prit un énorme sandwich des mains de Daniel.

Deux hamburgers, deux sortes de fromage, de la tomate et de la laitue, du bacon et de la sauce barbecue : la première bouchée déclencha une explosion de saveurs dans sa bouche.

— Avouez-le, c'est le meilleur que vous ayez goûté, non ? dit Daniel avec un sourire entendu.

Elle finit de mâcher et déglutit.

— D'accord, je l'avoue.

Ils mangèrent en silence et, quand ils eurent fini, Daniel se chargea d'emporter leurs déchets pour les mettre dans une poubelle. Enfin ils se remirent en route pour rentrer au poste.

— Vous écoutez toujours du blues ? lui demanda-t-il.

C'était de cela qu'ils avaient parlé au bar, entre autres choses, de leur goût partagé pour les vieux classiques du blues.

Olivia se mit à plaisanter :

— Ces jours-ci, ma playlist comprend surtout *La chanson des bisous*, *Les aventures de Bébé Lily*, *Le papa pingouin* et des choses comme ça. Et vous ?

— Je suis fidèle à Billie Holiday et à B.B. King, bien sûr.

Ils passèrent le reste du trajet à parler des anciennes vedettes du blues.

Lorsqu'ils furent arrivés au poste, Daniel retourna à sa table et Olivia se dirigea vers son bureau. Dessus était posé un paquet enveloppé de papier brun, adressé à son nom. Qui l'avait apporté ?

Elle rouvrit la porte de son bureau. Daniel et Josh étaient en train de converser.

— Josh, Daniel… vous pourriez venir ici ? les héla-t-elle, espérant que sa voix ne trahissait pas la peur occasionnée par la présence de ce paquet.

Les deux hommes vinrent vers elle et elle leur désigna l'objet.

— Il était ici quand je suis entrée. Je n'y ai pas touché, mais il n'a pas été envoyé par la poste et il m'est adressé.

— Comment est-il arrivé là ? questionna Daniel avec une préoccupation évidente.

— Je l'ignore, répondit-elle.

— Je vais chercher Betsy, intervint Josh.

Il quitta le bureau pour aller quérir la réceptionniste.

— Vous attendiez un colis ? demanda Daniel.

— Non, pas du tout, dit Olivia en secouant la tête.

— Alors, je vais récupérer ma trousse à empreintes.

Quand il revint, Josh et Betsy étaient déjà là.

— Le paquet était posé devant l'entrée principale, précisa Betsy. Je ne sais pas depuis combien de temps. Ray l'a remarqué en revenant de sa pause déjeuner. Il me l'a donné et je l'ai apporté ici.

— Donc, tu n'as pas vu qui l'a laissé ni comment il a été livré ? questionna Josh.

— Je ne sais même pas depuis combien de temps il était là, répondit-elle.

Daniel prit une paire de gants et s'approcha du colis. Celui-ci avait l'air plutôt inoffensif, en dehors du fait qu'il n'y avait pas d'adresse d'expéditeur ni de tampon de la poste.

Olivia se tenait sur le seuil du bureau, à côté de Josh. Etait-ce une bombe ? Avait-elle déjà des ennemis dont elle ne savait rien ? Peut-être était-ce un cadeau de bienvenue de la part d'un habitant de la ville. Elle ne voulait pas tirer de conclusions hâtives, mais elle n'aimait pas les surprises.

— Il est léger, commenta Daniel. Je ne pense pas que ce soit une bombe ou un truc comme ça.

Il ouvrit son kit à empreintes et se mit au travail. Olivia l'observa tandis qu'il brossait soigneusement la surface du colis.

— J'en ai une, annonça-t-il.

Il transféra l'empreinte sur un morceau de ruban adhésif, qu'il plaça sur une carte où il nota sa provenance.

C'était un processus fastidieux et Olivia retenait son souffle. Bien sûr, elle voulait savoir qui avait touché le paquet, mais elle avait surtout envie de découvrir ce qu'il y avait dedans.

Il pouvait s'agir de biscuits maison ou d'un bibelot artisanal avec un mot gentil, mais elle ne pouvait se débarrasser d'un mauvais pressentiment.

Il fallut presque vingt minutes à Daniel pour finir de relever les empreintes sur tout le colis. Il en tira deux jeux différents.

— J'imagine que ce sont celles de Ray et Betsy. Leurs empreintes sont dans le fichier, alors je vais pouvoir les comparer.

— Mais le fait qu'il n'y en ait pas d'autres signifie que celui ou celle qui l'a laissé portait des gants, souligna Josh, ce qui ne fit qu'accroître la tension d'Olivia. Ouvre-le.

— Je vais m'en charger, intervint Olivia.

S'il contenait un objet dangereux, c'était son devoir de protéger ses suppléants.

Daniel eut l'air de vouloir argumenter, mais elle lui adressa un regard sévère et il recula. Les doigts un peu tremblants, elle défit l'emballage du colis, révélant une boîte en carton blanc avec un couvercle.

Elle retira celui-ci et... rien ne se passa.

Elle laissa échapper un petit soupir de soulagement.

Un tas de mouchoirs en papier recouvrait le contenu de la boîte. Elle les écarta et fixa ce qu'il y avait à l'intérieur, momentanément incapable de donner du sens à ce qu'elle voyait.

C'était un chien en peluche, dont la gorge avait été tranchée, laissant apparaître une grosse touffe de rembourrage. Un morceau de papier plié reposait contre le jouet mutilé.

— Laissez-moi faire, dit Daniel d'une voix tendue.

Portant toujours ses gants, il prit la feuille de papier et la déplia sous les yeux d'Olivia.

« NE REVEILLEZ PAS LES CHIENS »

— Je crois qu'on peut affirmer sans crainte que le meurtrier de Shelly est toujours ici, dit finalement Josh.

— Et que la réouverture de l'enquête l'a ébranlé, ajouta Daniel.

Olivia fixait tour à tour la note et le petit chien éventré, en s'efforçant de réprimer le frisson glacial qui lui montait le long de la colonne vertébrale. En vain.

4

Daniel se sentait à la fois irrité et soucieux. La peur qu'il avait lue dans les yeux d'Olivia le rendait malade. Et cet avertissement, car on ne pouvait interpréter autrement le contenu du paquet, le mettait hors de lui.

Le meurtrier avait réagi au quart de tour, puisqu'ils n'avaient officiellement rouvert l'enquête que la veille.

Daniel avait emporté le paquet dans la petite salle destinée aux indices matériels. Olivia lui avait assuré qu'elle se sentait bien et qu'elle devait rédiger des rapports. Il l'avait laissée seule dans son bureau et avait passé les heures suivantes à comparer les empreintes relevées. Comme il l'avait subodoré, elles appartenaient à Ray et à Betsy.

Il s'était aussi entretenu avec Ray, qui avait déjeuné au Lost Lagoon Café, et avait remarqué le paquet posé près de la porte d'entrée à son retour.

Une part du problème était que Daniel ignorait quel degré de sérieux il fallait accorder à cet avertissement. Etait-ce une menace directe à l'égard d'Olivia ? Ou une blague idiote destinée à effrayer le nouveau shérif ?

Dans le doute, mieux valait pécher par excès de prudence que le contraire. Apparemment, Olivia était du même avis. Vers 16 heures, elle l'appela dans son bureau.

— Ça va ? s'enquit-il en refermant la porte derrière lui.

Les pupilles d'Olivia étaient très sombres, mais les traits de son visage plus détendus.

— Je vais bien, mais je me demande si c'est raisonnable.

Ce n'est pas ma propre sécurité qui m'inquiète, plutôt celle de ma mère et de Lily.

— Je peux vous suivre jusque chez vous tout à l'heure, pour vérifier que tout va bien.

La dernière chose qu'il voulait, c'était qu'elle se fasse du souci pour sa famille.

— Oh ! Ce n'est pas nécessaire, protesta-t-elle avec une véhémence injustifiée.

— Faites-moi plaisir, répondit-il. Je me sentirai mieux si je jette un coup d'œil aux alentours.

Olivia n'avait pas l'air très content, mais elle acquiesça finalement d'un hochement de tête.

— D'accord. Je partirai d'ici une heure environ.

— Je serai prêt, promit-il.

Puis il la laissa de nouveau seule et retourna à son bureau. Aussitôt, Josh approcha sa chaise.

— Tu t'inquiètes ?

— Je suis préoccupé. Je ne sais pas s'il faut vraiment s'inquiéter ou non, avoua Daniel.

— C'était peut-être une blague de mauvais goût, suggéra Josh d'un ton peu convaincu.

— Peut-être, mais juste par mesure de sûreté, je vais suivre Olivia jusque chez elle, et vérifier les portes et fenêtres. Ce n'est pas pour elle qu'elle a peur, elle s'inquiète pour la sécurité de sa mère et de sa fille.

— Elle a une mère et une fille ? fit Josh avec surprise. Je l'aurais crue mariée à son boulot. Je ne la voyais pas du tout en maman.

Daniel sourit *in petto*. Depuis son arrivée à Lost Lagoon, Olivia se comportait certes avec une dureté toute professionnelle, mais il avait en mémoire une jeune femme beaucoup plus tendre.

— Eh bien, elle n'est pas mariée à son boulot et elle a une mère et une fille ici avec elle, reprit-il.

— Elle est divorcée ?

— Veuve.

— Je suis sûr que c'était elle qui portait le pantalon, lança Ray depuis son bureau.

Daniel ne put masquer son irritation.

— Tu n'as rien de mieux à faire que d'écouter les conversations privées ?

— De fait, si, répliqua Ray en se levant. J'y vais. J'ai rendez-vous avec des potes Chez Jimmy.

Dès qu'il eut quitté la salle, Josh maugréa :

— Je veux bien manger mon chapeau le jour où ce type fera ses heures jusqu'au bout. Tu crois qu'il a les mains sales ?

— Difficile à dire.

Daniel se renversa sur sa chaise.

— Il était très proche de Walker, mais il est possible qu'il n'ait rien su du trafic de drogue. Je veux dire — soyons honnêtes — Ray n'a pas inventé le fil à couper le beurre. Trey ne lui faisait sûrement pas confiance pour garder son sale petit secret. De toute façon, si Ray est mouillé, le shérif Bradford le découvrira.

— Et elle s'intéresse à qui d'autre ? demanda Josh.

— Peut-être à Fowler, répondit Daniel, sachant que cette information n'irait pas plus loin. Mais ça reste entre nous, ajouta-t-il néanmoins.

— C'est sûr que l'argent qu'il a touché vient bien de quelque part.

— S'il y a des trucs louches dans le service, la chef s'en occupera. C'est pour ça qu'elle est là, mais elle veut aussi résoudre le meurtre de Shelly.

— Ce chien éventré m'a fichu la frousse, confia Josh. J'espère que c'était une mauvaise blague.

La tension gagna un peu plus Daniel.

— Oui, moi aussi.

Les deux hommes se remirent à travailler, et vingt minutes plus tard, Olivia apparut sur le seuil de son bureau.

— Je suis prête à partir.

Daniel se leva et ils sortirent ensemble du bâtiment par la porte de derrière. Olivia prenait toujours sa voiture personnelle pour venir au travail, et ne se servait d'une voiture de patrouille que durant la journée.

Elle s'approcha d'une berline bleu marine, avec un siège enfant fixé sur la banquette arrière.

— Je suis sûre que ce n'est pas nécessaire, répéta-t-elle. Les portes et les fenêtres ont toutes des verrous. J'ai juste eu un instant de panique en voyant ce chien.

— La panique n'est pas une mauvaise chose en soi, répondit Daniel sans se démonter. Je veux juste m'assurer que votre famille est en sûreté quand vous n'êtes pas là.

Il était résolu à ne pas tolérer un refus de sa part. Non seulement il voulait vérifier la sécurité de la maison, mais il désirait aussi rencontrer la mère et la fille d'Olivia et voir cette dernière dans son environnement privé.

— Comme vous voudrez, dit enfin Olivia.

Elle monta en voiture et Daniel se hâta de gagner la sienne.

Quelques minutes plus tard, il s'arrêta devant la petite maison jaune. Il descendit de voiture et rejoignit Olivia sur la galerie.

Ils avaient à peine franchi la porte qu'une petite fille aux cheveux noirs se jeta sur Olivia. Celle-ci s'accroupit pour l'enlacer, une expression d'amour sur le visage. Elle fourra son nez dans le cou de la petite, dont le rire se mêla au sien.

C'était une facette du shérif Bradford qu'aucun des hommes ne verrait jamais : un côté doux et maternel que Daniel fut surpris de trouver terriblement attirant.

Une femme, sans doute la mère d'Olivia, debout devant la cuisinière, sourit à Daniel. Comme Olivia, elle avait des cheveux et des yeux noirs, et elle était très attirante.

— Laissez-leur une minute et nous ferons les présentations, dit-elle assez fort pour se faire entendre par-dessus les rires.

Olivia lâcha sa fille et se releva.

— Maman, voici l'adjoint Carson. Daniel, je vous présente ma mère, Rose. Et ce petit bout de chou est Lily.

— Tu veux voir ma chambre, Adjoint ? demanda Lily avec des yeux brillants de plaisir.

— Dans un moment, intervint Olivia. Pour l'instant, M. Carson va vérifier les portes et les fenêtres de la maison.

Rose afficha immédiatement une expression proche de la panique.

— Quelque chose ne va pas ?

— Pas du tout, répondit calmement Daniel. Chaque fois que quelqu'un emménage dans une de ces maisons, les services du shérif viennent faire une petite inspection. Vous seriez surprise de découvrir combien les propriétaires peuvent être négligents quand ils effectuent des travaux de rénovation.

— Que c'est gentil, commenta Rose.

Elle se détendit nettement et Olivia sourit à Daniel avec reconnaissance. Ce sourire si beau, si rare, le réchauffa grandement.

— Je viens juste de faire une marmite de jambalaya et du pain de maïs au four, annonça Rose. Après votre inspection, vous mangerez avec nous.

Daniel fit mine de protester, mais Rose l'arrêta en levant la main.

— Cela ne me dérange pas du tout, je vous assure.

— Tu peux mettre du miel sur le pain de maïs, Adjoint. C'est vraiment, vraiment bon, lui dit Lily.

Il sourit à cette mignonne petite fille qui ressemblait tant à sa mère, en dehors de ses yeux, d'un beau vert.

— Comment refuser du pain de maïs avec du miel ? Pourquoi tu ne me montres pas ta chambre ? Je serai ravi de la voir.

Lily hocha vivement la tête et lui prit la main. La sensation de cette petite main chaude dans la sienne le fit presque fondre.

— Viens voir, lui lança-t-elle. Elle est toute rose.

Tout était rose, en effet, dans la pièce : couvre-lit, rideaux... Lily lui montra ses souliers de princesse et sa maison de poupée. Sur le seuil, Olivia sourit tandis que Lily insistait pour qu'il s'assoie sur son lit et teste l'élasticité du matelas.

Tout en babillant, Lily lui fit faire le tour complet du propriétaire. Enfin, Daniel put s'approcher de la fenêtre. Il l'ouvrit, la referma, bloqua l'espagnolette et tenta de l'ouvrir de nouveau. Elle ne bougea pas.

— Pourquoi tu fais ça ? demanda Lily.

— Pour être sûr que la pluie ne rentre pas. Et maintenant, il faut que je vérifie toutes les fenêtres de toutes les pièces.

— Je vais t'aider, déclara Lily avec enthousiasme.

Olivia les suivit dans la chambre de Rose. Le grand lit double était recouvert d'un jeté à fleurs et les voilages étaient tirés pour laisser entrer le soleil de la fin d'après-midi.

— Nanny ne sera pas mouillée, observa Lily quand ils eurent testé la fenêtre. S'il pleuvait, elle pourrait mettre un imperméable pour dormir, mais ça serait bête.

— Ce serait bête, mais maintenant, nous savons qu'elle n'aura pas à faire ça.

Avec l'aide de Lily, ils finirent de vérifier une par une les fenêtres de la maison. Toutes fermaient bien, et le seul problème que Daniel nota était les portes.

— Il vous faut des verrous, annonça-t-il, une fois de retour dans le salon.

Ils se tenaient devant le futon noir. C'était certainement là qu'Olivia dormait.

— Je vais aller en acheter et vous les installer.

— Oh non, je ne peux pas vous laisser faire ça ! protesta Olivia.

Il lui sourit.

— Vous ne pourrez pas m'en empêcher.

Rose intervint à son tour, un sourire aux lèvres :

— Le temps que vous reveniez, le dîner sera prêt. Je ne vous laisserai pas repartir sans manger un bon repas après tout le mal que vous vous donnez.

Daniel sortit de la maison et prit sa voiture. Il avait certes voulu inspecter la sécurité générale de la maison, mais il le regrettait presque.

Les échanges d'Olivia avec sa mère et sa fille lui avaient fait entrevoir une nouvelle facette de sa personnalité. Il admirait et respectait le shérif Bradford et il avait autrefois désiré une femme prénommée Lily. La douceur filiale et maternelle d'Olivia avait rallumé en lui une envie qui n'était pas uniquement fondée sur la convoitise.

Tout cela était déroutant, et il ne se souvenait pas d'avoir jamais été dérouté par une femme.

— Il a l'air gentil, dit Rose en jetant un coup d'œil au pain de maïs dans le four.

— J'aime Adjoint, dit Lily. Je trouve que tu devrais te marier avec lui pour qu'il soit mon papa.

— Chérie, il ne s'appelle pas Adjoint. Tu dois l'appeler M. Carson.

Lily secoua la tête et releva le menton avec une pointe d'entêtement.

— J'aime Adjoint et il aime que je l'appelle comme ça.

Olivia préféra ne pas insister.

— D'accord, mais je ne vais pas me marier avec Adjoint, et il n'est pas du matériau dont on fait les pères.

— Mais c'est quand même un jeune homme agréable, intervint Rose.

— C'est vrai, concéda Olivia.

— Et c'est très aimable aux services du shérif de vérifier que ces maisons sont sûres, poursuivit sa mère.

La naïveté de Rose la faisait parler ainsi…

— Je vais me changer, dit Olivia, impatiente de remplacer sa tenue de travail par quelque chose de plus confortable.

Elle alla dans la chambre de sa mère, où ses vêtements étaient rangés dans le placard et la commode, avec ceux de Rose. Au lieu de se changer, néanmoins, elle se laissa tomber au bord du lit et poussa un grand soupir.

La vue de Daniel et Lily lui avait fendu le cœur comme jamais auparavant. Il s'était montré tellement naturel, tellement décontracté avec elle. Elle s'était souvent demandé comment ce serait s'ils se rencontraient.

Mais Daniel était un célibataire endurci, qui n'avait aucune envie d'un enfant. Il ne servait à rien de lui dire la vérité sur Lily. D'une certaine façon, cela brisait le cœur d'Olivia.

Lily ne saurait jamais qui était son vrai père. Quand elle serait assez âgée pour poser des questions, Olivia lui parlerait de Phil Bradford et de son amour pour elle.

Se relevant, elle prit un jean et un T-shirt chocolat dans le placard. Tout en s'habillant, elle repensa à Lily disant qu'elle voulait que sa mère épouse *Adjoint* et qu'il devienne son papa.

Elle avait eu beaucoup de collègues masculins au cours de sa carrière et Lily en avait rencontré certains. Mais la petite n'avait jamais laissé entendre qu'elle voulait que l'un d'eux devienne son papa.

Etait-ce les liens du sang qui parlaient ? Etait-ce pour cela que Lily s'était faite si vite à Daniel ? L'année suivant la mort de Phil, Olivia avait parfois pensé à se remarier. Dans l'idéal, elle aurait voulu que Lily grandisse avec une présence masculine.

Mais ce ne pourrait être Daniel. Malgré son désir inavouable de réitérer ce qu'ils avaient partagé à La Nouvelle-Orléans, elle savait une chose : Daniel ne serait jamais ni son mari ni le père de Lily.

Après s'être habillée, elle passa dans la salle de bains et retira la barrette qui retenait ses cheveux sur sa nuque. Elle poussa un soupir de soulagement en brossant ses longues mèches. A la fin de la journée, cette coiffure lui donnait toujours un peu mal à la tête.

Quand elle revint dans le salon, Daniel était déjà là, avec des verrous solides et faciles à monter. Il avait apporté les outils nécessaires et il se mit au travail, observé de près par une Lily plus volubile que jamais.

Olivia mit la table pour quatre, tandis que Rose sortait du four le pain de maïs.

Vingt minutes plus tard, ils étaient tous attablés devant des bols de ragoût et de grandes tranches de pain.

Lily attrapa le flacon de miel et regarda Daniel.

— Il faut faire couler un filet, pas trop vite, lui dit-elle. C'est le mieux.

Elle joignit le geste à la parole, puis tendit le flacon à Daniel.

— A toi, Adjoint.

Daniel adressa un large sourire à Olivia et fit comme on lui avait dit. La scène était tellement familiale qu'un élan de nostalgie la traversa tout entière. Elle se raidit pour repousser ce sentiment trop doux. C'était un fantasme, qui n'avait rien à voir avec la réalité.

Daniel ne charma pas seulement Lily mais aussi Rose, en la félicitant pour sa cuisine et en l'interrogeant sur son jardin à Natchez. Il l'encouragea même à raconter des histoires sur l'enfance d'Olivia, qui le firent rire, de même que Lily, tandis qu'Olivia se crispait.

Elle fut à la fois déçue et soulagée que le repas prenne fin. Après avoir insisté pour prendre part au rangement, Daniel se prépara à partir.

— Merci pour ce dîner. C'est le meilleur repas que j'aie mangé depuis des mois, dit-il à Rose.

Puis il s'accroupit devant Lily.

— Et merci de m'avoir montré ta chambre, surtout tes chaussures de princesse. Elles sont magnifiques.

Lily lui jeta les bras autour du cou et l'embrassa sur la joue. Daniel en parut stupéfait. Olivia le fut plus encore.

— Je t'aime beaucoup, Adjoint. J'espère que tu reviendras bientôt, dit la petite fille en le relâchant.

Daniel se redressa, une expression ahurie sur le visage. Mais son étonnement parut s'évanouir, et il s'adressa à Rose.

— Maintenant que j'ai installé les verrous, il faut les fermer chaque fois que Lily et vous, vous êtes seules à la maison. Il y a parfois des ivrognes qui traînent dans le quartier.

Se tournant ensuite vers Olivia, il lui demanda :

— Vous me raccompagnez ?

Elle hocha la tête et après les derniers au revoir, le suivit jusqu'à sa voiture, garée le long du trottoir.

— Vous avez une famille charmante, lui dit-il.

— Merci, je trouve aussi.

Il fronça les sourcils.

— Olivia, les verrous que j'ai posés ne sont qu'une solution temporaire. Si quelqu'un veut vraiment rentrer dans la maison, il pourrait les forcer. Je vous recommande de contacter Buck Rainier. Sa société pose des alarmes et il pourra vous conseiller efficacement.

— Je n'ai pas envie de dramatiser ce qui s'est passé, répliqua Olivia. Jusqu'ici, tout ce que nous avons, c'est un avertissement anonyme, dont je suppose qu'il est lié à la réouverture de l'affaire Sinclair.

— Moi non plus, je ne veux pas vous faire peur, mais il ne faut pas minimiser l'importance de ce paquet.

Les yeux de Daniel étaient devenus aussi verts que les profondeurs du marais.

— Je vous remercie d'avoir posé ces verrous, mais je ne suis pas encore prête pour un système d'alarme. Il est inutile d'effrayer ma mère sans nécessité absolue. Je voudrais seulement découvrir qui m'a envoyé ce paquet et pourquoi. Nous ne savons pas avec certitude s'il a quelque chose à voir avec l'affaire Sinclair.

Daniel hocha la tête.

— Je pense que c'est très probable, mais il est possible que nous n'apprenions rien de plus. Nous avons interrogé tout le monde au bureau. Personne n'a vu qui l'avait placé là. Nous n'avons aucune empreinte, aucun tampon de la poste pour nous guider.

S'interrompant, il tendit la main pour effleurer une mèche de cheveux qui retombait sur l'épaule d'Olivia.

— Je ne veux pas qu'il vous arrive quoi que ce soit, à vous ou à votre famille.

Avec une grimace, il laissa retomber sa main et recula d'un pas.

— A demain matin, finit-il d'un ton bref.

Elle le suivit du regard tandis qu'il montait dans son véhicule et elle resta sur place jusqu'à ce qu'il soit hors de vue.

Pour aussi déplacée qu'elle fût, sa manière de toucher ses cheveux l'avait émue, de même que son souci évident pour leur sécurité.

Elle tourna les talons et rentra dans la maison. Daniel travaillait depuis longtemps au bureau du shérif et il s'inquiétait pour elles. Sous-estimait-elle le danger ?

Non, ce n'était qu'une stupide peluche, l'acte d'un lâche.

Mais elle aurait voulu que cette mission soit déjà terminée, avoir résolu le meurtre de Shelly Sinclair et débusqué les agents éventuellement corrompus.

Par-dessus tout, elle aurait voulu n'avoir jamais vu Daniel et Lily ensemble.

Au moins ne l'avait-il pas trop questionnée sur son mariage précipité et sa grossesse. Manifestement, il ne lui était pas venu à l'esprit qu'il pouvait être le père de Lily.

Mais elle se sentait désormais menacée sur le plan émotionnel autant que sur le plan physique.

5

— Ça vous dirait d'aller déjeuner Chez Jimmy ? demanda Daniel à Olivia le lendemain vers midi.

Elle avait passé les vieux dossiers au peigne fin toute la matinée, cherchant des erreurs éventuelles dans les dossiers et les procès-verbaux de Walker.

Quant à lui, il avait travaillé dans la petite salle assignée à l'enquête sur l'affaire Sinclair. Si la peluche et le message étaient effectivement liés au meurtre, cela n'avait fait que renforcer sa détermination de le résoudre aussi vite que possible.

— On aurait dû l'abattre, dit Olivia quelques minutes plus tard, alors qu'ils se dirigeaient en voiture vers le centre.

— Je suppose que vous parlez de Walker, fit Daniel.

— Il n'y a que des rapports manquants ou à demi rédigés dans ses dossiers.

Elle inspira profondément, comme pour maîtriser son irritation.

— Du nouveau du côté de l'enquête ?

— Non, répondit-il. Derrick et Wes ont interrogé les amies de Shelly à l'époque du meurtre, mais il n'en est rien ressorti. Josh a demandé à tout le monde si on avait vu quelqu'un déposer le paquet devant les bureaux. En fait, je vous ai proposé d'aller manger Chez Jimmy parce que je pense que c'est important qu'on vous voie en ville, et qu'il est possible que nous tombions sur des suspects potentiels.

— Et cela montrera au salopard qui m'a envoyé ce chien que je ne recule pas.

Rien dans sa voix ferme et sonore ne laissait deviner la femme sensible qu'il avait vue la veille au soir. Et s'il y pensait trop longtemps, les doigts lui démangeaient de toucher encore ses cheveux soyeux.

Il trouva une place de parking derrière le restaurant, et tous deux descendirent de voiture.

Dès qu'ils eurent franchi le seuil, Jimmy Tambor, le meilleur ami de Bo, les accueillit.

— Shérif Bradford, je suis ravi de vous rencontrer en personne. Bo semble convaincu que vous allez mettre un point final à l'affaire du meurtre de Shelly.

— C'est notre objectif en tout cas, dit simplement Olivia.

— Comme vous le voyez, il y a déjà beaucoup de monde, mais j'ai encore une table ou un box de libres si vous le désirez, indiqua Jimmy en prenant deux menus sur un petit meuble.

— Un box, ce sera parfait, dit Daniel.

— Suivez-moi, je vous prie.

Jimmy les conduisit à un box inoccupé au milieu d'une rangée.

Il ne s'était pas plus tôt éloigné que Frank Kean, maire par intérim, Neil Sampson, conseiller municipal, et Rod Nixon, propriétaire du parc d'attractions, se frayèrent un chemin vers Daniel et Olivia.

— Grosses huiles en approche, la prévint-il.

Elle se redressa aussitôt sur son siège.

— Shérif, quel plaisir de vous revoir ! s'exclama Frank. Je voudrais vous présenter deux hommes très importants ici. Neil Sampson est mon bras droit depuis que j'ai repris la direction des affaires, et Rod Nixon est le propriétaire du parc d'attractions qu'on construit sur le plateau.

Olivia les salua tour à tour et échangea de menus propos avec eux.

— Alors comment se présente l'affaire Sinclair ? questionna Neil. Vous allez attraper le coupable ?

— C'est ce que nous désirons tous, répondit Olivia.

— Espérons que ce sera avant l'ouverture du parc, commenta Rod. Le thème des pirates est à l'honneur, mais il ne faudrait pas que le public entende parler d'un meurtre non élucidé dans la ville.

— Nous espérons tirer des revenus des souterrains en coordination avec le parc d'attractions, ajouta Neil. En organisant des visites payantes... Bien sûr, nous ajouterons quelques effets spéciaux pour les rendre plus intéressants. Mais nous voulons tous que l'affaire soit éclaircie. Cela fait trop longtemps qu'elle est en suspens.

— Nous étudions plusieurs pistes, dit sèchement Daniel.

A ce moment précis, la serveuse apparut à leur table.

— Si vous voulez bien nous excuser, nous allons commander.

Les hommes s'éloignèrent et Olivia et Daniel transmirent leurs choix à la serveuse. Puis Olivia considéra Daniel d'un air spéculatif.

— Bon, dites-moi lequel de ces trois hommes vous n'aimez pas.

Il ne put cacher sa surprise.

— Quoi ? Vous lisez dans mes pensées maintenant ?

Elle sourit.

— Je commence à connaître vos inflexions et vos expressions.

— C'est un peu effrayant, avoua-t-il avec un petit rire bref. Eh bien, je n'aime pas beaucoup Neil Sampson. Il a les dents qui rayent le parquet et il se prend pour le tombeur de ces dames.

— Il est beau, remarqua Olivia.

A ces mots, un pincement de jalousie prit Daniel par surprise.

— C'est un imbécile présomptueux, rétorqua-t-il.

La serveuse revint leur apporter leur commande et ils

cessèrent de parler. Olivia avait demandé une salade Cobb et des bâtonnets de mozzarella, tandis que Daniel avait opté pour un sandwich aux boulettes avec des frites.

Olivia goûta les bâtonnets de fromage.

— Mmm… Il va falloir que j'en commande à emporter pour Lily. Elle mangerait de la mozzarella à tous les repas, si je la laissais faire.

— C'est une petite fille adorable et votre mère est très sympathique aussi. J'ai été ravi de les rencontrer.

Olivia piqua un autre morceau de mozzarella.

— Elles vous ont beaucoup apprécié… Et maintenant, parlons de ceux que nous allons devoir interroger pour débrouiller le meurtre de Shelly.

La dernière chose que voulait Olivia, c'était évoquer la visite de Daniel chez elle. Lily n'avait cessé de parler d'*Adjoint* jusqu'à ce qu'elle s'endorme, et même Rose s'était entichée de Daniel.

Olivia ne voulait pas qu'il revienne chez elles. Elle n'avait pas envie de réunir le père et la fille. Les voir côte à côte avait fait naître chez elle un chagrin qui ne passerait pas de sitôt.

— Je pense que le prochain devrait être Eric Baptiste, reprit Daniel. Avant la mort de Shelly, il s'était rapproché d'elle. Si Shelly voulait quitter la ville, Eric aurait été le ticket gagnant. Il est diplômé en botanique, et il aurait pu sans difficulté trouver un poste d'enseignant quelque part.

— Et nous devons encore parler à Mac Sinclair, ajouta Olivia. Difficile de croire qu'un frère veuille tuer sa sœur, mais nous savons vous et moi que tout est possible quand il s'agit de meurtre.

— Savannah, la sœur de Shelly, a dit à Josh qu'elle craignait que ce soit Mac. Apparemment, son frère haïssait Bo, et il ne voulait pas voir sa sœur avec lui. Savannah se demande si Mac n'a pas rejoint Shelly cette nuit-là, et s'ils ne se sont pas disputés à propos de Bo, si bien que les choses auraient mal tourné et que Mac aurait étranglé Shelly.

Olivia prit une bouchée de sa salade et considéra cette théorie.

— Cela pourrait expliquer la disparition de la bague de fiançailles. Il lui aurait retiré la seule chose qui la liait encore à Bo.

— Ce serait d'une logique épouvantable, remarqua Daniel.

Il prit une énorme bouchée de son sandwich et la fit descendre avec une gorgée de thé glacé.

— Alors qui voulez-vous aller voir après le déjeuner ? Ce sera sans doute plus facile de rencontrer Eric, car il travaille à la boutique d'apothicaire.

— Va pour Eric, dit-elle. On pourra rendre visite à Mac demain.

Ils se turent et continuèrent à manger. Mais dans le même temps, Olivia examinait les clients autour d'eux. Le meurtrier déjeunait-il en ce moment même dans cet établissement ?

Ils avaient quelques suspects, mais aucun indice qui leur permette de resserrer le faisceau des présomptions. Des hypothèses et des conjectures, rien de plus. C'était terriblement frustrant.

Ça ne fait que quelques jours, se rappela-t-elle.

Elle ne pouvait s'attendre raisonnablement à des résultats aussi rapides.

Elle jeta un coup d'œil à Daniel, qui divisait aussi son attention entre son assiette et la clientèle.

Chaque fois qu'elle l'observait, le souvenir de leur nuit passionnée lui revenait en tête et le désir de recommencer s'insinuait dans son ventre, ce qui était au moins aussi frustrant que de ne pouvoir élucider le meurtre.

Après le déjeuner, ils se rendirent en voiture à la boutique d'apothicaire de Mama Baptiste.

A peine le seuil franchi, le parfum mystérieux des herbes emplit les narines d'Olivia. Les bouquets de plantes séchées et les racines tarabiscotées pendues au plafond la captivèrent.

Mama Baptiste était une forte femme aux cheveux noirs striés de mèches argentées. Vêtue d'une blouse paysanne rose vif et d'une longue jupe fleurie, elle ne passait pas inaperçue.

Elle les accueillit avec un grand sourire, et Daniel fit les présentations.

— Vous savez que c'est l'un de mes policiers préférés, lança Mama en souriant.

— Elle dit ça de nous tous, répliqua Daniel d'un ton taquin. Je parie que je ne serai plus votre préféré quand vous saurez pourquoi nous sommes ici. Nous voudrions parler à Eric.

Le sourire de Mama s'évanouit.

— Qu'est-ce qu'il y a ? Chaque fois qu'il se passe quelque chose ici, c'est mon fils qu'on vient chercher. Ce n'est pas juste, dit-elle en s'adressant à Olivia. Il s'occupe de ses affaires, il ne cherche pas d'ennuis.

— Nous essayons seulement d'éclaircir certains détails, la rassura Olivia.

Mama poussa un grand soupir et leur désigna le fond du magasin.

— Il est dans l'entrepôt.

Olivia s'avança dans la direction indiquée. Apparemment, Mama ne vendait pas seulement des décoctions, des plantes et des racines. Sa boutique proposait aussi des articles touristiques : kits vaudous un peu ridicules, cristaux, chapeaux de pirate et épées en plastique.

Eric Baptiste était un jeune homme d'une trentaine d'années, aux cheveux et aux yeux noirs. Il était séduisant, dans un style un peu ténébreux. Il tressaillit en les voyant surgir dans la pièce où il travaillait.

— Que voulez-vous ?

— Je suis le shérif Bradford, annonça Olivia. Je suis certaine que vous avez entendu parler de la réouverture de l'enquête sur la mort de Shelly Sinclair, et nous aimerions avoir un entretien complémentaire avec vous.

Eric fourragea dans ses épais cheveux ébouriffés.

— Ça veut dire que je dois vous suivre au poste ?

— Nous pouvons très bien parler ici, nuança Olivia.

Elle le savait d'expérience : il était plus facile d'obtenir des informations quand le suspect restait dans son propre environnement.

Eric haussa les épaules.

— Comme vous voudrez.

Il s'empara de deux chaises pliantes posées contre le mur et les ouvrit, puis leur fit signe de prendre place et s'assit lui-même sur une grosse caisse.

Une fois assise, Olivia sortit un calepin et un stylo de son sac. Daniel alla se placer à côté d'elle, dos au mur, comme s'il avait l'intention de la laisser mener l'entretien. Elle n'y voyait aucun inconvénient : en ce qui concernait Eric, elle n'avait pas d'opinion préconçue.

— J'ai lu le compte rendu de votre dernier interrogatoire, et j'ai cru comprendre qu'au moment du meurtre vous étiez chez vous et que personne ne pouvait témoigner de vos allées et venues.

Eric plissa les yeux.

— Si j'avais su que Shelly serait tuée cette nuit-là, j'aurais fait en sorte d'avoir quelqu'un dans mon lit.

Olivia se redressa sur sa chaise, agacée par son ton sarcastique.

— Il est apparu récemment que Shelly et vous étiez devenus amis avant sa mort, poursuivit-elle.

Elle l'observait avec attention : un nuage de chagrin passa brièvement sur ses traits.

— C'est vrai, nous étions devenus amis, admit-il. Quand elle travaillait au Pirate's Inn le soir, j'allais parfois la voir pour lui tenir compagnie. Il n'y avait rien de romantique entre nous, nous étions juste amis, c'est tout.

— Elle ne vous a jamais proposé de partir avec elle, de tout quitter pour les lumières de la ville ?

— Elle parlait souvent de s'installer dans une grande

ville, oui. Mais ce n'étaient que des paroles en l'air, et il n'a jamais été question de moi. Je n'ai aucune envie de quitter Lost Lagoon. Ma mère vit toute seule et elle ne rajeunit pas.

Son regard s'adoucit en disant cela, de même que son ton.

— Je n'ai pas beaucoup d'amis, et j'aimais bien voir Shelly de temps en temps. Je ne lui aurais jamais fait de mal. Je n'avais de toute façon aucune raison de vouloir la tuer.

— Shelly connaissait-elle l'existence des souterrains ? questionna Daniel.

— Pas que je sache. Je pense qu'elle m'en aurait parlé si elle l'avait su.

— Vous avez une idée de qui l'a tuée ? demanda Olivia.

Eric secoua la tête, le regard de nouveau indéchiffrable.

— Mais j'aimerais bien le savoir. Il y a très peu de gentillesse dans cette ville, et Shelly était une fille bien. Et maintenant, dit-il en se levant, si vous avez fini, j'ai du travail.

Olivia et Daniel se mirent debout à leur tour.

— Merci de nous avoir accordé un peu de temps, Eric, dit Olivia. Tenez-nous au courant si vous repensez à quelque chose qui pourrait nous être utile.

Il lui jeta un regard attristé.

— J'ai eu deux ans pour y penser. Si je savais quelque chose, j'en aurais déjà parlé. Elle mérite qu'on lui rende justice.

Olivia posa une ou deux questions de plus, mais n'obtint rien d'intéressant.

Quand ils furent de retour dans la voiture, Daniel lui demanda :

— Qu'en pensez-vous ?

— Je n'en sais rien… Il est possible qu'il dise la vérité, mais je crois tout aussi possible que Shelly et lui aient dépassé la simple amitié. Il avait certainement des sentiments intenses à son égard.

— Shelly a dit à plusieurs de ses amies qu'elle était dans de mauvais draps, sans plus de précisions. Ces mauvais draps, c'était peut-être le fait qu'elle était partagée entre deux hommes, Bo et Eric.

— Même si c'est le cas, nous ne sommes pas plus près de savoir qui l'a tuée, remarqua Olivia. Eric ne semble pas prêt à admettre que son amitié avec elle allait vers autre chose.

— On finira par le découvrir, répondit Daniel d'une voix patiente mais résolue.

Des nuages noirs commençaient à obscurcir le ciel, laissant présager les fortes averses annoncées par la météo. Cette lumière sinistre correspondait bien à l'humeur d'Olivia.

Elle avait espéré qu'Eric se couperait ou ferait un lapsus révélateur, mais cela n'avait pas été le cas.

Elle passa donc l'après-midi à travailler sur l'enquête interne, tandis que Daniel et le reste de l'équipe se réunissaient pour mettre en commun le peu d'informations glanées.

Mais Olivia peinait à se concentrer. Son seul espoir était que les choses progressent quand ils auraient interrogé d'autres personnes à propos de l'affaire Sinclair.

Cependant, ce n'était pas facile pour elle de passer tout ce temps avec Daniel. Leur proximité physique l'incitait à jeter la prudence aux orties et à coucher de nouveau avec lui. De toute évidence, il n'attendait que cela, il la désirait. Elle l'avait vu dans son regard et l'avait senti passer entre eux, comme une sorte de courant électrique.

Pourtant, la dernière chose dont elle avait besoin, c'était d'une nuit avec un homme qui ne voulait pas de vraie relation. Une telle bêtise ne servirait qu'à miner son autorité au travail.

Avec une sombre détermination, elle sortit plusieurs dossiers et se remit à sa tâche : jauger si certains agents avaient profité de leur position pour commettre des actes potentiellement répréhensibles.

Peu après 18 heures, elle releva la tête et jeta un coup d'œil par la fenêtre. L'accumulation des nuages orageux avait fait naître une demi-obscurité qui la surprit.

Elle rangea les dossiers et prit son sac, espérant rentrer

avant que le déluge ne s'abatte. Daniel était encore à son bureau quand elle sortit du sien.

— C'est fini pour aujourd'hui ?

— Je voudrais m'arrêter Chez Jimmy pour commander des bâtonnets de mozzarella et j'espère arriver chez moi avant l'orage.

— Je vais bientôt y aller aussi, répondit-il. En dehors de Josh, tous les hommes sont rentrés chez eux.

— Alors on se voit demain.

Olivia se dirigea vers la porte de derrière. Elle n'avait pas emporté de travail avec elle. Elle ne voulait penser ni au meurtre ni à Daniel.

Lily serait enchantée de sa petite friandise, et Olivia avait bien l'intention de profiter de la compagnie de sa fille et de sa mère.

Franchissant le seuil, elle sortit dans l'air humide et poisseux. Le parking était plongé dans le noir, mais quelques lampadaires étaient déjà allumés dans la rue.

Elle garait sa voiture au fond du parking, préférant laisser les places à proximité du bâtiment aux suppléants. Elle se hâta vers son véhicule, impatiente de rentrer chez elle après un petit détour par Chez Jimmy.

Elle venait de l'atteindre, quand une sorte de courant dans l'air immobile la prit par surprise. Des pas précipités se firent entendre sur la chaussée et, avant qu'elle puisse se retourner, quelque chose la frappa à la tête.

Une douleur explosive, une pluie d'étoiles… et elle sombra dans une obscurité totale.

6

— Au moins, Savannah t'attend avec un dîner au chaud, lança Daniel à Josh tandis qu'ils sortaient du poste. Moi, je vais fourrer un truc au micro-ondes en faisant mine de croire que c'est un plat maison.

— La vie de célibataire ! commenta Josh en riant.

Daniel repensa au dîner qu'il avait partagé avec Olivia, sa mère et sa fille. Cette soirée bien trop agréable l'avait déstabilisé. Il n'avait jamais réalisé auparavant à quel point ses dîners solitaires étaient silencieux et sans goût.

Il s'interrogea. Etait-ce la cuisine de Rose ou la compagnie qui avait rendu ce repas aussi formidable ?

La voiture d'Olivia était encore sur le parking, et il fronça les sourcils. Bien qu'elle soit partie à peine quelques minutes avant eux, elle aurait déjà dû être loin.

— Je me demande si le shérif est en panne, dit-il à Josh. Elle devrait être en route.

— Allons voir.

Heureusement, les nuages retenaient encore l'averse.

Josh et lui se dirigèrent vers la voiture d'Olivia.

Quand ils furent arrivés à quelque distance, un gémissement se fit entendre. Une forme était étendue sur la chaussée, près du pare-chocs arrière.

— Olivia !

Le cœur battant la chamade, il se précipita vers elle. Le temps que Josh et lui l'atteignent, elle s'était redressée, apparemment étourdie.

Daniel s'accroupit près d'elle.

— Que s'est-il passé ? Vous avez fait une chute ?

— Non… non. On m'a frappée à la tête.

Elle leva la main vers son crâne. Ses doigts étaient tachés de sang, remarqua Daniel. Son rythme cardiaque accéléra encore.

— Je vais chercher les collègues pour qu'ils fouillent la zone, s'exclama Josh.

Faisant demi-tour, il repartit en courant vers le poste.

Daniel tira son revolver, mais demeura accroupi.

— Il faut vous emmener à l'hôpital, déclara-t-il d'un ton pressant.

— Non, ce n'est pas la peine. Je vais bien. Je ne suis restée inconsciente qu'une minute. Je n'ai pas de nausée et j'ai l'esprit clair. J'ai mal à la tête, c'est tout, dit-elle.

— Vous êtes sûre ?

L'arme relevée, Daniel partageait son attention entre elle et le parking, au cas où le danger rôderait encore dans les parages.

— Vraiment, ça va.

Entre-temps, une demi-douzaine d'hommes étaient sortis en courant du poste, revolvers dégainés, prêts à tout pour défendre leur chef.

— Séparez-vous et fouillez la zone ! leur ordonna Daniel tandis qu'Olivia tentait de se remettre debout.

Il la prit par le coude et la conduisit vers sa propre voiture. Ouvrant la portière côté passager, il insista pour qu'elle s'assoie. Elle obéit sans discuter, ce qui l'inquiéta plus encore que le reste.

— Vous avez vu qui c'était ?

— Non. J'ai seulement entendu quelqu'un arriver par-derrière. Je n'ai pas eu le temps de me retourner.

Elle toucha de nouveau son crâne et tressaillit.

Dans la faible lumière du plafonnier, elle paraissait pâle et encore étourdie. Daniel avait envie de tuer celui qui avait fait cela.

Les faisceaux des torches des hommes se croisaient sur le parking.

Olivia fixa sa main ensanglantée.

— Je ne peux pas rentrer dans cet état. Ça affolerait ma mère et Lily.

— Vous êtes sûre que vous ne devriez pas aller à l'hôpital ? répéta Daniel d'un air soucieux.

— Non, je n'ai pas besoin de médecin, répondit-elle avec fermeté. Dieu merci, j'ai la tête dure.

— Vous pourriez venir chez moi pour vous nettoyer, proposa Daniel. En fait, je crois que je vais vous y emmener dès maintenant.

Il désigna les hommes qui quadrillaient le parking.

— Je vais demander à Josh de rester pour superviser les recherches.

Il devait l'emmener en sécurité, c'était la priorité. Olivia s'adossa au siège de la voiture, comme soulagée de le laisser prendre la situation en main.

Il rengaina son revolver et marcha vers Josh.

— Tu peux t'occuper de tout ? Je vais l'emmener chez moi en attendant mieux.

Dans l'obscurité, Josh avait les traits tirés.

— Je n'arrive pas à croire qu'on ait eu l'audace de l'agresser ici ! Je vais veiller à ce qu'on fouille soigneusement le parking et les alentours.

— Je savais que je pouvais compter sur toi, soupira Daniel.

— Bien sûr, répondit Josh. Et maintenant, emmène-la. Si on trouve un indice, je t'appellerai pour te le dire.

— Merci.

Daniel revint à son véhicule, certain que Josh ferait du bon travail. Olivia avait refermé sa portière et mis sa ceinture.

Daniel se glissa derrière le volant et la détailla.

— Je vais vous le demander une dernière fois : voulez-vous aller à l'hôpital pour qu'on examine votre tête ?

— Et j'y réponds une dernière fois. Je suis secouée

et j'ai mal à la tête, mais je n'ai pas besoin de médecin. Croyez-moi, si j'avais le moindre souci, j'insisterais pour que vous m'emmeniez à l'hôpital.

— Alors on va chez moi, dit-il en démarrant.

Olivia resta silencieuse durant le trajet, et Daniel se surprit à lui jeter des coups d'œil répétés pour s'assurer de son état.

Il n'était pas près d'oublier cette vision : Olivia étendue de tout son long sur la chaussée. Son rythme cardiaque n'était pas encore tout à fait revenu à la normale. Ils auraient dû prendre la menace du chien en peluche plus au sérieux. Il aurait dû agir autrement pour qu'on n'en arrive pas là.

En voyant le sang, il avait compris qu'elle aurait pu mourir, et que ce n'était qu'une question de chance si elle y avait échappé.

Il agrippa le volant plus étroitement, la colère montant en lui. L'agresseur était-il le meurtrier de Shelly ? Etait-il poussé par la peur de ce que l'enquête pouvait dévoiler ? Ou, plus glaçant encore, était-ce l'un des collègues qui s'était senti menacé par l'enquête interne ?

En tout cas, il ferait tout son possible pour qu'Olivia ne se trouve plus jamais en danger.

Arrivé chez lui, il entra dans le garage et referma la porte derrière eux.

Puis il sortit de voiture et se hâta d'aller ouvrir la portière de sa passagère pour l'aider. Elle semblait toujours un peu hébétée, et il la prit par le coude pour la faire entrer dans la maison.

A l'intérieur, il la guida vers sa chambre, puis dans la salle de bains. Il lui fit signe de s'asseoir sur les toilettes et prit une trousse de secours dans une armoire à linge.

Il l'ouvrit au bord du lavabo et en sortit une bouteille d'eau oxygénée et du coton hydrophile.

— Je vais examiner votre blessure. Elle a beaucoup saigné et il est possible que vous ayez besoin de points de suture.

— Les blessures à la tête saignent toujours beaucoup,

rappela-t-elle en fermant les yeux. Allez-y, faites ce que vous avez à faire, docteur Daniel.

Il fut content de son ton léger, mais son tressaillement et son petit gémissement quand il écarta doucement ses cheveux lui serrèrent le cœur.

Il tamponna le sang avec de l'eau oxygénée, tandis qu'elle restait parfaitement immobile, sans émettre le moindre son.

— La bonne nouvelle, c'est que la coupure n'est pas très profonde, dit-il quand il eut enlevé autant de sang que possible. La mauvaise, c'est que vous avez une bosse de la taille d'un œuf de pigeon.

— Au moins, ce n'est pas un œuf de dinosaure, répliqua-t-elle.

Il était trop près d'elle : la chaleur émanait de son corps et l'odeur de ses cheveux le cernait. Cela l'aurait grisé s'il se l'était permis. C'était elle qu'on venait d'agresser et il avait l'impression de subir un assaut de sensualité.

Il s'écarta en titubant au moment même où, écarquillant un peu les yeux, elle se remettait debout.

— Merci de m'avoir soignée, dit-elle pendant qu'il s'affairait à ranger la trousse dans le placard.

— Ça fait partie des journées bien remplies du Dr Daniel. Et maintenant, que diriez-vous d'une bière ? proposa-t-il tandis qu'ils quittaient la salle de bains et retournaient dans la cuisine.

— Vous n'auriez pas quelque chose de plus fort ? demanda-t-elle, en se laissant tomber sur une chaise à la table de la cuisine.

Il la considéra avec surprise.

— J'ai du bourbon. Vous êtes sûre que c'est la chose à faire ? Maintenant que j'y pense, la bière non plus n'est peut-être pas recommandée.

— Un verre de bourbon me paraît une idée formidable, dit-elle.

Daniel sortit la bouteille du placard, se munit de deux verres et la rejoignit à table. Il versa un centimètre d'alcool dans chaque verre et Olivia engloutit le sien d'une seule gorgée. Elle lui fit signe de la resservir. Il hésita une seconde, puis s'exécuta.

Cette fois, elle garda le verre en main et poussa un gros soupir. Elle était encore pâle et Daniel avait envie de la prendre dans ses bras pour la rassurer.

Mais il ne le pouvait pas.

Cette agression était arrivée de nulle part, et il ignorait si l'intention du malfaiteur avait été de la blesser ou de la tuer.

— Il y a quelqu'un qui ne m'aime pas du tout, lâcha-t-elle enfin.

Daniel lui adressa un sourire compatissant.

— Vous ne devriez pas le prendre pour vous. Je suis certain qu'il ne s'agit pas de vous, mais des vagues que vous avez créées en rouvrant l'enquête du meurtre.

— A moins que ce ne soit quelqu'un qui n'aime pas l'enquête interne que je mène dans le service.

— J'y ai déjà pensé, avoua-t-il. Je sais que vous avez Ray McClure et Randy Fowler dans le collimateur. Ray est parti une demi-heure avant vous et Randy est de nuit. Qui sait où il était au moment où vous avez été attaquée…

Il fit descendre son bourbon.

— Nous allons rapidement déterminer où ils étaient et ce qu'ils faisaient quand vous êtes partie.

Il se versa un autre verre.

— Il y a quelqu'un d'autre auquel vous vous intéressez ?

Olivia hésita et prit une gorgée de son verre.

— Malcom Appleton.

Daniel haussa un sourcil et elle poursuivit :

— Il s'est acheté une voiture de sport et a déménagé dans une maison plus grande. Ce sont des signes qui méritent d'être examinés.

— Alors on va aussi vérifier son alibi, déclara Daniel.

Il était à la fois surpris et déçu que trois hommes fassent l'objet de soupçons dans un service aussi restreint. Il n'y avait pas à s'étonner que Ray en fasse partie, car Trey et lui avaient été très proches. Mais il était étonné qu'elle soupçonne Randy Fowler et Malcom Appleton d'être des flics corrompus.

Elle venait de finir son second verre quand le portable de Daniel se mit à sonner. Le nom de Josh s'afficha. Aussi répondit-il.

Les nouvelles rapportées par son ami le firent frémir.

— Mets-le dans un sac avec une étiquette et dépose-le dans la salle des indices, je l'étudierai demain, dit-il à Josh.

— Mettre quoi dans un sac ? questionna Olivia quand Daniel eut raccroché.

Ses yeux étaient plus grands et plus sombres qu'il les avait jamais vus, et son corps était nettement tendu, comme si elle se préparait à recevoir un coup.

Le lui infliger le rendait malade.

— On a trouvé un indice près de l'endroit où vous étiez étendue, commença-t-il.

Elle se pencha en avant.

— Quel genre d'indice ?

— Un couteau. Il est possible que l'agresseur ait eu l'intention de vous poignarder après vous avoir assommée et que notre arrivée l'ait interrompu.

Un couteau.

Olivia essaya d'assimiler les mots.

Elle fit signe à Daniel de la resservir, même si les deux premiers verres lui avaient déjà donné le tournis. Mais elle préférait le tournis à la terreur qui lui glaçait le corps.

— Donc, ce n'était pas seulement une agression, c'était une tentative de meurtre, dit-elle. Dieu merci, vous êtes arrivés au bon moment. Trois ou quatre minutes plus tard, et vous m'auriez sans doute trouvée morte.

Daniel tendit le bras en travers de la table pour lui prendre la main. En d'autres circonstances, elle n'aurait pas bien accueilli ce geste, mais elle entremêla ses doigts aux siens pour tenter de stopper les frissons glacés qui la parcouraient.

— Je ne laisserai rien vous arriver, dit-il, les yeux étrécis par la détermination. Quand vous avez reçu le paquet avec la peluche, personne ne se doutait à quel point c'était sérieux. Nous savons maintenant que la menace est réelle, et je vais m'assurer que rien de tel ne se reproduira.

Olivia retira sa main au bout de quelques instants. Elle prit une gorgée de bourbon et contempla Daniel tout en réfléchissant.

— Ce que je ne comprends pas, c'est à quoi servirait le fait de me tuer. La personne qu'on enverrait me remplacer continuerait l'enquête interne et celle sur le meurtre de Shelly.

Daniel haussa les épaules.

— Votre meurtre aurait sûrement la priorité sur toutes les autres investigations. L'auteur de cette agression pense peut-être qu'en vous blessant ou en vous tuant, il gagnerait du temps.

— Du temps pour quoi ? Pour fuir ? L'assassin de Shelly a eu deux ans pour fuir. Du temps pour couvrir ses traces ? Nous n'avons trouvé aucune trace, dit-elle sans cacher son irritation.

Elle finit son verre. Elle était passée du tournis à une ébriété légère.

— Seigneur, je ne peux pas rentrer chez moi. Je suis blessée et plus qu'un peu éméchée.

— Alors dormez ici, dit-il sans hésitation. J'ai une chambre d'amis et vous pourrez appeler votre mère pour lui dire que vous passez la nuit à travailler.

Ce qui aurait été mieux que de dormir chez Daniel, ç'aurait été de dormir dans ses bras, songea-t-elle, mais elle n'était pas assez ivre pour commettre cette erreur une deuxième fois.

— Vous êtes sûr que ça ne vous dérange pas ?

— Pour être franc, je préfère que vous restiez. Vous êtes traumatisée et il vaut mieux que votre mère et votre fille ne vous voient pas dans cet état.

Elle hocha la tête et fouilla dans son sac pour trouver

son portable. Une fois qu'elle l'eut en main, elle appela sa mère : elle travaillerait toute la nuit et rentrerait le lendemain matin.

Après avoir raccroché, elle fixa le téléphone un long moment, puis revint à Daniel.

— J'allais rapporter des bâtonnets de mozzarella à Lily ce soir.

— Je peux m'en occuper, dit Daniel d'une voix si grave, si douce, qu'elle eut envie de poser la tête sur son épaule et de le laisser prendre soin de tout.

Il tira son propre portable de sa poche et appela Chez Jimmy pour demander qu'on apporte une double commande de mozzarella chez Olivia.

— Il y a un livreur qui s'occupe des commandes le soir, expliqua-t-il.

Olivia reprit son téléphone.

— Je vais envoyer un texto à ma mère pour qu'elle dise à Lily que je lui envoie un petit cadeau, puisque je ne peux pas la border ce soir.

Elle composa le message puis remit le téléphone dans son sac.

— Parlons d'autre chose que d'agression et de meurtre, dit-elle ensuite.

Elle avait mal à la tête, mais n'était pas encore prête à aller au lit.

— De quoi voulez-vous parler ? s'enquit Daniel.

— Je ne sais pas… Parlez-moi de votre famille. Vos parents sont toujours en vie ?

— Oui, mais je ne les vois plus. Depuis que j'ai dix-huit ans…, précisa-t-il d'un ton où perçait le ressentiment.

— Pourquoi ça ? questionna-t-elle avec curiosité.

Il engloutit le reste de son deuxième verre et s'adossa à sa chaise, le visage tendu.

— Mes parents ont divorcé quand j'avais treize ans, et durant les cinq années suivantes ils se sont servis de moi pour se faire du mal. Ils ont déballé tout leur linge sale et je me suis juré que je ne me marierais jamais et que je n'aurais jamais d'enfants qui puissent servir d'otages comme moi.

Ses yeux avaient pris la couleur intense des profondeurs du marais.

— Le temps qu'ils en finissent avec moi, je ne les aimais plus ni l'un ni l'autre, et je ne m'aimais pas non plus.

— Où sont-ils maintenant ?

— La dernière fois que j'ai eu de leurs nouvelles, mon père avait déménagé en Californie et ma mère était en Floride. Aucun d'eux ne s'est plus intéressé à moi quand j'ai atteint la majorité et, moi, j'ai perdu tout respect pour eux.

— Je suis vraiment désolée, murmura Olivia.

Elle avait du mal à imaginer ce que c'était de grandir dans ce genre de famille, mais c'était une explication au fait que Daniel était toujours célibataire et voulait le rester.

— Et vous ? Je sais que vous avez perdu votre père, mais comment était votre enfance ? demanda-t-il.

Les ombres s'étaient dissipées dans ses yeux.

— J'ai eu une enfance merveilleuse, confia-t-elle. Mes parents m'ont donné beaucoup d'amour, et j'ai été gâtée outre mesure. Le pire jour de ma vie a été la mort de mon père. Il était dans la cuisine un samedi matin, en train de faire des pancakes, quand il a eu une crise cardiaque. Il est mort avant que quiconque puisse faire quelque chose.

Elle passa un doigt sur le bord de son verre.

— Ma mère et moi étions anéanties et c'est comme ça qu'elle a commencé à s'inquiéter de manière chronique à mon sujet.

— Elle doit détester votre métier.

Olivia sourit, ce qui accentua un peu son mal de crâne.

— C'est vrai, mais elle sait que ce n'est pas seulement une occupation pour moi, c'est mon identité. En fait, ma mère est presque aussi innocente que Lily. Elle croit à la bonté des gens, ça fait partie de son charme. Donc, je me garde de lui en dire trop sur ce que je fais.

C'était un long monologue pour elle, et, quand elle

eut terminé, elle se tourna légèrement vers la fenêtre, sur laquelle ruisselaient les gouttes de pluie. Entre l'émotion et l'alcool, elle se sentait soudain épuisée.

— Je crois que j'aimerais me coucher, maintenant.

Daniel bondit de sa chaise et, la prenant par le bras, il la guida vers la chambre d'amis.

Décidément, songea Olivia, il la déplaçait souvent d'un lieu à un autre en lui tenant le coude. Mais la chaleur de sa main était la bienvenue, car elle diminuait son sentiment de solitude.

Tandis qu'elle s'immobilisait sur le seuil, il pénétra dans la chambre décorée en tonalités de bleu et il baissa le store.

— Asseyez-vous, lui conseilla-t-il en désignant le bord du lit.

Elle obéit, trop épuisée pour discuter.

— Je vais vous chercher un T-shirt en guise de pyjama, annonça-t-il avant de disparaître.

Olivia résista à l'envie de se rouler en boule sur le matelas.

Malgré son épuisement et un mal de tête aigu, son cerveau continuait à mouliner.

Elle n'était à Lost Lagoon que depuis une grosse semaine et, déjà, on l'avait menacée et essayé de la tuer.

Si Josh et Daniel s'étaient attardés ne serait-ce qu'une minute à l'intérieur du poste, ils n'auraient trouvé que son cadavre. L'agresseur l'aurait poignardée à mort.

Qui était-ce ? Quelqu'un qu'ils avaient déjà interrogé ? Un autre suspect de leur liste ? Ou bien l'un des policiers dont elle étudiait le dossier ?

Daniel revint, un T-shirt blanc plié à la main.

— Merci, fit-elle en le lui prenant.

— La salle de bains est de l'autre côté du couloir. Normalement, il y a tout ce qu'il faut, mais s'il vous manque quelque chose, dites-le-moi.

— Je ne sais pas comment vous remercier de ce que vous faites pour moi.

Il sourit doucement.

— Tout est compris dans le service. Et maintenant, au lit. Vous vous sentirez mieux demain matin et, à ce moment-là, nous aurons peut-être trouvé des réponses à nos questions.

Il sortit de la chambre et Olivia se leva pesamment pour gagner la salle de bains.

Il n'était pas question de prendre une douche avec sa blessure à la tête et son ivresse légère.

Elle prit un gant de toilette et se lava le cou et le visage. L'eau chaude ne parvint pas à soulager la sensation glaciale qui l'habitait depuis qu'elle était revenue à elle.

Enfin, retirant ses vêtements, elle enfila le T-shirt qui sentait la lessive et, plus faiblement, l'eau de Cologne.

Revenant à pas de loup dans la chambre, elle surprit des bruits de conversation : Daniel parlait à voix basse au téléphone, dans le salon. Peu lui importait, cependant, à qui il parlait ou ce qu'on lui disait, car elle n'était plus en état de fonctionner. Il y aurait bien assez de temps le lendemain pour prendre des mesures.

Elle déposa ses vêtements sur une chaise, laissa son revolver à portée de main sur la table de chevet, puis éteignit la lumière.

Poussant un soupir de soulagement, elle s'étendit entre les draps frais. Son corps se dénoua sur le matelas épais, beaucoup plus confortable que le futon où elle dormait d'ordinaire.

Un petit coup se fit entendre et Daniel ouvrit la porte.

— Tout va bien ? s'enquit-il en s'approchant du lit.

La lumière en provenance du couloir éclairait ses traits réguliers.

— J'attends que le marchand de sable passe, répondit-elle. Il y a du nouveau ? Je vous ai entendu au téléphone…

— Je faisais le point avec Josh, mais non, rien de nouveau. N'y pensez plus, maintenant.

Ce disant, il lui remonta le drap jusque sous le menton. Cela faisait des années qu'on ne l'avait plus bordée, mais c'était bien ce que faisait Daniel.

— Sur une échelle de un à dix dans l'horreur, je dirais que la journée d'aujourd'hui tourne autour de douze, soupira-t-elle.

Daniel repoussa une mèche de ses cheveux et, à sa grande surprise, se pencha pour l'embrasser sur le front.

— Essayez de dormir, Olivia. Je vous jure qu'il ne vous arrivera plus rien tant que vous serez à Lost Lagoon.

Puis il tourna les talons, n'attendant visiblement aucune réponse de sa part. Elle n'aurait rien pu dire, de toute façon, car une grosse boule d'émotion s'était logée dans sa gorge à l'instant même où les lèvres de Daniel s'étaient posées sur son front.

Elle avait un tueur à ses trousses et tout un service à évaluer, mais en cet instant sa principale crainte était de tomber amoureuse d'*Adjoint*, comme l'appelait Lily.

7

Peu après 7 heures, un bruit de douche dans la salle de bains attira l'attention de Daniel. Manifestement, Olivia était levée. Lui-même s'était réveillé, douché et habillé une heure plus tôt.

Il avait passé le temps à boire du café, faire des listes de suspects et ronger son frein en attendant de pouvoir examiner le couteau trouvé sur les lieux de l'agression.

Il avait bien précisé à Josh qu'il voulait être le seul à s'en occuper. Bien sûr, il y avait peu de chances qu'il trouve des empreintes dessus, mais les objets révélaient parfois d'autres indices.

Il avait également fait la liste des personnes déjà interrogées dans l'affaire Sinclair et de ceux à qui ils devaient parler. Les autres membres de l'équipe s'occupaient des personnes en périphérie de la vie de Shelly, ses amies en particulier.

Olivia et lui avaient décidé très tôt qu'ils se chargeraient des principaux protagonistes de l'affaire, mais ils n'avaient pas encore eu le temps de parler à quiconque, excepté Eric.

Les choses étaient allées très vite et, sans avertissement, cette agression donnait une nouvelle urgence à la situation.

Il but une gorgée de café brûlant, qui irrita un peu plus son estomac déjà malmené. La rage qui l'avait saisi en comprenant qu'Olivia avait failli mourir lui nouait encore les entrailles.

Il leva les yeux au moment où elle apparut sur le seuil

de la cuisine. Dieu merci, elle avait l'air reposée et déterminée, l'œil clair.

— Bonjour. Vous avez réussi à dormir ?

— Comme un bébé, répondit-elle.

Elle s'approcha du comptoir où une tasse propre voisinait avec la cafetière électrique. Elle se servit et le rejoignit à table.

— On dirait que vous avez travaillé, dit-elle en désignant les feuilles devant lui.

— J'ai juste noté des idées et des noms.

— Il y a eu du nouveau pendant que je dormais ?

— Non, rien de neuf en ce qui concerne les indices ou les suspects, mais j'ai eu une idée…

Elle haussa un sourcil.

— Un nouveau plan ? Ça a l'air intéressant.

Il lui adressa un sourire penaud.

— Nous verrons s'il est intéressant une fois qu'il sera mis en œuvre. Mais l'idée est que vous n'alliez nulle part sans moi. Je vous suivrai tous les jours de la maison au travail et du travail à la maison, et je ne vous quitterai pas des yeux tant que vous ne serez pas en sécurité chez vous.

Fouillant parmi ses papiers, il lui tendit une carte de visite.

— Et voici le reste de mon plan. C'est la carte de Buck Rainier. Je veux que vous fassiez installer un système d'alarme chez vous dès aujourd'hui. Envoyez la facture au service et dites à votre mère que c'est la coutume pour les shérifs à Lost Lagoon.

Olivia prit la carte et la considéra, hochant lentement la tête.

— D'accord, c'est comme si c'était fait.

Malgré son calme apparent, elle devait être toujours effrayée pour accepter si facilement, songea Daniel.

Elle enchaîna :

— Je vais rentrer chez moi et le faire installer. Avec un peu de chance, ce sera réglé dans la matinée et je serai de retour au poste vers midi.

Daniel acquiesça à son tour.

— Je pense aussi que nous devrions interroger Mac Sinclair aujourd'hui. Il a créé une entreprise d'informatique et il travaille chez lui. J'imagine que c'est une bonne chose qu'il soit son propre patron, parce que selon la rumeur il a très mauvais caractère.

— Et nous savons qu'il n'était pas d'accord pour que Shelly fréquente Bo. Donc, c'est incontestablement quelqu'un à qui nous devons parler.

Elle prit encore un peu de café.

— Il faut accélérer la cadence, déclara-t-elle d'une voix légèrement tendue.

— Nous allons travailler aussi dur et aussi longtemps qu'il le faudra pour retrouver votre agresseur, assura Daniel avec une résolution féroce.

— Mais je ne peux pas perdre de vue les raisons pour lesquelles je suis ici, continua Olivia. Il faut que je découvre qui est mouillé ou non dans ce trafic de drogue et que j'élucide l'affaire Sinclair.

— Si nous trouvons celui qui a essayé de vous tuer hier soir, je suis sûr que nous saurons aussi qui a assassiné Shelly ou qui est corrompu. A moins que vous n'ayez amené un tueur avec vous depuis Natchez, cette agression est liée à l'une de ces deux affaires.

— Alors, continuons à travailler sur le dossier Sinclair et je poursuivrai mon enquête interne. Avec un peu de chance, l'une de ces pistes nous dira qui s'en est pris à moi.

— Exactement, renchérit Daniel.

Olivia finit son café, puis emporta sa tasse dans l'évier.

— Je vais y aller et m'occuper de ce système d'alarme, pour que nous puissions nous attaquer aux choses sérieuses.

Daniel se leva à son tour.

— Je vous emmène au poste. Comme ça, vous récupérez votre voiture et je vous suis jusque chez vous.

Olivia fronça les sourcils. Cette partie du plan n'emportait manifestement pas son assentiment, mais Daniel n'avait pas l'intention de se dédire. C'était sa chef mais c'était aussi une femme pour laquelle il avait de l'affection. Chef ou pas chef, elle devrait en passer par sa volonté.

Il l'accompagna jusque chez elle, où elle prit rendez-vous avec Buck pour qu'il installe le système d'alarme avant midi.

— Je vous appellerai quand il sera passé et que je pourrai retourner au travail, précisa-t-elle ensuite à Daniel.

Sur ce, il rejoignit donc le poste de police. Il était 9 heures passées.

Il alla directement à la salle des indices et y trouva le couteau enveloppé dans un sac en plastique.

L'ayant rapporté dans la salle de garde, il le posa au centre de sa table, s'assit et le scruta. Il l'avait immédiatement reconnu. Il s'en était servi des dizaines de fois Chez Jimmy.

C'était un couteau à steak, avec un manche en bois et à la lame puissamment aiguisée. Les lettres JP étaient gravées sur le manche.

Josh approcha sa chaise de la sienne.

— Ça ne nous apprend pas grand-chose, observa son collègue et ami. N'importe qui aurait pu le prendre discrètement.

Daniel dévisagea Josh avec ironie.

— Tu essaies de me mettre de bonne humeur ?

— Ce que j'en dis... Ça m'étonnerait que tu trouves des empreintes dessus.

— Oui, moi aussi, reconnut Daniel. Mais je vais quand même essayer. On ne sait jamais, peut-être qu'il nous dira qui le tenait hier soir.

— Avant que tu t'en occupes, il faut que je te dise quelque chose.

Une note discordante dans la voix de Josh força Daniel à lui accorder toute son attention. L'expression de son ami était troublée.

— Quoi ? fit-il.

Josh avait-il quelque chose à voir avec le trafic de drogue ou un autre délit ? Daniel priait que non.

Josh inspira profondément, puis se lança :

— Je ne sais pas si ça a une utilité quelconque, mais jusqu'à hier soir Savannah m'avait fait promettre de n'en parler à personne.

— Parler de quoi ? s'enquit Daniel.

Josh fixait le mur juste au-dessus de sa tête.

— J'aurais peut-être dû te le dire avant, mais Savannah ne voulait qu'une seule chose, oublier cette histoire.

— Mais quelle histoire ? s'impatienta Daniel.

Josh reporta son regard sur lui.

— Un an environ avant le meurtre de Shelly, Savannah est sortie avec Neil Sampson une ou deux fois. Il l'a forcée à coucher avec lui avant qu'elle ne soit prête.

Daniel se raidit.

— Tu veux dire qu'il l'a violée ?

— Oui. Elle ne voulait rien faire et il le lui a imposé. Elle se dit que ce n'était pas vraiment un viol, parce qu'elle n'a pas dit « non » et qu'elle l'a laissé faire. Mais après cela, elle n'a plus voulu le revoir.

— Oh, bon sang, je suis désolé ! dit Daniel.

Josh sourit faiblement.

— Je pense qu'elle a peur de l'affronter. Mais le fait qu'elle m'en ait parlé est peut-être le signe qu'elle est prête.

Son sourire s'évanouit dans un froncement de sourcils.

— Et puis hier soir, je me suis mis à réfléchir. Shelly et Savannah se ressemblaient beaucoup et, juste avant son meurtre, Shelly a dit à ses amies qu'elle était dans de sales draps.

— Et tu te demandes si Neil ne l'aurait pas forcée elle aussi ?

— Cette idée m'a empêché de dormir, avoua Josh. Savannah n'en avait parlé à personne, mais Shelly avait plus d'amies que sa sœur et une personnalité plus affirmée. Neil savait sans doute que Savannah serait trop gênée pour en parler à qui que ce soit, mais Shelly était une sorte d'inconnue.

Daniel considéra cette idée sous toutes ses facettes. Etait-il possible que le beau conseiller municipal ait un secret qui l'ait poussé à tuer ? Etait-il possible qu'il ait violé Shelly et qu'ensuite il ait eu peur qu'elle en parle ?

— Je pense que ça fait remonter Neil en tête de liste, reprit enfin Daniel.

Josh acquiesça.

— J'ignorais complètement l'agression de Savannah avant que nous sortions ensemble, et elle m'a demandé de le garder pour moi. J'aurais sans doute dû en parler plus tôt…

— Mais à présent, tu me l'as dit, le rassura Daniel.

— Allez, remets-toi au travail sur le couteau, conclut Josh.

Et il fit rouler son fauteuil jusqu'à son propre bureau.

Peu après midi, Olivia franchit la porte. Daniel sauta sur ses pieds et la suivit dans son bureau. Il referma la porte brutalement tandis qu'elle s'asseyait derrière sa table.

— Vous faites quoi, là, nom de Dieu ?

— Je me mets au travail, répondit-elle vivement.

— Vous étiez censée m'appeler quand vous seriez prête à venir !

Il était en colère contre elle, et la violence de son courroux le surprit lui-même.

— Je me suis dit que ce ne serait pas un problème de conduire de chez moi à ici.

— Vous vous êtes dit aussi que ce ne serait pas un problème de marcher jusqu'à votre voiture hier soir, rétorqua Daniel.

Il prit son insigne et l'abattit sur le bureau.

— Je ne resterai pas ici à vous regarder vous mettre en danger. Ou bien vous faites ce que je dis, ou bien je m'en vais, déclara-t-il avec force, et toujours sidéré de sa propre réaction.

Olivia se renversa sur sa chaise, une lueur d'amusement dans les yeux.

— Et ça vous arrive souvent de monter sur vos grands chevaux ?

L'indignation de Daniel retomba un peu.

— Seulement quand il s'agit de gens que j'aime et qu'ils s'entêtent à se mettre en danger.

Elle soutint son regard un long moment et une sorte d'appel parut se dessiner dans ses yeux chocolat. Daniel faillit en tomber à la renverse de désir.

— Reprenez votre insigne, adjoint Carson, dit-elle enfin. Je vous promets que dorénavant nous ferons les choses à votre manière en ce qui concerne ma sécurité.

— Et c'est une vraie promesse ?

Elle se pencha en avant et leva la main droite.

— Une vraie promesse.

Il reprit son insigne et l'épingla à sa chemise. Puis il s'assit sur la chaise qui faisait face au bureau.

— Vous avez fait installer le système d'alarme ?

— Buck a câblé les portes et les fenêtres. J'ai dit à maman que le propriétaire l'exigeait pour protéger la maison.

— Et elle l'a gobé ?

— Hameçon, ligne et moulinet. Vous avez pu jeter un coup d'œil au couteau ?

L'émotion dans ses yeux avait disparu et la froide Olivia Bradford était de retour.

— Le couteau vient de Chez Jimmy, répondit Daniel. Il n'y a aucune empreinte dessus, aucun indice indiquant qu'on l'a déjà utilisé. La lame et le manche sont comme neufs.

Il lui fit ensuite part de ce que lui avait raconté Josh à propos de Neil Sampson.

— Mais ce ne serait pas logique qu'il ait tué Shelly de peur qu'elle parle alors qu'il ne s'en était pas pris à Savannah, commenta Olivia.

— Pour cela, il faudrait que vous connaissiez les deux sœurs. Savannah est plutôt timide. Neil connaît sans doute suffisamment la nature humaine pour se douter que Savannah préférait se taire plutôt que de faire un scandale. De son côté, Shelly avait une personnalité beaucoup plus affirmée. Cela a dû inquiéter Neil… s'il s'est effectivement passé quelque chose entre eux.

— Il y a beaucoup de *si* dans cette enquête. On pourrait peut-être effectuer deux entretiens cet après-midi : Mac et Neil.

— Je suis prêt dès que vous le serez, répondit Daniel.

— Alors allons-y ! lança Olivia en prenant son sac à main.

Oh ! Il aurait adoré ça ! Il aurait adoré l'emmener chez lui, et la déshabiller. Il aurait adoré pousser par terre les dossiers de son bureau et le faire immédiatement.

Mais ils allaient passer l'après-midi à interroger un homme irascible et un autre que l'ambition avait pu pousser au meurtre.

Mac Sinclair vivait dans un modeste ranch à l'est de la ville. Olivia frappa à sa porte et ce fut sa femme, Sheila, qui ouvrit.

— Shérif… Daniel… Que faites-vous ici ?

Sheila était une femme de petite taille aux cheveux châtains, dont les épaules tombantes exprimaient la défaite. Ses yeux d'un bleu délavé étaient remplis d'anxiété.

— Nous voudrions parler à Mac, annonça Daniel.

Sheila écarquilla les yeux.

— Il est en train de travailler. Vous pourriez revenir à un autre moment ? Il n'aime pas du tout qu'on le dérange quand il travaille.

Elle se retourna en se tordant les mains, comme si elle avait peur que son mari n'apparaisse.

— Travail ou non, nous devons lui parler maintenant, déclara fermement Olivia.

— Il est dans le garage, c'est là qu'il a son atelier.

Avec une réticence visible, Sheila ouvrit la porte pour les laisser entrer dans un salon d'une propreté immaculée.

Ils la suivirent dans une cuisine tout aussi impeccable, et elle leur désigna une porte.

— Il est là-dedans, indiqua-t-elle sans leur ouvrir.

Mac devait avoir un caractère épouvantable, songea Olivia. Il était évident que Sheila avait peur de lui. Et on ne pouvait qualifier d'amour la peur qu'une femme avait de son mari. Bien qu'Olivia ait été témoin de nombreuses violences conjugales dans son travail, elle avait également vu trop de femmes qui choisissaient de rester avec leurs persécuteurs.

Elle se tourna légèrement vers Daniel et repensa à leur conversation quand il avait fait irruption dans son bureau. Elle ne s'était pas attendue à sa colère, une colère suscitée par son inquiétude pour elle.

Mais s'inquiéter n'était pas aimer, et aimer n'était pas s'engager, se rappela Olivia. Il fallait qu'elle achève sa mission et qu'elle s'en aille avant qu'il ne pénètre plus avant dans son cœur.

Heureusement, il n'avait pas paru douter de ce qu'elle lui avait raconté et n'avait pas demandé la date de naissance de Lily.

Il fallait qu'elle termine cette mission avant de faire un lapsus qui révélerait la vérité à Daniel.

Sur cette pensée, elle frappa à la porte du garage et l'ouvrit.

— Monsieur Sinclair, c'est le shérif Bradford et l'adjoint Carson, annonça-t-elle.

Daniel et elle descendirent les quelques marches qui séparaient le garage de la cuisine. Mac était assis à un grand bureau métallique, entouré d'étagères sur lesquelles s'entassaient des pièces détachées et des équipements informatiques. Levant les yeux de l'ordinateur sur lequel il travaillait, il fronça les sourcils et lança d'un ton peu aimable :

— Je vous demanderais bien ce que vous voulez, mais je sais que vous avez rouvert l'enquête pour Shelly. J'ignore pourquoi vous perdez votre temps en venant me voir, puisque nous savons tous qui est le coupable. Nous avons presque réussi à oublier cette horrible histoire, et il faut que vous veniez retourner le couteau dans la plaie !

Manifestement, il ne lui était pas difficile d'exprimer ses sentiments.

— La première enquête a été bâclée et on a tiré des

conclusions hâtives, rétorqua Olivia. Ce n'est pas ainsi que je procède.

Elle tenait à faire comprendre d'emblée à ce tyran qu'elle représentait l'autorité et qu'elle ne se laisserait pas brutaliser.

— Et maintenant, vous avez des sièges pour que nous puissions nous asseoir, ou vous préférez venir au poste ?

Personne ne choisissait jamais le poste. Daniel et elle patientèrent pendant que Mac rapprochait deux chaises pour eux.

Il était très grand, avec de larges épaules et de grosses mains. Il lui aurait été facile d'étrangler sa sœur dans un accès de rage, puis de jeter son corps dans le lagon.

Il reprit sa place tandis qu'Olivia et Daniel s'asseyaient.

— J'ai entendu dire que vous n'étiez pas un grand admirateur de Bo McBride, lança-t-elle.

— C'est le moins qu'on puisse dire ! Shelly était bien trop gentille avec lui. Je lui ai dit je ne sais combien de fois qu'il ne valait rien. Elle était assez intelligente pour avoir envie de quitter ce trou et devenir quelqu'un, mais Bo l'a tuée avant qu'elle en ait l'occasion.

— Pourquoi l'aurait-il tuée ? questionna Olivia.

— Peut-être parce qu'elle a finalement écouté mes conseils, qu'elle lui a dit qu'elle voulait rompre et que ça l'a rendu dingue, répondit Mac avec un haussement d'épaules.

— Où étiez-vous le soir du meurtre de votre sœur ?

Mac la fixa comme si elle avait perdu l'esprit.

— Vous voulez dire que je suis suspect ? Sérieusement ?

Une colère à peine contenue fit étinceler ses yeux.

— A ce stade, tout le monde est suspect, intervint Daniel. Alors, où étiez-vous ?

— J'étais chez moi… au lit. Je veux dire chez mes parents.

— Dans la maison que Savannah et vous venez de vendre ? insista Daniel.

— C'est ça.

— Vous étiez plutôt âgé pour continuer à vivre chez vos parents, observa Olivia.

— Shelly et Savannah aussi, rétorqua-t-il. Nous essayions tous les trois de mettre de l'argent de côté et nos parents étaient d'accord. Je voulais créer mon entreprise informatique, Savannah économisait pour ouvrir un restaurant et Shelly se contentait d'accumuler en prévision de l'avenir.

Daniel reprit la parole :

— Saviez-vous que Shelly et Bo se retrouvaient presque tous les soirs sur un banc près du lagon avant que Shelly prenne son poste au Pirate's Inn ?

— Tout le monde le savait en ville. Vous ne pensez pas sérieusement que j'ai tué ma propre sœur ? maugréa Mac en serrant les poings. Je voulais ce qu'il y avait de mieux pour elle, pas ce crétin de Bo.

— C'était peut-être un accident, avança Daniel. Vous l'avez peut-être retrouvée pour la persuader de rompre, et comme elle a refusé, la colère vous a fait sortir de vos gonds.

— J'ai entendu dire que vous aviez du mal à contrôler vos accès d'humeur, ajouta Olivia, consciente qu'elle agitait un chiffon rouge devant ses yeux.

Mac abattit son poing sur le bureau métallique.

— Tout à fait : la stupidité me met en colère et le fait que vous me parliez de ça est vraiment stupide. Si vous croyez que j'ai tué Shelly, arrêtez-moi. Sinon, allez-vous-en et laissez-moi tranquille. J'ai des choses plus importantes à faire !

Une fois dehors, Olivia ne put retenir un lourd soupir.

— C'est un cas ! Il bat sans doute sa femme tous les samedis soir juste pour le plaisir.

— Un vrai butor, confirma Daniel en ouvrant la portière de leur véhicule de travail. Il a toujours été brutal et il suffit d'un rien pour le mettre en rage, mais ça ne veut pas dire qu'il a tué Shelly.

— Rien ne dit non plus qu'il ne l'a pas tuée.

Olivia luttait contre une vague d'irritation.

— Je suppose qu'il est temps de parler à l'illustre Neil Sampson pour voir ce qu'il a à nous offrir.

Mais ils furent déçus.

Avec son arrogance habituelle, Neil évoqua ouvertement sa brève relation avec Savannah. Selon ses dires, elle était aussi désireuse de coucher avec lui que lui avec elle. Il nia avoir fréquenté Shelly et assura ne pas se souvenir de ce qu'il avait fait le soir où elle était morte.

Peu après 16 heures, Olivia et Daniel retournèrent au poste. Lui s'en fut conférer avec son équipe, et elle s'enferma dans son bureau pour rédiger les comptes rendus des entretiens.

Même s'ils ne résolvaient pas le meurtre de Shelly avant la fin de son mandat, elle était bien décidée à ce que son successeur trouve des dossiers aussi complets et détaillés que possible.

En outre, rassembler ses idées l'empêchait de penser à Daniel. Il s'était montré si gentil avec elle la veille au soir. Il l'avait bordée et le doux baiser qu'il avait déposé sur son front lui avait donné envie de l'attirer sous les couvertures avec elle.

Choc et traumatisme, voilà ce que c'était. Sa frayeur lui avait naturellement donné envie de se réfugier dans les bras de quelqu'un.

Mais elle ne voulait pas que ce soit n'importe qui, il lui fallait Daniel…

Si elle avait eu une once de bon sens, elle se serait éloignée de lui. Malheureusement, il avait décidé de sa propre initiative qu'il serait son garde du corps et, à dire vrai, il était le seul dans le service à qui elle faisait vraiment confiance.

Après 17 heures, il frappa à sa porte et entra.

— C'est l'heure pour les shérifs de rentrer passer la soirée en famille. A propos, vous ne m'avez pas dit si Lily a aimé les bâtonnets de mozzarella hier soir.

Olivia se mit à rire.

— Elle les a adorés, bien sûr. Quand je suis rentrée ce matin, elle m'a demandé si je devais encore travailler cette nuit et si elle pouvait en avoir encore.

Prenant son sac, elle se leva.

— Et vous avez raison, il est l'heure de fermer boutique.

Ils sortirent ensemble du bâtiment.

Daniel avait la main posée sur la crosse de son arme, l'air de prendre très au sérieux sa tâche de garde du corps.

Cela la réconfortait que quelqu'un veille sur ses arrières. Même si sa journée de travail avait été écourtée, elle était impatiente de rentrer chez elle, d'embrasser sa mère, de serrer sa fille contre elle et d'oublier les hommes arrogants ou irascibles et les affaires sans suspects.

Elle ne voulait plus penser aux couteaux à steak ni aux agressions. Le lendemain, elle serait de nouveau le shérif Bradford, mais pour la soirée, elle ne voulait être qu'Olivia, la fille affectionnée de Rose et la mère de la jolie petite Lily.

Alors qu'elle s'arrêtait dans l'allée de sa maison, Daniel se gara derrière elle et sortit de voiture.

Surprise, elle descendit de véhicule à son tour et s'immobilisa près de sa portière.

— Vous avez oublié quelque chose ? lui demanda-t-elle.

— Non, je me suis dit que j'allais raccompagner la dame à sa porte.

— Je ne suis pas une dame, je suis votre chef, rétorqua-t-elle avec un sourire.

— Je dois vous faire un aveu terrible, dit-il alors qu'ils atteignaient la petite véranda.

Olivia lui jeta un regard prudent en prenant sa clé dans son sac à main.

— Un aveu ?

Il hocha la tête.

— Depuis le jour où vous êtes arrivée, j'ai envie de vous embrasser.

— Vous m'avez embrassée sur le front, hier soir, rappela-t-elle en rougissant un peu.

— Ce n'est pas à ce genre de baiser que je pensais, confia-t-il en avançant plus encore.

Elle était consciente de jouer avec le feu, mais ne put s'en empêcher.

— Quel genre de baiser avez-vous en tête ? demanda-t-elle, le cœur battant.

— Ce genre-là…

Il la prit dans ses bras et approcha sa bouche de la sienne.

Une cascade de souvenirs traversa l'esprit d'Olivia tandis qu'elle ouvrait les lèvres pour l'accueillir. Leurs rires quand ils avaient trébuché l'un sur l'autre dans leur hâte à se déshabiller. Le désir brut qui les avait fait taire quand ils étaient tombés sur le lit de l'hôtel.

La fièvre de l'instant la ramena au présent. Daniel explorait sa bouche, allumant une flamme au creux de son ventre.

Elle eut envie de s'abandonner, de se fondre en lui. Mais l'intensité soudaine de son désir, et le fait qu'ils étaient sur la galerie, exposés à tous les regards, la forcèrent à interrompre le baiser et reculer d'un pas.

Se retournant vivement, elle introduisit la clé dans la serrure.

— Bonsoir, Daniel, dit-elle sans se retourner.

— Bonsoir, Olivia.

Franchissant le seuil, elle tapa tout de suite le code qui débranchait l'alarme. Puis, les doigts tremblants, elle la réactiva.

— Maman, tu es là !

Lily fonça vers elle et Olivia la souleva dans ses bras pour la serrer très fort, la gorge nouée par l'émotion.

— Tout va bien, ma chérie ? demanda Rose en la regardant curieusement.

— Ça va, assura Olivia avec un sourire forcé. Je suis contente d'être rentrée et de passer la soirée avec ma mère et ma fille chéries.

Mais tout n'allait pas si bien que cela. Un tueur la pourchassait et elle était bouleversée par ses sentiments pour un homme qui ignorait sa paternité.

De toute évidence, elle quitterait Lost Lagoon le cœur brisé… Si le meurtrier ne lui faisait pas la peau avant.

8

La semaine avait été bizarre.

Assis à son bureau, Daniel contemplait la porte fermée d'Olivia. Ils avaient continué à travailler ensemble et il l'avait escortée dans tous ses déplacements domicile-travail, mais Olivia se montrait distante et une drôle de tension régnait entre eux.

C'était à cause de ce baiser. Doux et ardent en même temps, il l'avait laissé sur sa faim. Mais c'était une erreur, car il avait engendré entre eux une gêne que Daniel déplorait et détestait tout à la fois.

Le problème n'était pas qu'Olivia n'ait pas répondu à son baiser. Au contraire, elle avait réagi avec une fièvre à la hauteur de la sienne. Mais ils n'en avaient pas reparlé le lendemain, ni aucun des jours suivants.

Ils avaient passé la semaine à interroger des gens et vérifier des alibis. Ils étaient aussi allés voir Jimmy Tambor pour lui parler du couteau, mais celui-ci n'avait rien pu leur dire. Ces couteaux accompagnaient tout un tas de plats et ils étaient aussi à la disposition des clients dans des casiers à couverts.

L'impasse, en somme.

Daniel tritura la feuille posée sur son bureau. C'était une courte liste de suspects potentiels.

Le premier d'entre eux était Eric Baptiste, qui s'était rapproché de Shelly juste avant sa mort.

Mac Sinclair venait ensuite. Shelly n'aurait pas eu peur de retrouver son frère au milieu de la nuit.

Le dernier était Neil Sampson, une hypothèse tirée par les cheveux, mais étant donné sa brève relation avec Savannah et l'incertitude quant aux *sales draps* mentionnés par Shelly, il était sur la liste.

Bo n'y figurait pas, mais il n'était pas complètement innocenté non plus. C'était juste une intuition que Daniel et Olivia partageaient à son sujet.

Daniel se sentait frustré. Il était possible que le meurtrier ne se trouve même pas sur cette fichue liste. Et pour couronner le tout, ils n'avaient pas réussi à progresser d'un iota dans l'enquête sur la peluche et l'agression d'Olivia.

Agacé, il releva les yeux. Emma Carpenter frappait à la porte d'Olivia. Elle entra et referma la porte derrière elle. Depuis quelques jours, Olivia convoquait les agents un par un pour un entretien individuel.

Daniel ignorait combien de temps Olivia allait rester à Lost Lagoon. Mais quand elle aurait terminé l'enquête interne, des élections seraient organisées pour désigner un nouveau shérif et elle retournerait chez elle, à Natchez.

Elle semblait mettre les bouchées doubles dans cette investigation, mettant de côté l'affaire Sinclair. Etait-elle impatiente de mettre Lost Lagoon — et lui — derrière elle ?

Il n'aurait pas dû l'embrasser. Mais elle avait l'air tellement désirable qu'il avait cédé à son besoin de regoûter à ses lèvres.

Il baissa de nouveau les yeux sur son bureau.

Olivia lui manquerait. Il s'était habitué à ce qu'elle soit la première personne qu'il voie le matin et la dernière le soir.

Josh fit rouler sa chaise jusqu'à lui.

— Tu sais, j'ai réfléchi, commença-t-il.

— Ça, c'est une nouveauté, plaisanta Daniel.

— Très drôle. En fait, j'ai pensé à nos suspects dans l'affaire Sinclair et à la disparition de la bague.

— Et alors ? s'enquit Daniel avec curiosité.

— J'essaie juste de comprendre qui aurait eu un motif pour la lui ôter. Je ne vois pas Neil Sampson s'y intéresser. Mais Mac arrive incontestablement en tête de liste. Il haïssait Bo et il haïssait la relation de sa sœur avec lui. Quant à Eric, il est possible qu'il ait été amoureux de Shelly et qu'il ait essayé de la persuader de rompre avec Bo. Quand elle a refusé, il l'a tuée et lui a pris la bague.

Daniel acquiesça.

— Le shérif et moi, nous avons eu la même idée. La disparition de cette bague a un motif personnel. Il est également possible que Shelly ait rompu avec Bo ce soir-là et qu'elle la lui ait rendue.

— Je sais que tout le monde considérait Bo comme un mauvais garçon, mais il n'a jamais eu d'ennuis, souligna Josh. On ne l'a jamais vu perdre son calme. Je ne crois pas qu'il aurait pu tuer Shelly, quelles que soient les circonstances.

— Mais on ne peut pas l'écarter complètement. On ne fait que tourner en rond dans cette affaire ! lâcha Daniel avec irritation. Peut-être qu'on devrait faire courir la rumeur que nous sommes sur le point de procéder à une arrestation.

— Dans l'espoir que le meurtrier perde son sang-froid et commette une erreur ? C'est une idée, approuva Josh d'un air pensif.

— Je vais la soumettre au shérif, conclut Daniel.

Juste avant 17 heures, il frappa à la porte d'Olivia. A son invite, il entra et referma la porte derrière lui.

— Il est presque l'heure de rentrer, mais avant ça, je voudrais vous parler de plusieurs choses.

— C'est-à-dire ? demanda-t-elle vivement.

Il lui parla d'abord de son idée de provoquer le meurtrier.

— On pourrait faire allusion devant quelques personnes au fait que nous avons de nouveaux éléments et que nous sommes sur le point d'effectuer une arrestation. La rumeur fera le reste. En quelques heures, tout le monde en entendra parler en ville.

— Ça pourrait marcher, dit lentement Olivia. Pourquoi

ne pas aller déjeuner Chez Jimmy demain midi ? Cela me paraît l'endroit idéal pour lancer une rumeur.

— Bonne idée, approuva Daniel. Et maintenant, parlons du baiser.

Olivia écarquilla ses yeux noirs et s'affaira à redresser les piles de dossiers sur son bureau.

— Il n'y a rien à en dire.

— Je ne suis pas d'accord. Cela a créé une gêne entre nous. Depuis, vous êtes lointaine.

Olivia cessa son agitation nerveuse, croisa les mains sur son bureau et regarda Daniel dans les yeux.

— Vous avez raison. C'était gênant et j'ai essayé de prendre mes distances.

— Alors je suis désolé de vous avoir embrassée, confessa-t-il.

— Ne le soyez pas… Je veux dire : ce n'était pas seulement vous. Moi aussi, je vous ai embrassé.

Ses joues rosirent.

— Cela m'a rappelé La Nouvelle-Orléans, et nous savons tous les deux que nous ne pouvons pas recommencer.

Lui, il avait envie de recommencer, mais il ne voulait pas la presser.

— Olivia, je vous promets que je ne vous embrasserai plus, à moins que vous ne me le demandiez. Je ne veux plus de ce mur entre nous. Il faut que vous me fassiez confiance sur tous les plans.

— D'accord, dit-elle en lui adressant un petit sourire. C'est entendu.

Il ne fallut qu'un quart d'heure à Daniel pour la suivre jusqu'à chez elle et l'accompagner jusqu'à la galerie. A cet instant, la porte s'ouvrit à la volée. Une Lily surexcitée la franchit.

— Adjoint !

Elle prit la main de Daniel et l'attira dans la maison.

Olivia alla tout de suite au panneau de contrôle pour

débrancher l'alarme, tandis que Daniel contemplait la petite fille dont la main semblait si douce et si chaude.

— Je me demandais quand tu reviendrais, s'exclama Lily. Tu peux manger avec nous. Hein, nanny ?

Rose lui adressa un sourire de bienvenue.

— Il y a toujours bien assez pour un autre convive.

— Oh non, je ne peux pas, protesta Daniel, bien que le parfum des tomates et de l'ail fasse gargouiller son estomac.

— Mais si, tu peux ! Nanny est d'accord et maman veut que tu restes, insista Lily. Hein, maman ?

Daniel se tourna vers cette dernière en affichant un air d'impuissance. Elle haussa les épaules, retira sa ceinture avec son revolver et la posa sur le haut d'une armoire avant de s'asseoir sur le futon.

— Maintenant que vous êtes là, autant rester dîner, dit-elle en regardant sa fille. Et moi alors, je n'ai pas droit à un bonjour ? Je sens les brocolis quand M. Carson est là ?

— Berk, les brocolis !

Lâchant la main de Daniel, Lily se jeta sur sa mère en riant.

— Tu ne sens pas les brocolis. Je déteste les brocolis, mais toi, je t'aime ! s'exclama-t-elle.

Daniel fondit un peu à la vue de la mère et de la fille qui riaient ensemble. La chaleur de la menotte de Lily s'attardait encore dans sa paume, comme un petit fantôme.

Il s'éclaircit la gorge et s'adressa à Rose :

— Que puis-je faire pour vous aider ?

La mère d'Olivia désigna un placard.

— Vous pouvez sortir une autre assiette et la mettre sur la table ? J'espère que vous aimez les spaghettis, parce que c'est au menu, ce soir.

— Sauce maison ? hasarda-t-il.

— En existe-t-il d'autres ? répliqua-t-elle en souriant jusqu'aux oreilles.

— Excellent.

Daniel sortit une assiette et des couverts et les disposa

sur la table, tandis que Lily et sa mère disparaissaient dans la chambre de Rose, sans doute pour qu'Olivia se change.

Daniel remplit les verres d'eau et de glace, et Rose lui parla de la cuisine italienne, qu'il aimait aussi beaucoup, des chapeaux en tricot qu'elle confectionnait pour les victimes de cancer et de l'amour qu'elle portait à sa fille et sa petite-fille.

Lily et Olivia revinrent dans le salon, cette dernière vêtue d'un corsaire rose et d'un long T-shirt blanc avec un motif rose sur le devant.

Lily fonça vers Daniel en dansant et glissa de nouveau sa menotte dans sa main.

— Il faut que tu viennes voir la poupée que nanny m'a achetée.

Elle lui tira le bras afin de pouvoir chuchoter à son oreille :

— Elle fait pipi dans sa culotte quand je lui donne le biberon.

— Ce sera prêt dans très peu de temps, annonça Rose tandis que Lily emmenait Daniel jusqu'à sa chambre.

Durant les minutes suivantes, Daniel se laissa charmer par Lily. Il admira la poupée et la nouvelle robe qu'Olivia avait commandée pour elle. La petite fille lui parla de tout ce qu'elle avait fait depuis la dernière fois qu'elle l'avait vu.

Il était presque impossible de penser à des meurtres ou à des policiers corrompus en compagnie de Lily : tout n'était que fées, lutins et magie. Un monde d'innocence et de lumière, que Daniel quitta presque à regret quand Rose les appela pour passer à table.

La bonne humeur régna aussi durant le dîner, composé d'une salade verte, de grosses tranches de pain à l'ail et d'une énorme marmite de spaghettis.

La sauce tomate était la meilleure que Daniel ait jamais goûtée. Il tenta d'en obtenir la recette auprès de Rose, mais celle-ci refusa de la divulguer : c'était un vieux secret de famille.

Il y eut d'autres rires quand Lily expliqua à Daniel

comment aspirer les spaghettis et Olivia laissa percer son côté joueur, défiant sa fille en la matière.

Rose les contemplait avec une sévérité feinte en marmonnant sur les mauvaises manières, tandis que Daniel riait de bon cœur devant les bêtises de la mère et de la fille.

C'est ainsi que doit être une famille, se dit-il. Des exclamations de joie lors des retrouvailles, des repas partagés dans le rire et la bonne humeur.

Pour sa part, il ne se rappelait pas un seul repas où son père ou sa mère n'ait quitté la table, furieux. C'étaient le bonheur et l'amour de cette maison qui étaient la norme et non ce qu'il avait connu dans son enfance. Mais c'était ce qui avait façonné l'homme qu'il était devenu.

Après le dîner, il insista pour débarrasser, puis ce fut l'heure de partir. Mais il n'avait pas envie de retourner chez lui, où ne résonnerait nul rire.

Il s'était toujours trouvé bien dans la solitude. Pourtant, en cet instant, l'idée de rentrer chez lui ne l'attirait plus.

Olivia débrancha l'alarme et le raccompagna sur la galerie.

— Merci pour le dîner, lui dit-il.

— Je vous en prie. Aux yeux de maman, plus nous sommes nombreux, mieux c'est. Et puis, c'était drôle. Mais maintenant, il faut que je dise à Lily que ce n'est pas bien d'aspirer les spaghettis, finit-elle d'un ton faussement chagrin.

Il se mit à rire.

— Bonne chance !

Elle lui sourit, puis reprit son sérieux, le regard assombri.

— Alors demain, on essaie la nouvelle stratégie, dit-elle.

En une fraction de seconde, le plaisir de la soirée s'évanouit, laissant place à la noirceur du meurtre et de l'agression.

Daniel hocha la tête.

— Demain, on appâte le tueur et on verra s'il dévoile son jeu.

*
* *

Le jour suivant, peu après midi, Olivia et Daniel pénétrèrent Chez Jimmy. Olivia avait passé la nuit à se tourner et se retourner, faisant défiler dans sa mémoire les moments de complicité entre Daniel et Lily.

Il aurait été un merveilleux père, et une fois encore, elle avait débattu intérieurement de l'idée de lui dire la vérité sur sa fille. Pourtant, elle s'était réveillée à nouveau résolue à garder le secret de sa paternité.

Une soirée passée à rire avec Lily et à profiter de sa compagnie ne suffisait pas à faire de lui un père. Il fallait qu'elle garde cela pour elle et se concentre sur son travail.

Elle avait interrogé presque tous les hommes du service, sans succès. Aucun d'eux ne semblait avoir trempé dans le trafic de drogue ou une autre combine illégale.

Malcolm Appleton avait justifié sa nouvelle situation en lui montrant la copie du chèque qui lui venait de la succession de son père. En mourant, Richard Appleton, un homme très aisé, avait tout légué à son fils unique.

Le seul qui semblait avoir bénéficié de rentrées inexplicables était Randy Fowler. Il avait non seulement installé sa mère dans une luxueuse maison de retraite, mais avait aussi acheté une nouvelle maison pour lui, sa femme et ses deux enfants. Interrogé sur cette soudaine manne financière, il était resté vague.

Ses relevés bancaires du dernier semestre affichaient des dépôts à six chiffres provenant d'un compte au nom de Jesse Leachman & Associés. Jusque-là, Olivia n'avait pas réussi à découvrir qui était Jesse Leachman & Associés, ni pourquoi ils versaient de telles sommes à Randy.

Le joyeux sourire de Jimmy Tambor la tira de ses pensées.

— Un box ? proposa-t-il.

— Ou une table, intervint Daniel.

On leur en donna une à gauche du bar, d'où ils seraient aisément vus et entendus s'ils parlaient assez fort, songea Olivia. La nervosité lui nouait l'estomac tandis qu'ils commandèrent leurs boissons. Ce qu'ils allaient faire n'était pas sans danger. Un meurtrier qui se croyait en sécurité était beaucoup moins redoutable qu'un criminel acculé.

Si c'était l'assassin de Shelly qui l'avait agressée sur le parking, alors il avait agi dans la précipitation, poussé par la réouverture de l'enquête. Désormais, ce serait la peur qui le motiverait et cela le rendrait d'autant plus dangereux.

— N'ayez pas l'air si nerveuse, lui souffla Daniel.

— Ça se voit tant que ça ?

Il sourit.

— Seulement à mes yeux peut-être. De toute façon, nous n'allons nulle part dans cette affaire et je pense que c'est la meilleure mesure que nous puissions prendre.

— Ce sont ses mesures à lui qui m'inquiètent, répondit-elle.

— Je garde vos arrières, Olivia.

— Je sais, mais je ne veux pas que vous vous retrouviez sous un tir croisé.

Elle prit une gorgée d'eau glacée.

— Si ça ne tenait qu'à moi, ce serait entre lui et moi, et je n'hésiterais pas à presser la détente.

— Ce crime hante la ville depuis trop longtemps, dit Daniel en serrant les dents. Il faut que nous en finissions avec cette affaire avant l'ouverture du parc d'attractions.

Olivia se renversa sur sa chaise et le contempla avec ironie.

— Si quelqu'un nous observait, il en conclurait que nous sommes irrités par notre manque de progrès.

— Vous avez raison, acquiesça-t-il. On aurait peut-être dû commander du champagne pour donner l'impression que nous avons quelque chose à célébrer.

— Vous savez, je suis une petite nature quand il s'agit d'alcool, lui confia Olivia en riant. Il vaut mieux porter des toasts avec du thé glacé.

La serveuse apparut pour prendre leur commande, et quand elle se retira, Daniel prit une posture détendue, un sourire plaisant sur le visage.

— Alors, vous avez réussi à enseigner les bonnes manières à Lily, hier soir ?

— Je n'ai pas eu besoin de le faire. Quand je suis rentrée, elle m'a dit : *Je sais que ce n'est pas comme ça qu'il faut manger les pâtes.* Apparemment, ma mère avait déjà eu une petite discussion avec elle.

— Et votre mère a-t-elle eu une petite discussion avec vous aussi ? plaisanta Daniel. Parce que si je me rappelle bien, vous étiez également de la partie.

— Je plaide coupable. Mais j'ai dit à Lily que nanny n'avait pas besoin de me le dire, parce que j'étais consciente que nous nous étions mal conduites toutes les deux.

— C'est une enfant très intelligente.

— Oh ! Je ne sais pas, elle semble avoir un gros béguin pour vous, lança Olivia d'un ton taquin.

— J'adore les femmes qui ont bon goût, répliqua-t-il.

La conversation s'interrompit quand la serveuse revint avec leurs plats. En mangeant, ils s'appliquèrent à rire beaucoup avec un air de satisfaction et de confiance. Olivia espérait donner l'impression aux autres clients qu'ils tenaient la vie — ou plutôt l'affaire — par le bon bout.

Ils n'en étaient encore qu'à la moitié du repas quand Jimmy s'arrêta à leur table.

— Shérif Bradford... Daniel. Je voulais juste savoir si vous appréciez votre déjeuner. Tout est à votre goût ?

— C'est excellent, comme d'habitude, répondit Daniel.

Il se pencha vers Jimmy.

— Nous venons de faire une grosse percée dans l'affaire Sinclair. Ce n'est plus qu'une question de temps avant que nous procédions à une arrestation.

Les traits enfantins de Jimmy exprimèrent la surprise et il se rapprocha de Daniel.

— C'est Eric Baptiste ?

— Nous ne pouvons rien dire pour le moment, déclara Olivia d'un air évasif.

— C'est Eric, j'en suis sûr. Il a toujours été bizarre. Sa seule amie était Shelly, et il était au courant de l'existence des souterrains qui vont de la maison Sinclair au lagon.

Jimmy se redressa.

— N'ayez pas peur, je ne dirai rien à personne.

Sur ce, il s'éloigna.

— Et voilà comment on fait naître une rumeur, murmura Daniel à Olivia.

— Espérons que c'est le début de la fin.

— Et sinon, comment se passe l'enquête interne ?

— J'attends confirmation de certains éléments, mais je devrais pouvoir boucler très vite.

— Vous me manquez déjà.

Elle détourna le regard.

— Daniel, vous ne devriez pas dire des choses comme ça.

— Je sais, mais c'est la vérité. J'ai eu plaisir à vous connaître mieux et à faire la connaissance de votre famille. Ça m'a fait plaisir de travailler avec vous.

Olivia croisa son regard, s'efforçant de ne pas céder aux profondeurs de ses yeux verts ni à la chaleur de son sourire.

— Je ne suis pas encore partie.

Elle baissa les yeux sur le reste de son sandwich club. C'était agréable qu'il aime sa compagnie. C'était ridicule qu'il ait tellement envie de coucher avec elle. Et c'était merveilleux qu'il trouve Lily adorable et Rose chaleureuse.

Mais rien de tout cela ne changeait vraiment les choses : il ne pourrait jamais être son compagnon, parce qu'il n'en avait pas le désir. Elle exerçait une fonction temporaire dans une ville qui n'était pas la sienne et Daniel se trouvait faire temporairement partie de sa vie. Ils n'étaient que des navires qui se croisaient dans la nuit, tout comme la première fois.

Quel tour cruel lui avait joué le destin en les remettant en présence l'un de l'autre, juste au moment où Lily se cherchait un père et où elle-même était prête à surmonter le chagrin de la perte de Phil !

*
* *

Ils retournèrent au poste peu après 13 heures. Olivia s'enferma dans son bureau, et Daniel rejoignit le reste de l'équipe dans la salle de réunion.

Leur ruse allait-elle fonctionner ? Le tueur allait-il commettre une erreur qui dévoilerait son identité ? Il était logique qu'elle se fasse du souci pour la suite des événements. Impossible de prévoir les conséquences de ce que Daniel et elle avaient mis en branle, mais elle serait désormais une cible privilégiée, cela ne faisait aucun doute.

Elle avait déjà été agressée quelques jours plus tôt. Elle n'espérait qu'une chose : s'il devait y avoir une seconde fois, que Daniel et elle y soient préparés. Depuis la naissance de Lily, elle avait redoublé de prudence au travail. Elle aimait son métier et voulait l'exercer le mieux possible, mais elle voulait aussi rester en vie et rentrer tous les soirs chez elle, auprès de sa fille.

Vers 15 heures, Frank Kean, le maire de la ville, passa la voir.

Après l'avoir salué, Olivia l'invita à s'asseoir.

— J'ai entendu dire que vous êtes sur le point de procéder à une arrestation dans l'affaire Sinclair, commença-t-il d'un ton mielleux.

Daniel avait raison, le téléphone arabe fonctionnait à merveille à Lost Lagoon.

— Nous en sommes proches, effectivement, répondit-elle.

Elle se sentait coupable de mentir au maire de la ville, mais elle ne le connaissait pas assez bien pour lui avouer la vérité.

— Voudriez-vous m'en dire plus ?

Le statut particulier d'Olivia ne l'obligeait pas à rendre des comptes au maire, comme aurait dû le faire un shérif normalement élu.

— A ce stade, je préférerais ne pas divulguer les détails de l'affaire. Toutefois, je vous promets que, dans la mesure du possible, vous serez le premier informé.

— Je vous en serais reconnaissant. Je pense me représenter

aux élections municipales. J'ai servi cette ville pendant huit ans avant que Jim Burns ne remporte les précédentes élections, et tout le monde sait ce que cela a donné. Mon cœur appartient à cette ville.

Olivia lui sourit.

— Je suis certaine que vous ferez de nouveau un excellent maire.

— Savez-vous si quelqu'un a l'intention de se porter candidat pour les élections du shérif après votre départ ?

— Non, mais il est possible que Daniel Carson soit intéressé par le poste, étant donné qu'il a assuré l'intérim avant mon arrivée.

Frank approuva d'un signe de tête.

— Daniel est un type bien. Il ferait un bon shérif et je sais qu'il a les intérêts de la ville à cœur. Vous a-t-il dit qu'il voulait se présenter ?

— Non, nous n'en avons pas parlé. Nous avons été trop occupés par l'enquête.

Le maire se pencha en avant et adressa un sourire charmeur à Olivia.

— Vous êtes sûre que vous ne voulez pas me donner un petit indice quant à l'identité du meurtrier ?

Olivia secoua la tête en riant.

— Inutile d'insister, mes lèvres resteront scellées tant que le coupable ne sera pas sous les verrous.

— Alors, je vais vous laisser travailler, conclut Frank en se levant.

— Je vous promets de vous tenir informé, répéta-t-elle tandis qu'il ouvrait la porte.

Après son départ, elle poussa un soupir.

Comment savoir si leur nouveau plan allait fonctionner ? Elle s'interdisait de calculer leurs chances de succès.

Mais s'ils ne s'étaient pas trompés, un événement dramatique allait se produire sous peu.

9

Une longue journée de travail venait de se terminer. Daniel avait passé la plus grande partie de la matinée avec Olivia à interroger les commerçants et écouter les conversations de rue, attendant que quelque chose se passe…

Ils avaient déjeuné Chez Jimmy, puis étaient retournés au poste, où Olivia s'était terrée dans son bureau et Daniel s'était remis à étudier le dossier. Peut-être qu'un détail leur avait échappé.

Il avait collecté les alibis des suspects pour l'heure de l'agression d'Olivia et voulait lui en parler. Elle ne serait certainement pas ravie de constater que plusieurs d'entre eux n'avaient pas d'alibi sérieux.

Peu après 17 heures, il frappa à la porte de son bureau. Comme elle ne répondait pas, il entra. Elle était tournée vers la fenêtre, le regard dans le vague.

— Olivia…

Elle se retourna vivement.

— Désolée, dit-elle, les joues un peu roses, j'étais perdue dans mes pensées.

Elle consulta sa montre.

— Il est l'heure de rentrer.

— Je voudrais justement vous proposer quelque chose, lui dit-il. J'ai des bières et une pizza surgelée au frigo. Pourquoi vous ne viendriez pas chez moi pour une petite séance de brainstorming ?

Elle parut hésiter.

Il insista :

— J'ai les alibis des suspects par rapport à votre agression sur le parking.

— D'accord, dit-elle avec réticence. Pizza, bière, brainstorming, et ensuite je rentre.

— Bien sûr, appuya-t-il. Je vous suis jusque chez moi.

Ils se mirent en route, l'un derrière l'autre. Daniel avait lancé cette invitation avant même de prendre conscience de son envie de voir Olivia chez lui. Ses soirées lui semblaient bien solitaires depuis qu'il avait dîné chez elle, en compagnie de Rose et de Lily.

Quand tout serait fini, il organiserait une soirée pizza pour elles trois. Il commanderait les pizzas Chez Jimmy.

En imaginant Lily se régaler de bâtonnets de mozzarella ou dévorer des parts de pizza avec des fils de fromage, la mine réjouie, il sourit intérieurement.

Olivia avait de la chance de rentrer chaque soir auprès d'une mère et d'une fille aimantes.

Cette pensée le surprit.

Jamais auparavant, il n'avait aspiré à avoir une famille. Il s'était toujours contenté du confort de la solitude. Il n'avait à répondre de personne et il avait toujours savouré le calme et la paix de son intérieur après le travail.

Mais quelque chose avait changé. Le silence de ses soirées lui paraissait désormais oppressant. Cette nouvelle sensation avait fait surface quand Josh s'était mis à fréquenter Savannah.

Il sautait aux yeux que son coéquipier nageait dans le bonheur. Le soir, il se dépêchait de rentrer pour retrouver sa fiancée. Josh avait visiblement trouvé son âme sœur, et tous deux prévoyaient de se marier et de fonder une famille.

Lui-même n'avait jamais rêvé de faire une rencontre qui remplirait sa vie d'amour et de passion, de rires et de secrets partagés.

Mais quelque chose chez Olivia et sa petite famille le forçait à reconsidérer son célibat. Ou bien était-ce la compagnie de son ami qui lui manquait ? Avant Savannah, Josh et lui allaient souvent boire une bière ou dîner Chez Jimmy, écourtant ainsi les heures qu'ils passaient tout seuls.

Parvenu devant chez lui, il chassa ces pensées pour déclencher l'ouverture de la porte de son garage. Comme la première fois, Olivia se gara à droite et lui à gauche.

Quand ils furent descendus de voiture, il referma la porte du garage et précéda Olivia dans la cuisine. Là, il alluma le plafonnier et lui indiqua la table.

— Asseyez-vous et détendez-vous, je vais faire chauffer le four.

Olivia posa son revolver sur le sol, puis s'assit sur la chaise qu'elle occupait quelques jours auparavant. Elle déposa son sac à côté et sourit à Daniel.

— J'espère que ce n'est pas une de ces pizzas en carton. Je ne suis pas de ce genre-là.

— Bien sûr que non ! s'exclama-t-il avec une indignation feinte. C'est une pizza aux trois fromages avec une pâte levée.

Prenant deux bières dans le réfrigérateur, il les porta à table.

Olivia ouvrit l'une d'elles et prit une gorgée, puis reposa la bouteille en poussant un grand soupir.

— Je croyais qu'il allait se passer quelque chose aujourd'hui.

Daniel décapsula aussi sa bière et fit voler la capsule dans la poubelle.

— J'avoue que moi aussi.

Reposant sa bière, il alla chercher un plat dans le placard, sortit la pizza du congélateur, la déballa et la posa sur le plat. Cela fait, il se tourna vers Olivia.

— Pour être honnête, je ne sais pas si je suis déçu ou soulagé.

— Moi, je suis sur des charbons ardents, déclara-t-elle. Cette attente me rend folle. Le moindre bruit me fait sursauter. Vous disiez que vous aviez les alibis pour mon agression ?

Il se rassit, but une gorgée et hocha la tête.

— Eric Baptiste était dans le marais, ramassant des herbes pour sa mère. Malheureusement, personne ne l'a vu là-bas. La femme de Mac jure qu'il était à la maison à cette heure-là. Bo et Claire dînaient Chez Jimmy et plusieurs personnes les y ont vus. Le dernier que j'ai interrogé était Ray McClure.

Olivia haussa un sourcil juste au moment où le four émettait un signal sonore, indiquant qu'il avait atteint la température désirée. Daniel se leva.

— Quelque chose m'a toujours dérangé chez Ray. C'est le seul collègue à qui je ne fais pas vraiment confiance.

— Et c'est lui qui a trouvé le paquet, remarqua Olivia.

— Un paquet qu'il aurait facilement pu confectionner et apporter, enchaîna Daniel. Nous n'avons que sa parole quand il dit qu'il l'avait trouvé dehors.

— Alors quel était son alibi ? questionna Olivia.

Daniel enfourna la pizza et revint à table.

— Il a quitté le poste environ trente minutes avant vous. Il m'a dit qu'il était rentré directement chez lui, avait bu quelques bières et n'avait vu personne de la soirée.

— Donc, le seul à avoir un alibi solide est Bo.

— C'est à peu près ça, acquiesça Daniel.

— Si ce n'est pas Bo qui m'a attaquée, alors je suis convaincue qu'il n'a pas tué Shelly, décréta Olivia avant de prendre une nouvelle gorgée de bière.

— J'ai toujours eu des doutes quant à sa culpabilité, lui rappela Daniel.

Fronçant les sourcils, Olivia leva les bras pour détacher la barrette qui retenait ses cheveux.

— Si ça ne vous dérange pas…, dit-elle en poussant un soupir de soulagement. A cette heure-là, j'ai toujours un peu mal à la tête quand ils sont tirés en arrière.

Le déranger ? Il était ravi par le spectacle de sa longue chevelure balayant ses épaules. L'envie de toucher ces mèches soyeuses lui donnait des démangeaisons dans les doigts.

Il bondit de sa chaise et alla jeter un coup d'œil à la pizza. La chaleur qui montait dans son ventre n'avait rien à voir avec celle du four. Une pizza, une bière et une petite discussion, c'était tout ce qu'elle avait accepté, se rappela-t-il pour se calmer.

— Encore une minute et ce sera prêt, annonça-t-il en s'appuyant contre le placard. Et du côté de l'enquête interne, comment ça se passe ? questionna-t-il pour écarter les images torrides qui fusaient dans son esprit.

— Dieu merci, presque tout le monde est ressorti blanc comme neige. J'avais encore un doute au sujet de Randy Fowler, mais il s'est justifié cet après-midi. Ces derniers mois, il a reçu des versements importants d'une société intitulée Jesse Leachman & Associates. La première fois que je l'ai questionné là-dessus, il ne m'a pas donné de réponse satisfaisante.

— Une minute…

Daniel sortit la pizza du four et la posa sur un dessous-de-plat. Il la coupa en huit et l'apporta à table, avant de prendre des assiettes et des serviettes en papier dans un placard.

— Voilà, dites-moi tout sur les mystérieux versements de Randy.

— Ce sont des dommages et intérêts versés par une société pharmaceutique. Il était gêné d'en parler parce qu'il a pris un médicament qui, entre-temps, a été retiré du marché en raison de ses effets secondaires sur, euh… les performances masculines.

Daniel la dévisagea.

— Vraiment ?

— Vraiment. Il va recevoir des chèques pendant encore un an et il espère que les effets secondaires vont finir par se dissiper. J'ai vérifié. J'ai réussi à parler à un avocat de Jesse Leachman & Associates, qui m'a faxé l'ordonnance du tribunal confirmant les dires de Randy.

Daniel lui fit signe de se servir.

— Eh bien, c'est un soulagement de savoir qu'il ne s'agit pas d'argent sale.

— Mais n'en parlez à personne, intima Olivia en prenant une part de pizza. Il était mortifié d'avoir à me le raconter.

— J'imagine. Les hommes n'aiment pas parler de leur vie sexuelle, sauf pour s'en vanter, lança Daniel sur le ton de la plaisanterie.

Durant plusieurs minutes, ils mangèrent en silence, Daniel faisant tout son possible pour ne pas penser à sa vie sexuelle avec la femme assise en face de lui.

— Un soir, on pourrait peut-être emmener Lily et votre mère chez le glacier, dit-il pour écarter ces pensées déplacées.

Olivia lui adressa un sourire plus ouvert et chaleureux que le shérif Bradford ne se le permettrait jamais.

— J'aimerais beaucoup. Je voulais les y emmener avant mon agression, mais tout a changé et je ne suis plus autorisée à sortir de la maison sans mon escorte.

— Votre escorte pourrait peut-être vous arranger ça demain soir, répondit-il.

— Ce serait bien, fit-elle en souriant avant de froncer les sourcils. Du moins si vous pensez que nous ne risquons rien en ville.

— Je ne pense pas que notre homme tentera quoi que ce soit en public. Et croyez-moi, tant que je serai avec vous, personne ne s'en prendra à vous ni à votre famille.

Incapable de se refréner, il tendit le bras par-dessus la table et lui prit la main. Leurs regards restèrent soudés l'un à l'autre durant quelques secondes vertigineuses, puis elle retira sa main.

— Vous savez, je n'ai pas vraiment besoin de votre protection.

Le regard assombri, elle se redressa sur sa chaise.

— Je ne suis pas une pauvre demoiselle en détresse. Je suis un officier de police expérimenté, je sais me défendre. J'ai affronté un tas de sales types dans ma carrière et je suis toujours là. Je connais mon travail.

Le shérif Bradford était de retour, songea Daniel.

— Olivia, je le sais très bien. Ce n'est pas parce que je vous crois incapable de vous défendre que je vous suis partout. Nous sommes des collègues et, sachant qu'on vous cible, je réagis en collègue. Je ferais pareil pour tous les hommes avec qui je travaille.

Elle le dévisagea un long moment, puis parut se détendre.

— D'accord. C'était juste pour que les choses soient claires.

— Elles sont claires. Maintenant, prenez une autre part de pizza et je vais sortir d'autres bières, indiqua-t-il en se levant.

Tout ce qu'il venait de lui dire était vrai. Il aurait fait la même chose pour tous ses collègues impliqués dans une enquête périlleuse.

Ce qu'il ne disait pas, c'était qu'il intervenait dans la vie d'Olivia parce qu'il l'appréciait et appréciait sa famille.

Il avait connu des femmes par le passé, mais aucune n'avait suscité en lui ce besoin féroce de protection. Il ne se rappelait pas avoir ressenti cela pour quiconque, et il en était dérouté.

Probablement parce qu'il ne parvenait pas à oublier leur nuit de passion. Il ne pouvait ignorer combien il avait envie de renouveler l'expérience. Ainsi, il était plus facile de tout mettre sur le compte de la concupiscence. Cette idée lui permettait de continuer à désirer Olivia sans se poser trop de questions.

Olivia se servit une seconde part de pizza, s'efforçant d'ignorer l'élan qui la poussait toujours vers Daniel quand ils se trouvaient ensemble.

Cinq ans auparavant, il n'était qu'un homme séduisant, qui lui avait permis d'oublier temporairement son chagrin. Mais leur négligence commune avait fait de cet apollon le père de sa fille.

Désormais, il était beaucoup plus que cela à ses yeux : un homme d'honneur, intelligent et dévoué à son travail. Il respectait l'autorité d'Olivia, mais il voyait aussi la femme derrière son insigne.

Elle le désirait. Non comme un mari ou un petit ami, elle avait trop de bon sens pour attendre cela de lui. Mais elle le désirait incontestablement.

Et il la désirait aussi. Il ne se donnait pas la peine de le cacher. Elle le lisait dans ses yeux quand il la regardait, dans la chaleur de ses mains quand il la touchait, dans le baiser qu'ils avaient partagé. Si elle cédait à cette attraction, ce ne serait qu'une passade d'une nuit, comme la première fois. Sauf que là, son cœur serait de la partie.

Et elle ne s'illusionnait pas. S'ils faisaient de nouveau l'amour, ce ne serait qu'un souvenir qu'elle emporterait avec elle en partant, pas le début d'une relation.

— Vous êtes bien silencieuse, tout à coup, dit Daniel, la tirant de ses pensées.

Elle le contempla longuement. Si elle prononçait les mots qui lui brûlaient les lèvres, il n'y aurait pas de retour en arrière. Il fallait qu'elle soit sûre de ce qu'elle voulait.

— J'étais en train de penser au fait de refaire l'amour avec vous.

Le morceau de pizza dans lequel il s'apprêtait à mordre s'immobilisa à mi-chemin de sa bouche. Il écarquilla les yeux, puis les plissa.

— Et que pensiez-vous à ce sujet ?

— Que ce serait une erreur à tous points de vue, mais que j'ai quand même envie de le faire.

Il reposa lentement la pizza, le regard braqué sur elle.

— Et vous avez un moment particulier en tête ?

Prenant conscience de ce qu'elle venait d'entamer, Olivia fut parcourue d'un frisson d'excitation.

— Dès que nous aurons fini de manger, peut-être ?

Daniel repoussa son assiette.

— Je n'ai plus faim.

Elle eut envie de rire, mais le brasier venait de se rallumer en elle, un brasier qu'elle s'efforçait de réduire depuis son arrivée.

— J'ai fini, moi aussi…

Le souffle lui manquait.

— Alors que faisons-nous encore à table ?

Se levant, il s'approcha d'elle et la remit sur pied.

Elle lui jeta les bras autour du cou tandis qu'il penchait la tête pour l'embrasser. Sa bouche fleurait bon le pepperoni et la bière. Une onde de chaleur traversa Olivia des pieds à la tête.

C'était une erreur, lui criait son esprit, mais son corps hurlait plus fort. Que pouvait-elle bien vouloir d'autre de Daniel ?

C'était une chance de l'avoir à nouveau contre elle, de savourer le plaisir qu'il allait lui donner. Et cela lui suffirait parce qu'il fallait que cela suffise.

Le baiser ne dura que quelques secondes.

Reculant d'un pas, Daniel la prit par la main pour la conduire dans sa chambre.

La fois précédente, elle avait eu tout le temps d'admirer le grand lit avec son couvre-lit gris et noir, les lampes de chevet assorties et la commode en merisier.

Cette fois, il ne lui laissa pas le loisir de contempler la décoration. La reprenant dans ses bras, il lui donna un baiser torride et la serra si fort contre lui qu'elle découvrit son excitation, ce qui accrut follement son propre désir.

Le baiser se prolongea, beaucoup plus intime que le premier. Leurs langues s'entremêlèrent dans une fièvre frénétique. Les mains de Daniel lui caressaient le dos, clairement impatientes de se glisser sous son corsage pour sentir sa peau nue.

Ce fut elle qui interrompit le baiser la première. La lumière vespérale filtrait entre les rideaux, éclairant la chambre d'une lueur romantique. Les doigts tremblants, elle commença à déboutonner son chemisier.

Avant même qu'elle l'ait fait glisser de ses épaules, Daniel avait posé son holster et son portable sur la table de chevet et retiré sa chemise et son jean. Il se débarrassa de ses chaussettes et se redressa, uniquement vêtu d'un caleçon bleu marine.

Tandis qu'Olivia se déchaussait et ôtait son pantalon, Daniel replia le couvre-lit, révélant des draps rayés gris et noir.

Il s'allongea sur le lit et la regarda enlever son collant. Elle n'avait plus sur elle que son slip et son soutien-gorge en dentelle rose pâle.

— Je ne peux pas te dire combien de fois je me suis rejoué cette nuit avec toi, confia-t-il d'une voix rauque et inhabituellement grave.

— J'y ai beaucoup pensé, moi aussi, avoua-t-elle.

Elle se mit au lit et il la prit dans ses bras. Sa peau était chaude et ses mains se déplacèrent dans son dos pour détacher son soutien-gorge. Il défit l'agrafe en moins d'une seconde et le lui enleva avant de fondre sur sa bouche une fois de plus.

Le contact de son large torse contre ses seins nus lui procura une sensation exquise, et quand il recouvrit ces derniers de ses mains, elle laissa échapper un gémissement.

C'était si bon que ce ne pouvait être mal. Mais il ne fallait rien attendre d'autre que ces moments de plaisir, elle en avait conscience.

Daniel délaissa sa bouche pour déposer des baisers tout le long de son cou puis prendre un bout de sein entre ses lèvres.

Elle lâcha un petit cri, appuya la main sur sa nuque tandis qu'il l'embrassait et le suçait. Puis il s'attaqua à son autre sein, le taquina et le lécha si bien que de petites décharges électriques la parcoururent tout entière.

Le désir de le sentir nu s'empara d'elle. Elle avait besoin de le toucher, de goûter à sa peau. Elle voulait qu'il se souvienne d'elle comme elle se souvenait de lui.

Prenant l'initiative, elle s'écarta et tira sur son caleçon. Une lueur argentée passa dans le regard de Daniel quand elle finit de le lui retirer.

— A moi, murmura-t-il.

Passant les pouces sous l'élastique de son slip rose pâle, il le fit descendre avec une lenteur hypnotique le long de ses cuisses, ses mollets et enfin ses pieds.

Puis il fit remonter ses mains tout le long de ses jambes, comme pour en mémoriser la forme.

Elle, effleura son torse, savourant le relief de ses muscles qui jouaient sous sa peau tiède.

Lentement, elle descendit. Jusqu'à enrouler les doigts autour de son membre. Elle le caressa de haut en bas avec une passion fiévreuse. Il poussa un râle, puis plongea les doigts dans ses cheveux et balbutia son nom tandis qu'elle continuait de l'exciter. Enfin, elle se pencha en avant et le prit dans sa bouche.

Il lui agrippa les cheveux.

— Tu me rends fou, lâcha-t-il d'une voix déformée par le désir.

Elle s'interrompit pour le dévisager.

— J'ai envie de te rendre fou. J'ai envie de te faire perdre la tête.

Puis elle se remit à lécher le velours de son sexe, jusqu'à ce qu'il la repousse.

— Arrête, haleta-t-il. Si tu continues, je vais jouir et je ne veux pas que ce soit si vite fini.

— Moi non plus !

Elle n'était pas encore rassasiée de lui. Le parfum de son eau de Cologne lui tournait la tête, et elle aurait voulu pouvoir le garder dans ses narines pour toujours.

Daniel la fit rouler sur le dos et entreprit d'adorer son corps, en commençant par ses lèvres. C'était comme s'il lui avait déjà fait l'amour une centaine de fois : il savait exactement où la toucher et l'embrasser pour lui donner le maximum de plaisir.

De nouveau, il s'empara de ses seins, qu'il taquina et lécha. Mais tout en leur consacrant son attention, il fit descendre une main le long de son ventre vers l'endroit où elle avait le plus envie, le plus besoin de son contact.

Surprise d'être si proche de l'orgasme, elle arqua le dos pour venir à sa rencontre. Avec une habileté consommée, il appliqua la bonne pression, le bon rythme, et la fit basculer rapidement dans une jouissance si violente qu'elle en devint pantelante.

— Encore…, réussit-elle à articuler en s'accrochant à ses épaules.

Il rit d'un long rire sexy et recommença ses manœuvres. Cette fois, son orgasme fut moins intense, mais pas moins délicieux.

— Viens en moi, maintenant ! intima-t-elle.

— J'aime les femmes qui savent ce qu'elles veulent.

Se plaçant entre ses cuisses, il la pénétra doucement. Elle ferma les yeux et se cramponna à lui, savourant la manière dont leurs corps s'accordaient l'un à l'autre.

Ils bougèrent ensemble sur un rythme dont leurs corps se souvenaient en dépit des années. Ce fut d'abord lent, puis ils accélérèrent l'allure et malgré les orgasmes délicieux qu'il lui avait déjà procurés, la vague d'une nouvelle extase enfla en elle.

Comme s'il l'avait senti, Daniel augmenta la cadence et la portée de ses coups de reins. Elle cria son nom au moment de sombrer et eut un long frisson incontrôlable.

Daniel s'enfonça une dernière fois en elle en gémissant et s'abandonna à son propre plaisir. Puis il s'effondra sur elle, se retenant sur ses coudes. Son visage n'était qu'à quelques centimètres du sien et il repoussa ses cheveux sur son front. Il l'embrassa alors si tendrement qu'il parut plonger en elle pour lui caresser le cœur.

Au moins, cette fois, il n'y aurait pas de conséquences inattendues. Elle prenait la pilule depuis la naissance de

Lily. En pensant à sa fille, elle eut conscience de l'heure : il fallait qu'elle rentre.

— Je dois partir.

— Reste, lui répondit-il d'une voix si pleine de désir qu'elle en frémit. Reste avec moi cette nuit, Olivia. Juste cette nuit, pour te réveiller demain dans mes bras.

Elle pouvait imaginer un millier de raisons pour ne pas céder à la tentation, la plus importante étant qu'elle en avait terriblement envie.

— Je devrais vraiment rentrer, dit-elle.

Mais elle ne fit pas un geste pour se lever.

— Je ferai livrer de la mozzarella à Lily si elle me prête sa maman cette nuit.

Elle lui sourit.

— Ce n'est pas un peu manipulateur ?

— Qu'y a-t-il de mal à ça, si ça marche ?

Le cerveau d'Olivia lui ordonnait de se relever pour rentrer chez elle mais, juste pour un soir, elle avait envie de feindre qu'elle était chez elle chez Daniel.

— Commande cette mozzarella, je ne vais nulle part, soupira-t-elle sans plus réfléchir.

Daniel roula sur lui-même et prit son portable sur la table de chevet.

Tandis qu'il passait commande, Olivia se glissa hors du lit, ramassa son chemisier et l'enfila. Elle alla d'abord à la salle de bains, puis s'en fut à la cuisine prendre son sac et son téléphone.

Elle adressa un court texto à sa mère en luttant contre une vague de culpabilité. Elle n'aimait pas lui mentir, mais comment faire autrement ? Pouvait-elle lui annoncer de but en blanc qu'elle venait de faire l'amour avec Daniel et voulait passer le reste de la nuit dans ses bras ?

Laissant tomber le téléphone dans son sac, elle ramassa son arme sur le sol et retourna dans la chambre.

— Les bâtonnets seront livrés dans un quart d'heure, annonça Daniel.

— Et je viens d'envoyer un texto à ma mère pour lui dire que je travaille encore toute la nuit.

Elle déposa son sac par terre et plaça son arme sur le chevet. Puis elle ôta son chemisier et se remit au lit.

Daniel l'attira dans ses bras. Elle posa la tête sur son torse, là où son cœur battait avec régularité.

D'une main, il lui caressa le dos. Une détente inconnue d'elle depuis son arrivée à Lost Lagoon se répandit dans son corps.

Elle affronterait ses regrets potentiels le lendemain. En cet instant, elle voulait seulement être câlinée et chérie. Elle voulait seulement feindre d'être blottie contre l'homme qui lui était destiné de toute éternité.

C'était un merveilleux fantasme que la lumière du matin, elle le savait, briserait en mille morceaux.

10

Daniel se réveilla avec Olivia dans les bras. Ce fut merveilleux. Et bizarre, aussi. Olivia se montra impatiente de rentrer chez elle pour se doucher et se changer avant de retourner au bureau. Elle semblait distante, mais sans être désagréable.

En buvant du café, ils se mirent d'accord pour que Daniel vienne dîner chez elle et surprenne Lily en les emmenant manger une glace.

Après quoi, Daniel suivit Olivia jusque chez elle et attendit dans sa voiture qu'elle se douche, s'habille et prenne son propre véhicule. Ensuite, il l'escorta jusqu'au poste. Elle disparut immédiatement dans son bureau.

Il le savait : le séjour d'Olivia à Lost Lagoon touchait à sa fin. Il ne leur restait au mieux qu'une ou deux semaines. Olivia avait été détachée pour effectuer une enquête interne et d'après ce qu'elle lui avait dit, elle avait presque achevé sa mission.

Ce n'était pas pour élucider le meurtre de Shelly qu'on l'avait envoyée à Lost Lagoon. Malgré leur ruse, il était très possible que l'affaire atterrisse sur le bureau du prochain shérif.

Mais Daniel n'était pas encore prêt à dire adieu à Olivia. Du moins pouvait-il se réjouir de la perspective de passer la soirée avec Rose, Lily et elle.

— Un jour à la fois…, marmonna-t-il.

Au bureau voisin, Josh leva les yeux.

— Tu as dit quelque chose ?

— Rien d'intéressant, répliqua Daniel en se renversant sur sa chaise et en poussant un gros soupir. Je me faisais la remarque qu'il devrait déjà y avoir du nouveau dans l'affaire Sinclair.

— Vous venez de lancer la rumeur..., rappela Josh.

— C'est vrai, mais je pensais qu'une fois le bruit répandu le meurtrier paniquerait et commettrait une erreur fatale. Jusqu'ici, tous nos suspects se contentent de vivre leur vie.

— Ce qui pose la question de savoir si le meurtrier est bien sur notre liste, commenta Josh.

— Touchons du bois, répondit Daniel. Je préfère ne pas imaginer la possibilité que quelqu'un dont nous ignorons tout a réussi à passer entre les mailles du filet.

— Quand on y réfléchit, Shelly pourrait avoir été assassinée par n'importe qui, continua Josh. Je veux dire que c'était une jolie fille, assise sur un banc isolé, au milieu de la nuit.

— Tous ceux que nous avons interrogés avaient un mobile potentiel. Pourquoi l'aurait-on tuée sans raison ? lança Daniel, de plus en plus exaspéré.

— Je ne fais que formuler des hypothèses, souligna Josh. Sa bague a été volée. Il s'agit peut-être simplement d'un vol qui a mal tourné. Ou d'un viol qui a fini en meurtre.

Daniel maugréa :

— Non, son sac est resté sur le banc. Il y avait du liquide et sa carte de crédit dedans. Ce n'était pas un vol. Tu te donnes beaucoup de mal pour me gâcher la journée !

Josh lui adressa un large sourire.

— C'est à ça que servent les amis.

Daniel reporta son attention sur le dossier posé devant lui. Il avait déjà envisagé tous les scénarios que Josh venait d'évoquer. Il était possible que le coupable ne soit pas sur leur liste, mais son instinct lui soufflait le contraire.

Selon Bo, le diamant de la bague de Shelly n'était pas assez gros pour qu'on en tire une somme substantielle.

En outre, ils avaient contacté tous les prêteurs sur gage de l'Etat pour leur signaler le vol. En vain.

De même, les vêtements de Shelly n'avaient révélé aucun signe d'agression sexuelle. Aucun accroc, aucune déchirure qui pointe dans la direction d'un viol.

A midi, Daniel passa la tête dans le bureau d'Olivia pour lui proposer de manger un morceau, mais elle refusa : elle voulait continuer à travailler.

Plutôt que de déjeuner dehors, Daniel alla chercher des hamburgers et des frites chez George's Diner, pour Josh et lui. Les deux amis s'installèrent dans la salle de pause.

— Je ne veux pas trop manger, dit Josh en déballant son hamburger. Savannah a préparé du bœuf Wellington pour ce soir.

— Alors, tu vas l'épouser quand ?

Josh sourit et son regard s'adoucit.

— En fait, nous avons prévu une petite cérémonie dans deux mois. Savannah est plongée dans les magazines parce qu'elle veut presque tout faire elle-même. Je suis content que tu m'en parles… Je voulais te demander si tu acceptes d'être mon témoin.

Daniel avala sa bouchée et la fit descendre avec une gorgée de soda, surpris et touché par la question de Josh.

— J'en serai très honoré.

— Parfait, j'espérais que tu accepterais.

— Je sais que Savannah a toujours eu envie d'ouvrir un bon restaurant en ville. Elle a renoncé à cette idée ?

— Pas du tout. Elle n'y pensait plus après le meurtre de Shelly, mais c'était parce qu'elle était trop abattue. Maintenant, elle veut s'y remettre après notre mariage.

— Et qu'est-ce que tu en penses ?

Josh sourit de nouveau avec douceur.

— Je veux qu'elle réalise ses rêves. Je la soutiens totalement. Ce serait formidable si elle pouvait ouvrir son restaurant en même temps que le parc d'attractions. Les touristes afflueraient.

— Ça m'a l'air d'une bonne idée, approuva Daniel. Et maintenant, si on pouvait débrouiller cette affaire et la classer pour de bon, ce serait parfait.

Il passa le reste de l'après-midi à étudier les comptes rendus des entretiens faits avec Olivia, essayant de glaner un nom, un indice qui le mettrait sur la piste.

A 17 heures, il était fin prêt à savourer un dîner avec Olivia et sa famille.

— C'est une soirée parfaite pour une glace, lui dit-il tandis qu'ils sortaient par la porte de derrière dans l'air lourd et humide.

— Lily va être folle de joie. Ma mère et elle sont restées à la maison depuis le jour de notre arrivée.

Olivia semblait moins distante que quelques heures plus tôt, et Daniel en fut heureux.

— A tout de suite ! lui lança-t-il en arrivant devant leurs véhicules.

Il attendit qu'elle se mette au volant, puis se dépêcha d'en faire autant et de la suivre.

En conduisant, il s'efforça de se vider l'esprit de toute pensée concernant le meurtre et le prochain départ d'Olivia. Il voulait profiter de chaque minute avant qu'elle s'en aille.

Il ne leur fallut pas longtemps pour se garer devant la petite maison jaune. Le minois de Lily était collé à la vitre et, en les voyant, elle éclata de joie.

— Nanny, ils sont là !

Daniel ne put s'empêcher de sourire devant son enthousiasme.

Cette petite chipie s'était débrouillée pour capturer son cœur.

Olivia ouvrit la porte et s'occupa d'abord de stopper l'alarme. Pendant ce temps, Lily s'emparait de la main de Daniel, la mine réjouie.

— Nanny m'a dit que tu venais manger ce soir. Alors j'étais drôlement contente.

— Je suis content, moi aussi. Je préfère de loin manger la cuisine de nanny que la mienne, confia Daniel.

— Pourquoi, tu sais pas cuisiner ? questionna Lily.

— Pas très bien.

— Ce soir, c'est mon plat préféré : pain de viande et macaronis au fromage, indiqua Lily.

— Et si tu disais bonjour à ta mère ? demanda Olivia en ôtant son revolver pour le poser au-dessus d'un des placards de cuisine.

— Bonjour, maman !

Lily lâcha la main de Daniel et se précipita vers Olivia pour l'embrasser et la serrer contre elle. Puis elles disparurent dans la chambre de Rose, où Olivia allait certainement se changer.

— Bonsoir, monsieur Carson, fit alors Rose avec un sourire chaleureux.

— Bonsoir, Rose. Je vous en prie, appelez-moi Daniel.

— Va pour Daniel, dit-elle avec une expression plaisante.

— Et maintenant, est-ce que je peux vous donner un coup de main ?

— Pas du tout. Asseyez-vous et détendez-vous. Ça vous dirait, un verre de limonade ?

— Volontiers.

Il s'assit sur la chaise qu'il occupait à chacune de ses visites. Rose lui versa un verre de limonade et, en attendant le retour d'Olivia et Lily, ils bavardèrent de l'ouverture prochaine du parc d'attractions.

— Ça va changer beaucoup de choses ici, déclara Daniel. Le tourisme va bénéficier à la ville, à la fois sur le plan financier et social.

— Nous n'avons pas encore eu l'occasion de nous promener en ville, dit Rose en sortant du four un gros pain de viande. Olivia insiste pour que nous restions à la maison. Elle me fait même livrer les courses.

— Il y aura un peu de changement ce soir, annonça Olivia en sortant de la chambre.

Elle était éblouissante avec ses cheveux lâchés sur les épaules, son short blanc et un corsage rose sans manches. La tenue de Lily était assortie à la sienne, avec un petit short rose et un débardeur blanc.

Daniel se leva.

— Quel changement ? questionna Rose avec curiosité.

— Daniel et moi, nous avons une petite surprise pour vous après le dîner, répondit Olivia.

— Une surprise ? Dis-moi, maman. Dis-moi la surprise ! fit Lily, sautillant sur place.

Olivia se mit à rire en secouant la tête.

— Non. Mes lèvres sont scellées. Ce ne serait plus une surprise si je te le disais.

Tournant son attention vers Daniel, Lily le dévisagea avec de grands yeux qui auraient fait fondre un cœur plus dur que le sien.

— Adjoint, dis-moi le secret, le supplia-t-elle d'une petite voix. Dis-le-moi à l'oreille.

En riant, Daniel refusa aussi.

— Pas question, mon lapin. Ta mère serait très fâchée contre moi. Il faut que tu patientes jusqu'à la fin du dîner.

Lily poussa un soupir tragique.

— Nanny, c'est l'heure de dîner ? Il faut qu'on mange vite aujourd'hui.

— Ce sera servi dans moins d'une minute, répondit Rose. Asseyez-vous pendant que je mets la dernière main.

Tous trois s'assirent pendant que Rose découpait le pain de viande en tranches et posait le plat au milieu de la table. Elle ajouta un grand saladier de haricots verts et une cocotte pleine de macaronis crémeux.

La nourriture était délicieuse, mais ce fut la compagnie qui ravit l'âme de Daniel.

Comme Olivia et sa petite famille allaient lui manquer quand elles repartiraient à Natchez !

Une fois le repas achevé, Olivia déclara :

— Je vous dirai le secret dès que la cuisine sera propre !

Jamais Rose n'avait eu autant d'aide pour débarrasser la table et charger le lave-vaisselle. Lily et Daniel se marchaient presque dessus dans leur hâte à tout nettoyer et Olivia en éclata de rire.

Finalement, tout fut rangé. Lily monta sur les genoux d'Olivia et lui posa les mains sur les joues.

— C'est l'heure de dire la surprise…

— D'accord. Daniel et moi, nous avons pensé que ce serait sympa d'aller manger une glace en ville.

Lily écarquilla les yeux et battit des mains.

— J'adore la surprise ! Vite, allons-y.

Mais il leur fallut encore plusieurs minutes pour quitter la maison. Rose alla dans sa chambre se rafraîchir et prendre son sac à main, tandis qu'Olivia récupérait sa ceinture et en sortait son arme qu'elle plaça dans son sac.

Sombre rappel du fait que sortir en famille signifiait affronter le danger. Un danger qui pouvait prendre toutes les apparences. Soudain, l'angoisse saisit Olivia. Etait-elle en train de mettre en péril la vie de Rose et Lily ? Daniel lui avait assuré que le meurtrier ne s'en prendrait pas à elles en public. Et en effet, la présence de témoins lui poserait des difficultés.

Olivia s'obligea à rester calme. A eux deux, ils réussiraient à tenir les ennuis à distance.

Elle finit de se préparer, repoussant ces sombres pensées, autant que ses souvenirs de la veille… Quand elle s'était endormie dans les bras de Daniel…

Il s'entendait si bien avec sa petite famille. Rose et Lily l'adoraient et il semblait avoir un vrai béguin pour elles.

Fantasmes ! Il ne fallait pas qu'elle se nourrisse de fantasmes.

Quelques minutes plus tard, ils montèrent tous en voiture. Daniel prit le volant. Olivia s'installa à côté de lui, Rose et Lily à l'arrière.

En passant dans Main Street, il leur désigna les magasins susceptibles de les intéresser.

Rose manifesta de l'intérêt pour la boutique de Mama Baptiste.

— Elle vend toutes sortes d'herbes, d'épices, d'onguents et de potions, précisa Daniel.

Il leur montra aussi le Pirate's Inn, mais, pour ne pas effrayer Lily, il ne parla pas des fantômes, seulement des pirates qui faisaient halte autrefois à Lost Lagoon.

En face du restaurant de Jimmy, le glacier, avec ses petites tables, son store et ses parasols roses et blancs, évoquait des temps révolus.

Plusieurs personnes étaient installées en terrasse. Olivia, Daniel, Rose et Lily pénétrèrent dans la boutique pour choisir leurs glaces. Le propriétaire, Charlie Berk, leur indiqua fièrement le comptoir vitré sous lequel s'alignaient toutes sortes de parfums. Des sirops, coulis, dragées, paillettes et vermicelles étaient posés au-dessus. Charlie servait les sirops et les coulis, mais le reste était à la disposition des clients.

— Des vermicelles ! s'exclama Lily avec ravissement. J'adore les vermicelles !

— Je pense que je vais prendre un banana split, annonça Daniel.

— Et moi, un cornet praliné avec des éclats de chocolat, renchérit Olivia.

— Et moi, je réfléchis, fit Rose en longeant le comptoir, l'air submergé par l'abondance de choix possibles.

— Et toi, bout de chou ? demanda Daniel à Lily.

Olivia connaissait déjà la réponse de sa fille.

— Un cornet chocolat avec beaucoup, beaucoup de vermicelles, dit en effet celle-ci.

Rose se décida finalement pour une coupe à la fraise, avec des sablés et de la crème chantilly.

Ils formaient vraiment une famille idéale, songea Olivia avec émoi.

En l'espace de deux jours, Daniel et elle avaient fait l'amour, dîné ensemble et voilà qu'ils sortaient en famille.

Que se passerait-il si elle lui disait la vérité ? Il se prétendait satisfait de son célibat, mais son comportement disait tout autre chose. Il était clairement sous le charme de Lily. Serait-il choqué de découvrir qu'il était son père ? En colère qu'Olivia ne le lui ait pas dit auparavant ?

Même s'il riait des mines de Lily qui, à l'instant même, léchait son cône pour rattraper des gouttes de crème glacée, il n'avait jamais laissé entendre à Olivia qu'il désirait davantage que ce qu'ils avaient… à savoir une liaison temporaire.

Il n'avait pas prononcé des mots d'amour éternel après leurs ébats passionnés de la veille. Rien n'indiquait qu'il accueillerait bien la nouvelle de sa paternité. Il était donc préférable de ne rien lui dire.

A tous égards, Phil avait été le père de Lily. Il avait changé ses couches, il l'avait bercée pendant des heures quand elle se réveillait la nuit. C'était lui qui s'était réjoui de ses premiers pas, de ses premiers mots.

Malheureusement, Lily ne se souvenait presque pas de cet homme au grand cœur.

Ils avaient presque terminé leurs glaces quand Jimmy Tambor apparut, venant dans leur direction.

— Salut les jeunes ! lança-t-il avec un sourire amical en faisant halte à leur table.

— Bonjour, Jimmy. Ce n'est pas le coup de feu au restaurant ? demanda Daniel.

Jimmy agita la main d'un air évasif.

— Si, mais ils se débrouillent très bien sans moi. J'ai décidé de filer quelques minutes pour m'offrir un cornet fraise-chocolat. Et toi, tu dois être la petite fille qui aime les bâtonnets de mozzarella, dit-il en s'accroupissant à côté de Lily.

Celle-ci écarquilla les yeux.

— C'est toi qui les fais ?

— Bien sûr.

— J'adore ça, presque autant que la glace, déclara Lily.

Jimmy se redressa en riant.

— On n'entend plus rien sur l'enquête, dit-il d'un air léger. L'arrestation est toujours en bonne voie ?

— Nous réglons les derniers détails, assura Olivia.

Comme elle aurait voulu que ce soit vrai ! Manifestement, l'affaire ne serait pas résolue avant son départ. Elle avait passé la plus grande partie de la journée à fignoler le rapport qu'elle devait adresser au procureur général sur l'enquête interne.

— Eh bien, prenez le temps de savourer vos glaces, conclut Jimmy, avant de les quitter sur un autre sourire.

Olivia le suivit du regard tandis qu'il entrait dans le magasin. Elle avait soudain le cerveau en ébullition. Jimmy Tambor n'était pas sur la liste des suspects et pourtant il vivait à Lost Lagoon à l'époque du meurtre. Il avait été également proche de Shelly, en raison de son amitié avec Bo.

Le couteau à steak que l'on avait retrouvé sur le parking venait de son restaurant et il semblait beaucoup s'intéresser au déroulement de l'enquête.

— Allô la Terre ?

La voix grave de Daniel ramena Olivia au présent.

Lily se mit à glousser.

— Allô la Terre ? répéta-t-elle.

— Je suis là. Désolée, je me suis laissé absorber par mes pensées.

C'était certainement en désespoir de cause qu'elle s'imaginait de telles choses sur Jimmy.

— Je voulais savoir si nous pouvons y aller, dit Daniel.

— Allons-y, acquiesça-t-elle.

Ils se levèrent tous ensemble et Olivia jeta leurs serviettes en papier dans une poubelle à proximité. Puis ils remontèrent en voiture pour rentrer.

— Je voudrais des surprises comme ça tout le temps, dit Lily. Tous les jours.

Daniel se mit à rire et jeta un regard affectueux dans le rétroviseur intérieur.

— Si tu avais une surprise tous les jours, ce ne serait plus une surprise. Moi, je trouve que c'était une super-surprise.

— Moi aussi, renchérit Lily. Et je suis contente que tu aies mangé une glace avec nous, Adjoint.

Ils étaient déjà arrivés. Rose et Lily pénétrèrent dans la maison, tandis qu'Olivia s'attardait sur la galerie.

— Merci beaucoup pour cette soirée, dit-elle à Daniel en lui touchant le bras. C'était très agréable.

— C'était sympa, approuva-t-il. Mais tu avais l'air distraite à la fin.

— C'est Jimmy qui m'a troublée. Je me suis dit tout à coup qu'il ferait un bon suspect.

Daniel fronça les sourcils.

— J'imagine qu'on ne l'a jamais soupçonné à cause de sa proximité avec Bo. Difficile à croire qu'il ait assassiné la fiancée de son meilleur ami.

— Tu te souviens où il était le soir du meurtre de Shelly ? demanda Olivia.

— Il faudrait que je regarde dans le dossier pour plus de certitude, mais je crois qu'il travaillait au restaurant.

— J'aimerais bien vérifier ça, et peut-être avoir un autre entretien avec Bo demain... Je ne sais pas, c'est probablement une idée stupide, mais mieux vaut pécher par excès de prudence que le contraire, non ?

— Comme tu veux, fit Daniel.

Il soutint son regard un long moment.

— Il faut qu'on parle d'hier soir ?

Olivia ne put s'empêcher de rougir.

— La seule chose à en dire, c'est qu'il ne faut pas que ça se reproduise. Et ça ne se reproduira pas.

— Mais j'en ai déjà envie, confia Daniel en tendant la main pour lui caresser les cheveux, puis le visage.

Olivia fit un pas en arrière, mécontente. Ce simple contact rallumait en elle un désir qu'elle voulait ignorer, écarter.

— Daniel, je ne peux pas refaire l'amour avec toi, parce que je refuse de partir d'ici le cœur brisé. Toi et moi, nous n'avons pas les mêmes objectifs dans la vie. Tant de choses nous séparent ! Je me suis laissé emporter sur le plan émotionnel, mais il faut que ça cesse.

Une lueur de surprise brilla dans les yeux de Daniel avant de s'évanouir. Il poussa un gros soupir et fourragea dans ses cheveux.

— Tu as presque fini ta mission, n'est-ce pas ?

Elle fit un signe d'assentiment.

— Je viens de terminer le rapport sur l'enquête interne. Une fois que je l'aurai envoyé, il ne faudra que quelques jours pour organiser des élections. Et là, effectivement, je m'en irai.

Ses propres mots creusèrent en elle un grand vide. Dans d'autres circonstances, cela ne lui aurait pas déplu de s'installer à Lost Lagoon. Si Daniel l'avait aimée, s'il avait voulu fonder une famille… Mais c'était son rêve à elle, pas le sien.

— Le plus important maintenant, c'est d'arriver à boucler l'affaire Sinclair avant mon départ, reprit-elle, s'efforçant de ramener la conversation sur le terrain professionnel.

— Bon. Donc on ira chez Bo demain, et on verra ce qu'il nous dit de Jimmy.

Les yeux de Daniel étaient plus sombres que d'ordinaire.

— Exactement. Je serai prête vers 7 heures, indiqua-t-elle.

— Alors, je passerai vers cette heure-là pour t'escorter, dit-il en hochant la tête.

Prise d'une impulsion, elle posa une main sur son bras.

— Je te remercie pour cette soirée, Daniel, et pour ton soutien. Mais à partir de maintenant, il faut que nous nous en tenions à des relations professionnelles.

Un désagréable frisson la parcourut.

— Je ne veux pas que ma famille commence à compter sur toi, en particulier Lily. Ce serait trop dur pour elle quand nous nous en irons.

— Olivia, on dirait que tu me dis déjà adieu. Tu n'es pas encore partie.

— Je veux juste que tu comprennes que la soirée d'hier n'aura pas de suite.

— Message reçu, conclut-il avec un regard sombre. Eh bien, bonsoir. A demain.

Elle le suivit du regard tandis qu'il regagnait sa voiture, puis disparaissait dans la nuit. Il ne comprenait pas que c'était à ses rêves qu'elle disait adieu. A son rêve de former une famille avec lui, de le voir devenir le père de Lily.

Elle était amoureuse de lui et n'avait d'autre choix que de renoncer à ce sentiment.

11

La soirée de la veille ne s'était pas terminée comme prévu, songea Daniel. Il ignorait à quoi il s'attendait exactement, mais certes pas à ce qu'Olivia lui fasse des adieux prématurés et lui avoue son attachement pour lui.

En attendant dans sa voiture qu'elle sorte de chez elle, il se rejoua mentalement leur conversation.

Elle ne voulait pas s'en aller le cœur brisé, avait-elle dit, ce qui signifiait qu'elle était en train de tomber amoureuse de lui. Mieux valait, en effet, mettre un frein à tout cela, car lui aussi s'était trop attaché à elle et sa famille.

Libre et sans attaches : il s'était toujours vu ainsi. L'idée de commettre les mêmes erreurs que ses parents et de devoir vivre aussi un divorce lui faisait horreur.

Mais il avait peu à peu pris conscience, au cours des derniers mois, des bénéfices que l'amour apportait à son entourage. C'était l'égoïsme pathologique de ses parents qui avait gâché son enfance.

Aussi, depuis quelques jours, il était en guerre avec lui-même, car son attirance pour Olivia allait bien au-delà du désir. Pour autant, il ne trouvait pas le courage de changer de voie.

Il avait trente-trois ans et, depuis sa majorité, opté pour le confort et la facilité. Il n'avait besoin de personne, il était heureux tout seul, croyait-il.

A tort ?

L'apparition d'Olivia le tira fort opportunément de ses

pensées troublées. Sanglée dans un uniforme de shérif, les cheveux ramassés en un chignon sévère, elle avait une allure très professionnelle.

Elle lui adressa un petit signe de la main en montant dans sa voiture. Il la suivit jusqu'au poste, où ils se garèrent tous deux, et il la rattrapa avant qu'elle ne franchisse la porte.

— Tu as bien dormi ?

— A dire vrai, non, avoua-t-elle.

— Ce futon n'est pas très confortable.

— C'est vrai, mais ce n'est pas ça qui m'a empêchée de dormir. Je me fais plus de souci pour le meurtre de Shelly que pour toutes les affaires que j'ai eu à traiter dans ma vie.

— Moi aussi, j'en suis malade chaque fois que j'y pense. J'aurais dû faire une enquête plus approfondie à l'époque.

— Mais tu avais les mains liées par ton chef.

— Oui, mais j'aurais quand même dû en faire plus.

Il ouvrit la porte de service et la suivit à l'intérieur.

— Eh bien, tu fais de ton mieux maintenant, déclara-t-elle. Et j'espère que Bo pourra me sortir Jimmy de la tête.

Elle fronça les sourcils.

— Je sais que cette affaire ne fait pas partie de mes attributions, mais j'aimerais quand même clore le dossier avant mon départ.

Ils pénétrèrent dans la salle de garde où plusieurs suppléants étaient déjà à leurs bureaux.

— A quelle heure allons-nous voir Bo ? questionna Daniel.

— Je vais l'appeler et lui demander s'il est disponible vers 10 heures. Dès que j'aurai pris rendez-vous avec lui, je te le ferai savoir.

Elle lui adressa un signe de tête et entra dans son bureau.

Cette froideur toute professionnelle donnait le ton de leurs nouveaux rapports, songea Daniel. Il l'imiterait parce qu'il ne voulait pas lui rendre les choses plus difficiles. Il avait trop d'affection à son égard pour la poursuivre de ses assiduités et les faire souffrir, elle et la petite Lily, quand elles s'en iraient.

S'asseyant à son bureau, il jeta un coup d'œil aux messages laissés par James Rockfield, qui avait effectué la garde de nuit. Ce n'était pas parce que Olivia et lui se concentraient sur le meurtre de Shelly qu'il ne se passait rien en ville.

Il y avait eu un vol à l'étalage au magasin de spiritueux de Main Street. Les caméras de sécurité avaient filmé le vieux Clyde Dorfman en flagrant délit, prenant la fuite avec plusieurs bouteilles d'alcool et trois cartouches de cigarettes. Le propriétaire avait appelé une entreprise pour remplacer la vitrine brisée. Malheureusement, James et l'équipe de nuit n'avaient pu retrouver Dorfman pour l'arrêter.

Daniel emporta le rapport au bureau de Ray, où ce dernier sirotait un café en lisant un magazine de sport.

— Occupe-toi de ça, lui intima Daniel. Je dois sortir avec le shérif pour un interrogatoire.

Ray survola le rapport et fronça les sourcils.

— Et comment suis-je censé retrouver Clyde si l'équipe de nuit n'a pas pu ? Ils disent qu'il n'était pas chez lui quand ils y sont allés.

— Il se cache sans doute dans une des bicoques aban-données. Il finira par dessoûler et rentrer chez lui, mais tu devrais pouvoir le retrouver.

— Et pourquoi serait-il aussi stupide ? Il devait savoir qu'il y avait une caméra de sécurité.

— Clyde n'a pas inventé le fil à couper le beurre, et il était sans doute à moitié soûl au moment du délit, avança Daniel.

Ray se hissa hors de son fauteuil.

— Ce type passe plus de temps à dessoûler en prison que dans le bouge où il vit.

— Cette fois, il y restera longtemps. Ce n'est pas un simple délit d'ivresse sur la voie publique.

Sur ce, Daniel attendit que Ray ait franchi la porte de derrière pour retourner à son bureau. Il aurait dû réfléchir à leur entretien avec Bo, mais il ne pouvait s'empêcher de repenser au dîner et à la sortie de la veille, au plaisir qu'il retirait de la compagnie de Rose, Lily et Olivia et à la facilité avec laquelle il s'était intégré dans leur petit cercle.

Olivia n'était plus seulement une conquête fabuleuse rencontrée dans un bar : c'était une femme solide et intelligente, une mère et une fille affectueuses.

Peu avant 9 heures, elle passa la tête par la porte.

— J'ai donné rendez-vous à Bo et Claire à 10 heures chez eux.

Pour sa part, Daniel voyait dans cet entretien une perte de temps. L'idée de Jimmy Tambor en meurtrier était aussi improbable que celle de Clyde en alcoolique repenti.

A 9 h 45, ils quittèrent le poste.

Olivia semblait d'humeur silencieuse.

— Nous sommes toujours amis, n'est-ce pas ? questionna-t-il d'un ton plaisant en démarrant.

Elle se tourna vers lui d'un air surpris. Il la taquinait et elle le comprit.

— Je suis bien obligée de te garder comme ami, tu es le seul que j'ai ici. Mais nous ne pouvons pas être davantage.

— Et je respecte ça, répondit-il.

Des mots superficiels, car il n'aimait pas cette limite et il n'avait aucune envie de la respecter. Son désir d'Olivia n'avait pas de cesse. Mais elle avait pris la bonne décision. Il le savait pertinemment.

Elle avait d'autres buts que lui dans la vie. Une brève liaison ne pouvait lui offrir ce dont elle avait besoin. Elle avait déclaré qu'elle voulait se remarier et donner un père à Lily. Il n'était tout simplement pas cet homme-là.

Arrivés à destination, ils furent accueillis par Bo, qui les invita à entrer et à s'asseoir.

— J'ai entendu dire que vous faisiez rebâtir la maison de votre mère ? commença Daniel pour dire quelque chose.

— L'entrepreneur vient juste de commencer les travaux,

mais nous espérons pouvoir emménager d'ici trois mois, indiqua Bo.

Il posa sur Claire un regard où l'amour se lisait clairement.

— Cette maison est agréable mais elle est un peu petite, et nous avons envie d'avoir des enfants.

— Au moins trois, précisa Claire avec un sourire.

— Vous ne le regretterez pas, dit Olivia. Ma fille est la meilleure chose qui me soit arrivée dans ma vie.

— Mais je suis sûr que vous n'êtes pas ici pour parler de maisons et d'enfants, intervint Bo.

— Nous voudrions vous poser quelques questions sur Jimmy Tambor, déclara Olivia.

— Jimmy ?

Bo la regarda d'un air surpris.

— Que voulez-vous savoir sur lui ?

— J'ai cru comprendre que vous étiez amis depuis longtemps, commença Olivia.

— Jimmy et moi, nous sommes comme des frères depuis l'école primaire. Son père était une brute et sa mère absente, si bien que mes parents l'ont en quelque sorte adopté. Il dînait avec nous presque tous les jours, et il passait une grande partie de l'été à la maison. Comme il était un peu plus petit que moi, ma mère lui donnait mes vêtements et le traitait comme un fils.

— Et votre amitié est restée la même quand vous êtes devenus adultes ? demanda Olivia.

Bo hocha la tête.

— Oui, absolument. Quand j'ai ouvert mon restaurant, j'ai offert un emploi à Jimmy et nous avons partagé l'appartement du dessus.

— Comment s'entendait-il avec Shelly ? questionna Daniel.

Bo plissa légèrement les yeux.

— Où voulez-vous en venir ? Vous ne pensez sûrement pas que Jimmy a quelque chose à voir avec sa mort ? Il avait beaucoup d'affection pour Shelly. Nous nous entendions très bien tous les trois. Et puis, j'ai entendu dire que vous êtes sur le point d'arrêter un suspect…

— Il s'agit seulement de formalités, assura Olivia. Nous nous sommes aperçus que personne n'avait interrogé Jimmy à l'époque du meurtre.

Bo laissa échapper un petit rire sec.

— C'est parce qu'il n'y a jamais eu de véritable enquête. Trey Walker avait décidé que j'étais le coupable et il n'en a jamais démordu.

— C'est pour ça que nous essayons de rectifier le tir, expliqua Olivia.

— Si vous pensez sérieusement que Jimmy est l'assassin, vous vous trompez du tout au tout. Quand j'ai dû quitter la ville, Jimmy a pris le relais au restaurant et a déménagé chez ma mère pour s'occuper d'elle. Il a toujours répondu présent quand j'avais besoin de lui. Il ne ferait jamais rien pour me nuire, et il était le premier à savoir combien j'aimais Shelly.

Bo s'interrompit en soupirant et regarda tour à tour Daniel et Olivia.

— Vous n'êtes pas plus près de découvrir qui a tué Shelly que ne l'était Walker.

Bo disait vrai, c'était incontestable, et la culpabilité envahit Daniel. Le visage d'Olivia reflétait le même embarras douloureux.

Il n'y avait plus qu'à laisser Bo et Claire tranquilles.

Olivia remonta en voiture avec Daniel.

— S'il s'était passé quelque chose entre Jimmy et Shelly, Bo s'en serait aperçu, commenta-t-elle.

— Et il est convaincu que Jimmy n'a rien à voir là-dedans, ajouta Daniel. Il le connaît mieux que personne.

— J'y pense : est-ce que Jimmy avait une petite amie quand Shelly a été tuée ?

Daniel lui jeta un coup d'œil et fronça les sourcils avant de reporter son attention sur la route.

— Eh bien, je ne me souviens pas de l'avoir vu avec une fille, même si cela ne signifie pas qu'il n'a jamais eu de petite amie. En fait, je n'ai jamais fait très attention à lui, sauf quand j'allais manger dans son restaurant.

A son tour, Olivia fit la moue, puis se colla à la vitre. Qui avait tué Shelly Sinclair ? Aucun indice concret ne leur permettait de cerner quelqu'un en particulier. Leur ruse consistant à faire croire à une arrestation imminente n'avait pas fonctionné.

Olivia ignorait quoi faire pour clore ce dossier. Bo avait raison, ils n'étaient pas plus près d'attraper le tueur que Trey Walker quand il était en fonction.

— Je sens d'ici tes vibrations de frustration, lança Daniel, interrompant le fil de ses pensées.

— Désolée, je ne peux pas m'en empêcher. J'espérais vraiment débrouiller cette affaire.

— Nous avons encore du temps.

— Un peu de temps, mais plus aucune piste.

— Quelque chose va se passer, affirma-t-il d'un ton confiant en se garant sur le parking derrière les bureaux du shérif.

Coupant le contact, il se tourna vers elle.

— Il faut rester optimiste, Olivia. C'est ce qui fait de nous de bons policiers, nous ne nous décourageons pas. Nous ne renonçons pas.

En contemplant son beau visage, elle faillit regretter sa décision de stopper leurs contacts physiques. Ce n'était pas seulement du désir : être dans ses bras lui avait procuré une sensation de sécurité ultime. Il avait fait émerger la femme en elle, celle qui se cachait derrière sa cuirasse.

— Est-ce que tu vas te porter candidat au poste de shérif ? demanda-t-elle, essayant d'oublier le plaisir et la passion qu'elle avait éprouvés dans ses bras.

Daniel se mit à rire et secoua la tête.

— Non, pas du tout. En fait, on m'a offert un autre emploi, que je vais peut-être accepter. Rod Nixon m'a appelé il y a quelques jours pour me demander si ça m'intéresserait de diriger le service de sécurité du parc d'attractions.

Olivia ne put masquer sa surprise.

— Tu renoncerais à ton insigne ?

— Je ne sais pas... C'est pour ça que j'ai dit à Rod que j'avais besoin de temps pour réfléchir. A vrai dire, travailler avec un homme comme Trey m'a rendu amer vis-à-vis du métier.

— Tu fais très bien ton travail, dit-elle, toujours stupéfaite qu'il puisse quitter la police.

— Je le ferai tout aussi bien au parc d'attractions, rétorqua-t-il. Allez, rentrons. J'ai l'impression de cuire dans cette voiture.

Quelques instants plus tard, Olivia s'asseyait à son bureau. Les stores intérieurs étaient ouverts, si bien qu'elle pouvait voir dans la salle de garde.

Et son regard était irrémédiablement attiré vers Daniel. Penché sur son ordinateur, il rédigeait sans doute le compte rendu de leur entretien avec Bo.

Elle l'aimait. Elle était définitivement amoureuse de lui. Elle allait quitter Lost Lagoon avec un gros bleu au cœur. Certes, elle finirait par guérir, mais elle ne pourrait jamais oublier l'adjoint Daniel Carson.

Les yeux verts de Lily lui rappelleraient toujours son père. Elle pleurerait longtemps le fait qu'il ne veuille pas d'une femme et d'une vie de famille.

Le destin était particulièrement cruel de les avoir remis en présence. Et c'était particulièrement stupide de sa part de l'avoir laissé entrer dans son cœur, de l'avoir autorisé à faire partie de sa famille, même rien qu'un instant.

Vers midi, il ouvrit sa porte.

— Tu veux aller manger quelque part ?

— Non, non... Je vais commander un plat Chez Jimmy. Daniel n'insista pas et, une demi-heure plus tard, un adolescent livra à Olivia une salade César au poulet, qu'elle mangea en s'efforçant de ne penser à rien.

Elle avait besoin d'un répit. Ses réflexions incessantes à propos de l'affaire Sinclair ou de Daniel l'épuisaient.

Elle se mit donc à penser à sa fille. Même si Lily n'avait pas été voulue, cette enfant était un don de Dieu, qui complétait sa vie d'une manière qu'elle n'aurait jamais rêvée.

Le soutien de Rose était aussi un cadeau de Dieu. Elle seule savait que Lily était la conséquence d'une aventure et non l'enfant de Phil. Naturellement, Rose ignorait que Daniel était son géniteur.

Même si elle avait désapprouvé les risques pris par sa fille, elle avait soutenu Olivia durant toute sa grossesse et au-delà.

Tôt ou tard, toutes trois retourneraient à Natchez et y reprendraient le cours de leur vie. Elles s'étaient débrouillées sans Daniel jusque-là et elles continueraient à se débrouiller sans lui. Rien n'avait vraiment changé.

Après le déjeuner, Olivia convoqua Ray McClure. Il la mit au courant de l'affaire du vol à l'étalage : Clyde ne s'était montré nulle part.

— Alors que faites-vous ici ? demanda Olivia. Pourquoi vous ne patrouillez pas dehors pour le chercher ?

— J'avais chaud et j'ai décidé de rentrer un moment, répondit Ray d'un ton un peu geignard.

— On doit parfois travailler dans des conditions inconfortables. Ça fait partie du métier.

Se redressant sur sa chaise, elle darda sur lui un regard dur.

— Ray, j'ai achevé mon enquête interne.

Il parut retenir sa respiration.

— Ne vous inquiétez pas. Je ne pense pas que vous ayez quelque chose à voir avec le trafic de drogue qui s'est déroulé ici. Mais je crois que vous êtes paresseux et que votre attitude nuit au service. Je recommande qu'on vous mette à l'essai pendant six mois, et si vous ne vous améliorez pas d'ici là, vous devrez quitter votre poste. En revanche, si vous vous ressaisissez, cette période de test sera effacée de votre dossier.

Elle s'attendait à des protestations ou même à un accès de colère. Mais Ray poussa un gros soupir, puis fronça les sourcils d'un air pensif.

— C'était facile de se tourner les pouces quand c'était Trey qui dirigeait. Je le suivais partout, je faisais semblant de rire de ses blagues stupides et je lui disais qu'il était génial. C'était tout ce qu'il attendait de moi.

— Trey est en prison et les choses ont changé, rétorqua Olivia.

Ray approuva d'un signe de tête. Etonnamment, sa posture ne dénotait ni insubordination ni aigreur.

— Toute ma vie, j'ai voulu travailler dans la police. C'est avec Trey que j'ai perdu mon élan et renoncé à mon ambition. Il est temps que ça change, en effet. J'ai envie de redevenir l'homme que j'étais avant Trey, et je vous promets que je me comporterai différemment à l'avenir.

Olivia hocha la tête. Et quand Ray sortit de son bureau, une nouvelle confiance, une nouvelle résolution semblait se dessiner dans la ligne de ses épaules.

Elle était satisfaite du tour qu'avaient pris les choses. Manifestement, Ray n'attendait que cela : qu'on le mette sur la sellette et qu'on lui donne une raison de se ressaisir. On l'avait laissé prendre de mauvaises habitudes, mais il avait apparemment saisi le message.

Elle passa le reste de l'après-midi à relire le rapport qu'elle devait envoyer au procureur général. Il était prêt depuis plusieurs jours, mais elle avait différé son envoi, car cela signerait la fin de son séjour.

Vers 16 heures, elle sortit la tête de ses dossiers et jeta un œil par la fenêtre : les nuages s'amoncelaient. Un nouvel orage menaçait, causé par l'humidité et le passage de l'ouragan Denis le long de la côte.

Elle avait fixé une réunion de l'équipe de travail à 16 h 30. Quand elle se rendit dans la petite salle de réunion, toutes les lumières du bâtiment avaient été allumées pour repousser l'obscurité grandissante.

Sans surprise, aucun membre de l'équipe n'avait rien de nouveau à ajouter à l'affaire Sinclair.

Déçue, Olivia était sur le point de lever la séance quand son portable se mit à sonner. Il s'agissait de Bo.

— Bo ?

— C'est Jimmy ! dit-il d'une voix pressante. C'est lui qui a tué Shelly. Après notre conversation, j'ai décidé d'aller au restaurant et de fouiller son appartement. J'ai trouvé la bague de Shelly dans une chaussette, au fond de sa commode.

Les mots se pressaient dans sa bouche, presque indistincts.

— Il est entré pendant que j'étais là et je la lui ai mise sous le nez.

— Où est-il maintenant ? demanda Olivia d'un ton ferme.

— Il s'est enfui avec sa voiture, une Camry bleue.

— Nous prenons le relais, annonça Olivia avant de raccrocher.

Elle se tourna vers son équipe.

— Jimmy Tambor est l'assassin de Shelly et il vient de quitter le restaurant à bord d'une Camry bleue. Josh, faites installer des barrages sur toutes les routes autour de la ville. Organisez les recherches. Je ne veux pas qu'il quitte Lost Lagoon !

Tous les hommes sautèrent sur leurs pieds et quittèrent la salle. Daniel regarda Olivia.

— Viens, je t'emmène.

— S'il a la bague, c'est forcément lui le meurtrier, commenta-t-elle. Mais pourquoi il l'a tuée ?

— Inutile de s'interroger sur ses raisons pour l'instant. Il faut juste le retrouver, répondit Daniel tandis qu'ils se hâtaient vers le parking.

Ils venaient juste de monter en voiture quand le portable d'Olivia sonna à nouveau. C'était Wes Stiller. Olivia mit le haut-parleur.

— Shérif Bradford, j'ai trouvé la voiture de Jimmy, annonça-t-il.

— Où ça ? questionna Olivia, le cœur battant.

— Devant chez vous. J'ai eu de la chance de la repérer en patrouillant dans le quartier. Le véhicule est vide. Je pense que Jimmy est entré à l'intérieur.

Les poumons d'Olivia se vidèrent d'un coup et la terreur la gagna.

Sans attendre, Daniel démarra sur les chapeaux de roues, prenant la direction de chez elle.

12

Daniel conduisait à un train d'enfer, le cœur battant. Mais le cœur d'Olivia devait battre encore plus vite, se disait-il.

Elle était assise toute droite sur son siège, les traits tirés et le teint blême. Il n'y avait rien de plus dangereux qu'un tueur piégé, surtout quand il avait deux otages dans ses griffes.

— Pourquoi ma mère l'a laissé entrer ? Elle n'a jamais rencontré Jimmy. Pourquoi elle a débranché l'alarme pour le laisser entrer ?

Olivia parlait à voix basse et n'attendait certainement pas de réponse à ses questions. Il était même possible qu'elle ne soit pas consciente de parler à haute voix, songea Daniel.

Ils ignoraient si Jimmy était armé. Avait-il un revolver ? Ou avait-il pris un des couteaux à steak au restaurant ? Même s'il n'en avait pas eu le temps, la maison ne manquait pas de couteaux avec lesquels faire du mal à Lily ou à Rose.

Le cœur de Daniel se serra en pensant aux grands yeux et au caractère affectueux de la petite fille. Et la douce et naïve Rose ? Elle n'avait certainement pas l'envergure pour traiter avec un désespéré. Jimmy n'aurait pas pu mieux choisir ses otages.

Un éclair déchira le ciel et le tonnerre résonna quand ils s'arrêtèrent à une vingtaine de mètres de la maison. La voiture de Jimmy était garée devant, et plusieurs véhicules de patrouille étaient parqués à quelque distance, des deux côtés de la rue.

Il était visible que les hommes attendaient les ordres d'Olivia avant d'approcher de la maison. Celle-ci détacha sa ceinture de sécurité, les doigts tremblants. Ses jambes allaient-elles la porter ? se demanda Daniel.

Mais elle descendit de voiture sans hésitation, sans trace de la peur qu'il avait lue sur son visage un peu plus tôt.

— Il faut entrer en contact avec lui, déclara-t-elle à Wes Stiller qui avançait vers eux. Et je veux savoir si les otages sont saines et sauves.

Sa voix se brisa légèrement. Daniel se rapprocha d'elle, luttant contre l'envie de la serrer dans ses bras pour la rassurer.

Bien sûr, il ne pouvait se permettre de miner son autorité par un geste intime. C'était elle la chef, c'était elle qui prenait les décisions.

— Je vais essayer le portable de ma mère, dit-elle.

Elle composa le numéro et attendit. Daniel était assez près pour entendre les sonneries, puis la boîte vocale qui se mettait en route.

Olivia attendit le bip et parla.

— Jimmy, nous devons discuter. Répondez au téléphone.

Il n'y eut aucune réponse et la ligne fut coupée.

Arrivé dans l'intervalle, Bo se précipita vers Olivia et Daniel. Le ciel était de plus en plus sombre et les éclairs se multipliaient.

— J'ai essayé de le joindre, mais il ne décroche pas, annonça Bo. Je n'arrive pas à y croire. Je ne comprends plus rien. Pourquoi Jimmy ferait-il une chose pareille ?

— Je me fiche de savoir pourquoi, rétorqua Olivia. Tout ce que je veux, c'est qu'il sorte de cette maison et s'éloigne de ma famille.

Les larmes lui montèrent aux yeux et elle jeta un regard désespéré à Daniel.

— Il faut que je raisonne en policière, mais tout ce que j'arrive à faire, c'est à penser en mère.

Daniel s'adressa à Wes.

— Déploie les hommes autour de la maison, mais pas assez près pour que Jimmy se sente menacé. Assure-toi seulement qu'il ne peut pas s'échapper par l'arrière.

— Compris, fit Wes, qui se hâta de rejoindre le groupe des suppléants.

Olivia appela de nouveau sa mère. Cette fois, Rose répondit et Olivia pressa tout de suite la touche du haut-parleur.

— Olivia, il m'a piégée !

La voix de Rose tremblait de terreur réprimée et elle se mit à pleurer.

— Il m'a dit qu'il livrait de la mozzarella. Il avait un sac de Chez Jimmy. Alors je l'ai laissé entrer. Je suis désolée, vraiment désolée…

— Maman, ça n'a pas d'importance. Je sais que tu as peur. Est-ce que Lily va bien ? Vous n'avez rien toutes les deux ?

Olivia serrait le téléphone avec des doigts d'un blanc crayeux.

— Tout va bien, mais…

La voix de Rose s'interrompit et celle de Jimmy la remplaça.

— Elles vont bien pour le moment, mais je ne peux pas vous garantir que ce sera toujours le cas.

— Dites-moi ce que vous voulez, Jimmy, lança Olivia d'une voix soudain forte et mesurée. Dites-moi comment nous pouvons résoudre cela, afin que personne ne soit blessé.

— Je vous le ferai savoir plus tard.

Sur ce, il coupa la communication.

Olivia rappela aussitôt, mais le téléphone sonna une seule fois avant de raccrocher.

— Laissez-moi essayer, fit Bo.

Il composa le numéro de Jimmy et mit son téléphone sur haut-parleur. A la surprise de tout le monde, Jimmy décrocha.

— Je n'ai rien à te dire, déclara-t-il.

— Jimmy, rends-toi. Sors de la maison et personne n'aura rien.

— Si je fais ça, j'irai en tôle. Ta salope de petite copine m'a doublé, éructa l'autre d'une voix venimeuse.

— De quoi est-ce que tu parles ? demanda Bo, l'air complètement perdu. Jimmy, je te le demande en tant qu'ami : sors de là et mets un terme à cette histoire.

— Tu n'es pas mon ami ! hurla Jimmy. Tu n'as jamais été mon ami. Tu me faisais l'aumône, c'est tout. Tu étais le golden boy et moi, j'étais censé me contenter de tes restes. Les gens ne me parlaient qu'à cause de toi. Ton départ est la meilleure chose qui me soit arrivée. J'ai pu enfin vivre ta vie, m'installer chez ta mère, gérer ton restaurant.

— Qu'as-tu fait à Shelly ?

— Je te l'ai prise. Je lui ai fait la cour et nous avons imaginé de partir ensemble. Mais le soir où nous devions le faire, elle a changé d'avis. Elle ne voulait plus te quitter. C'est toujours toi qui gagnais. Alors j'ai fait en sorte que tu ne puisses plus gagner. Je te l'ai enlevée pour toujours.

Jimmy raccrocha, et Bo fixa Daniel, l'horreur et la confusion peintes sur le visage.

— Pendant tout ce temps, il me haïssait.

— Je crois qu'on vient d'éclaircir les ennuis de Shelly. Elle était partagée entre l'envie de partir avec Jimmy et celle de rester avec vous. Elle vous a choisi et Jimmy a craqué.

— Est-ce qu'il a un revolver ? demanda Olivia.

— Pour être honnête, je n'en sais rien, répondit Bo. Quand c'était moi qui gérais le restaurant, je gardais toujours une arme sous le comptoir, près de la caisse. Quand je suis parti, je l'ai emportée puisqu'elle était enregistrée à mon nom. J'ignore si Jimmy en a racheté une ou non.

— Wes, renseignez-vous pour savoir s'il en possède une, ordonna Olivia.

Peu importait, songea Daniel. Jimmy pouvait facilement tuer Rose et Lily sans tirer un seul coup de feu. Olivia en était certainement consciente, mais donner des ordres devait la rassurer un peu.

Un éclair illumina le ciel, suivi quelques secondes plus tard par un grand roulement de tonnerre.

— Et maintenant ? questionna Bo.

— On attend, dit Olivia d'une voix creuse. Pour l'instant, c'est Jimmy qui a les cartes en main. On attend qu'il fasse quelque chose pour réagir.

Elle avait raison, estima Daniel. A cause de Rose et de Lily, ils avaient les mains liées. Jimmy contrôlait la situation, et tant qu'il ne prendrait pas l'initiative, ils seraient dans l'impasse.

— Plus aucun appel ! intima Olivia alors que Bo manipulait son téléphone. On ne le contacte plus. On attend qu'il nous appelle.

Daniel la dévisagea. Les épaules droites et les traits tirés, elle semblait maîtriser la situation. Mais dans son regard, la peur menaçait de déborder.

La tempête était désormais sur eux, éclairs et coups de tonnerre se multipliant à quelques secondes d'intervalle. Le regard d'Olivia reflétait l'orage, et Daniel craignit qu'elle ne s'effondre avant que tout soit fini.

Comment cela allait-il finir justement, c'était toute la question. Au téléphone, Jimmy avait paru prêt à s'enflammer comme un morceau d'étoupe trempé dans l'essence.

Les minutes passaient avec une lenteur agonisante. Chaque fois que Daniel pensait aux otages, une terreur inconnue de lui jusque-là le gagnait. Il s'inquiétait pour Rose et l'idée que la petite Lily soit terrorisée ou blessée lui donnait la nausée.

Il n'osait imaginer les pensées qui devaient hanter Olivia tandis qu'ils attendaient que Jimmy reprenne contact.

Les voilages étaient tirés, mais de temps en temps des silhouettes se mouvaient derrière, indiquant que Jimmy n'avait pas encore tué ses otages et ne s'était pas suicidé en guise de point final.

Quittant sa voiture de patrouille, Wes revint vers eux.

— Jimmy a enregistré un revolver il y a six mois, annonça-t-il, mais j'ai appelé le restaurant et le barman m'a dit que l'arme était toujours sous le comptoir.

— Il n'a pas eu le temps de la prendre, commenta Bo d'un air songeur. Quand je lui ai montré la bague, il s'est enfui. Je l'ai poursuivi dans l'escalier et il s'est échappé par la porte de derrière. C'est une bonne chose qu'il n'ait pas d'arme, non ? fit-il en regardant Daniel, puis Olivia.

— Il n'a pas eu besoin d'une arme pour tuer Shelly, répliqua celle-ci.

Sa voix tremblante disait assez qu'elle était au bord de la crise de nerfs.

Daniel eut de nouveau envie de la prendre dans ses bras pour la serrer très fort. Malheureusement, ce n'était certainement pas de lui qu'elle avait besoin. C'était de sa fille et de sa mère, saines et sauves à ses côtés.

L'impuissance le rendait malade. Il était impossible de tenter quelque chose sans risque, et il n'était pas prêt à mettre en danger Rose et Lily.

La sonnerie du téléphone d'Olivia les fit tous sursauter. Elle répondit et mit le haut-parleur.

— Jimmy, dites-moi ce que vous voulez faire.

— Voilà ce que je veux.

Le ton de Jimmy était si rude qu'il était difficile de croire que c'était le même homme qui accueillait ses clients avec un sourire au charme enfantin.

— Je veux que tout le monde recule, y compris ceux qui couvrent l'arrière de la maison. Je veux pouvoir accéder à ma voiture en toute sécurité.

— On peut faire ça, acquiesça Olivia.

Daniel devina son calcul : elle était prête à le laisser partir parce qu'elle pouvait émettre un avis de recherche à l'échelle de l'Etat. Jimmy sortirait peut-être de la ville, mais il n'irait pas loin.

— Et en guise de garantie, je vais emmener la petite.

Quand je serai en sécurité, je la déposerai quelque part et je vous dirai où elle est, ajouta Jimmy.

— Non ! Il n'est pas question que vous quittiez cette maison avec ma fille, répondit Olivia d'un ton frénétique.

Ses larmes débordèrent et roulèrent sur ses joues.

— Il n'y a pas d'autre solution, répliqua Jimmy. Vous avez un quart d'heure pour me donner votre accord. Si c'est non, les choses vont très vite empirer, ici.

Il raccrocha.

Olivia se serait probablement effondrée si Daniel ne l'avait pas soutenue. Il la tint dans ses bras pendant qu'elle sanglotait. Elle n'était plus le shérif Bradford, seulement une mère terrifiée.

Les éclairs et les coups de tonnerre alternaient au-dessus de leurs têtes.

Les cieux n'avaient pas encore lâché leur déluge, mais les larmes roulaient sans retenue sur le visage d'Olivia. Enfin, elle leva les yeux vers lui.

— Il faut les sortir de là. Il faut que tu sortes Lily de là. C'est ta fille, Daniel. Il faut que tu la sauves.

Il se figea, les bras ballants.

— Qu'est-ce que tu dis ?

Olivia s'essuya les joues tandis qu'il la fixait, abasourdi.

— Cette nuit à La Nouvelle-Orléans… Nous avons fait Lily. C'est ta fille.

Olivia réprima un nouveau sanglot.

— Et maintenant, elle a besoin de son papa.

Son papa.

Son âge… Ses yeux verts, si semblables aux siens. Seigneur, comment n'avait-il pas compris ? Lily était son enfant, sa propre chair.

Il ne fallait pas penser à cela. Pas là. Plus tard. Sinon, sa raison sombrerait dans un océan d'émotion. Jimmy leur avait donné quinze minutes pour accepter ses exigences.

Le temps passait et, d'une façon ou d'une autre, s'intima

Daniel, il devait trouver une solution. Le tonnerre résonna au-dessus d'eux et une idée soudaine germa dans son esprit.

— Fais reculer les hommes, dit-il à Olivia. Rappelle ceux qui cernent la maison.

— Tu ne vas quand même pas accepter ses exigences ! s'étrangla-t-elle, les yeux écarquillés d'horreur.

— Non, mais il faut qu'il pense que nous lui obéissons. Fais évacuer les hommes. Et fais-moi confiance, Olivia. J'ai un plan, mais on doit agir vite !

Il fallut quatre minutes pour que tous les agents se retirent. Ils se regroupèrent au carrefour suivant pour attendre les ordres.

— Appelle Jimmy et dis-lui que tu veux voir Rose et Lily à la fenêtre, ordonna Daniel à Olivia. Dis-lui que tu n'accepteras rien tant que tu ne les auras pas vues de tes propres yeux.

— Et tu vas faire quoi ?

— Je vais tenter de sauver ma fille, répondit-il sombrement.

Sur ce, il se mit à courir en direction de la maison. Le cœur battant la chamade, il la contourna pour passer derrière.

Il s'accroupit sous la fenêtre de la chambre de Lily et risqua un œil à l'intérieur. Vide et obscure. Parfait. L'obscurité était son alliée.

La nuit et l'orage l'avantageaient. Mais le système d'alarme était un problème. S'il avait été réactivé après l'entrée de Jimmy, son plan ne fonctionnerait pas et les résultats seraient catastrophiques.

S'il essayait de briser la fenêtre, l'alarme se mettrait en route, et Jimmy comprendrait tout de suite que quelqu'un essayait de s'introduire dans la maison. Il était déjà désespéré et agité, une combinaison dangereuse. Il était impossible de savoir comment il réagirait dans ce cas de figure.

Olivia l'avait sans doute déjà appelé. Si Jimmy avait accepté sa requête, alors tous trois étaient dans le salon.

Avec la prudence d'un cambrioleur, Daniel retira l'écran-moustiquaire de la fenêtre et le déposa contre le mur.

Lily était sa fille. Ces mots tourbillonnaient dans sa tête. Pourquoi Olivia ne lui avait-elle rien dit à son arrivée ? Pourquoi avait-il fallu ce drame pour qu'elle avoue son secret ?

Il ne fallait plus y penser. Il devait rester concentré sur son objectif.

Le cœur tapant dans sa poitrine, il attendit un éclair, un coup de tonnerre.

Et il empoigna son revolver de façon à briser la vitre avec la crosse.

Quand l'éclair illumina le ciel, l'électricité statique le traversa. Enfin le tonnerre résonna. Au même moment, il brisa la fenêtre au-dessus de la poignée.

Il retint son souffle, craignant que l'alarme ne se déclenche. Mais non, et il frémit de soulagement. Apparemment, dans le chaos qui avait suivi l'intrusion de Jimmy, personne n'avait pensé à la réarmer.

Retenant son souffle, il passa la main à travers la vitre, déverrouilla la fenêtre et la releva doucement.

Une fois à l'intérieur, il se remit à respirer normalement. Assurant le revolver dans sa main, il s'approcha du seuil de la chambre, d'où il aurait une vue directe sur le salon.

Il retint de nouveau son souffle. Si Jimmy l'apercevait, il n'aurait plus aucune chance de sauver les otages.

Il passa la tête dans le couloir : Rose était assise sur le sofa, en train de sangloter doucement. Jimmy se tenait debout devant la fenêtre, portant Lily sous les aisselles, sans doute pour la faire voir à sa mère.

En tout cas, il n'avait ni couteau ni revolver à la main. C'était le moment. Se ruant dans le couloir, Daniel hurla :

— C'est fini, Jimmy !

L'homme pivota sur ses talons et, sans hésiter, Daniel lui tira une balle dans la jambe droite. Jimmy hurla de douleur et s'effondra. Rengainant son arme, Daniel se précipita pour recueillir Lily, sanglotante, dans ses bras.

Elle s'accrocha à son cou et lui enserra la taille entre ses jambes.

Son enfant. Sa fille.

Le cœur de Daniel se serra.

— Je savais que tu viendrais nous sauver, Adjoint, dit-elle enfin, assez fort pour se faire entendre au-dessus des cris de Jimmy.

Sautant du sofa, Rose vint les enlacer tous les deux.

— Il faut partir d'ici, intima Daniel.

Il alla à la porte d'entrée, l'ouvrit en grand et cria :

— Nous allons sortir !

Prenant Rose par la main, il l'entraîna dehors sans lâcher Lily.

Olivia se tenait au bout de l'allée, sous les premières gouttes de l'averse. En voyant Lily dans les bras de Daniel, elle se mit à courir vers eux.

— Dieu merci ! sanglota-t-elle en prenant sa fille.

Daniel les poussa toutes les trois sur la pelouse, à distance de la maison, puis se servit de son portable pour rappeler les hommes.

Bo pénétra dans la maison avec plusieurs des suppléants. Une ambulance apparut dans la rue presque aussitôt et, quelques instants plus tard, Jimmy fut emporté sur une civière, sous bonne garde.

Bo le suivait, décomposé.

— J'ai fait tout ce que je pouvais pour t'aider, lui dit-il.

— Et moi, je te détestais, lança Jimmy. J'ai été ravi quand on a cru que tu avais tué Shelly. J'ai été aux anges quand tu as décidé de quitter la ville. Je t'ai détruit.

Bo sourit sombrement en secouant la tête.

— J'ai une femme qui m'aime et que j'aime. Je vais reprendre le restaurant qui est à moi. Ce n'est pas moi que tu as détruit, Jimmy, c'est toi.

L'ambulance se referma sur Jimmy. On allait soigner sa blessure, et quand il aurait récupéré, il serait jugé pour le meurtre de Shelly, songea Daniel.

Tout était fini. L'affaire était enfin résolue. Et il avait une fille.

Submergé par l'émotion, il s'éloigna en direction de sa voiture. Il y resta assis un long moment, puis démarra et s'en fut. Il voulait mettre de l'ordre dans ses pensées. Il se sentait à vif, à nu. Ce dont il avait besoin par-dessus tout, c'était de temps pour décider de ce qu'il devait faire, puisqu'il avait désormais une fille.

13

Elle avait vendu la mèche. Telle fut la première pensée d'Olivia quand elle s'éveilla à l'aube. Et elle l'avait fait au pire moment possible.

Mais elle ne l'avait pas fait sans arrière-pensée. Il fallait que Daniel sache que Lily n'était pas une enfant quelconque, mais *son* enfant. Elle l'avait dit dans l'espoir qu'il prenne tous les risques pour la sauver et c'était ce qu'il avait fait.

Elle se retourna pour contempler par la fenêtre le soleil qui pointait au-dessus de l'horizon. L'orage de la veille était fini et, selon toute probabilité, la matinée serait claire et ensoleillée.

Que pensait Daniel en cet instant ? Que ressentait-il ? La haïssait-il pour ne pas lui avoir dit d'emblée qu'elle avait eu un enfant ?

Impossible de savoir ce qui lui passait par la tête, car il était parti sans un mot.

Son escorte n'était plus nécessaire. Au moment où on le chargeait dans l'ambulance, Jimmy avait avoué que c'était lui qui l'avait agressée sur le parking.

Il avait cru qu'en la tuant il détournerait l'attention des policiers du meurtre de Shelly. Apparemment, il n'avait pas réfléchi au fait qu'une autre enquête pouvait les mettre également sur sa piste.

Daniel n'avait plus aucune raison de jouer les gardes du corps. Il n'y avait plus aucune raison pour qu'ils passent tout leur temps ensemble.

Se levant péniblement, Olivia alla mettre en route du café. Tandis qu'il passait, elle se posta devant la fenêtre, les pensées toujours rivées sur Daniel.

Elle n'attendait rien de lui. Elle n'avait jamais rien attendu. Il pouvait choisir de jouer un rôle dans la vie de Lily — et, à ce moment-là, ils devraient s'entendre sur les moments de garde — ou bien décider de jouer les pères absents.

Il valait mieux que Lily ignore qu'il était son père. Si Daniel décidait de ne pas assumer sa paternité, elle n'aurait pas à vivre avec ce rejet toute sa vie.

Assise à table, Olivia se versait une tasse de café quand sa mère fit son apparition.

Vêtue d'une robe de chambre fleurie, les cheveux brossés, elle n'avait pas du tout l'air d'avoir vécu un drame la veille.

— Tu t'es levée bien tôt, constata Rose en se servant du café et en rejoignant sa fille à table.

— J'étais réveillée, alors j'ai décidé de me lever.

Olivia noua les mains autour de sa tasse.

— J'imagine que j'ai trop de soucis.

Rose lui adressa un regard surpris.

— J'aurais cru au contraire que tu aurais l'esprit merveilleusement libre ce matin. Tu as éclairci les soupçons de corruption et tu as élucidé un crime qui hantait la ville depuis deux ans.

Olivia lui sourit.

— Nous n'avons pas exactement résolu le crime, il s'est résolu tout seul.

Elle but une gorgée de café en jetant un œil à sa mère par-dessus le bord de son mug. Puis elle le reposa doucement sur la table et s'adossa à sa chaise.

— J'ai aussi dit à Daniel qu'il est le père biologique de Lily.

Rose la dévisagea.

— Et c'est vrai ?

Olivia hocha la tête.

— C'est lui, l'homme avec qui j'ai passé la nuit il y a cinq ans.

Rose remit un peu de sucre dans son café et le remua, prenant manifestement son temps pour rassembler ses pensées.

— Pourquoi tu ne lui as pas dit quand tu l'as reconnu ?

— Parce que dans une de nos premières conversations il m'a confié qu'il ne voulait ni femme ni enfants. Je savais que nous étions là seulement pour quelque temps, alors j'ai pensé que cela ne valait pas la peine de lui dire.

Rose l'observa un long moment.

— Tu es amoureuse de lui, n'est-ce pas ?

— Oui, gémit Olivia d'un ton misérable.

— Je l'ai lu dans tes yeux. Je sais que tu aimais Phil et qu'il a toujours été là pour toi, mais tu n'avais pas de passion pour lui. En revanche, c'est de la passion que je vois dans ton regard quand tu parles de Daniel.

— Peu importe ce que je ressens pour lui. Il n'est pas fait pour la vie de famille, déclara Olivia avec un soupir pathétique.

— Pfff ! Je n'ai jamais vu d'homme plus prêt que lui pour ça ! s'exclama Rose. Il te regarde de la même manière que toi. Et un célibataire endurci n'aurait jamais accepté de dîner plusieurs fois avec une vieille femme et une petite fille. Il ne les aurait pas emmenées manger une glace. Il ne le sait peut-être pas encore, mais il est fait pour ça.

— Rien de tout ça ne compte, rétorqua Olivia. Je suis sûre qu'il me déteste maintenant.

— Pourquoi ? demanda Rose en fronçant les sourcils.

— Je ne sais pas. Parce que j'ai été assez stupide pour tomber enceinte, sans doute.

— Vous étiez deux au lit cette nuit-là, rappela Rose. Si tu as été négligente, lui aussi.

— Mais hier soir, il est parti sans dire un mot.

— Je suis sûre que tout ira bien, ma chérie.

Rose finit son café et se leva.

— Et si je faisais du pain perdu pour le petit déjeuner ? Je crois que nous méritons bien cela après cette terrible soirée.

— Ce serait génial, répondit Olivia.

Il n'y avait que Rose pour croire qu'un bon petit déjeuner suffisait à tout remettre d'aplomb. Mais Lily serait ravie d'avoir du sirop d'érable au menu.

Lily. Le cœur d'Olivia se serra à l'idée qu'elle avait failli perdre sa fille et sa mère la veille.

Tout aurait pu très mal tourner si Daniel n'avait pas pris le risque de fracturer la fenêtre et de neutraliser Jimmy.

Olivia finit son café, puis alla à la salle de bains se doucher et s'habiller.

Quand elle eut fini, elle trouva Lily debout, en train d'aider Rose.

En voyant sa mère, la petite se précipita dans ses bras. Olivia s'assit avec elle sur le sofa pour un câlin matinal.

— Et comment va ma petite fille préférée ? s'enquit-elle.

La veille, elle avait pris le temps de s'asseoir au bord de son lit pour lui parler de ce qui s'était passé. Elle lui avait expliqué qu'il y avait de mauvaises gens dans le monde, et que malheureusement l'une d'elles s'était introduite dans la maison. Lily lui avait dit qu'elle avait essayé d'être coura- geuse, mais qu'elle avait pleuré. Elle avait aussi raconté à Olivia qu'elle savait qu'Adjoint allait chasser le méchant.

— Je vais bien, répondit Lily avec un sourire espiègle. On ne peut pas aller mal avec du pain perdu et du sirop d'érable.

Telle grand-mère, telle petite-fille, pensa Olivia sur la route, une heure plus tard. Un peu de sirop d'érable leur suffisait pour adoucir la vie et repousser la tristesse.

Mais plus elle approchait du bureau, plus son estomac se nouait à la perspective de revoir Daniel.

La seule chose à lui dire, au fond, c'était que rien n'avait changé. D'ici quelques semaines, tout au plus, elle repartirait à Natchez avec sa mère et sa fille. Même si Daniel savait désormais la vérité sur Lily, il n'y avait aucune raison pour que sa vie s'en trouve changée.

Il n'était pas à son bureau quand elle entra. Mais les hommes présents ne ménagèrent pas les vivats et les applaudissements.

La conclusion de l'affaire Sinclair les mettait tous de bonne humeur. Pour la plupart, ils avaient connu la jeune femme et ils étaient heureux qu'elle puisse désormais reposer en paix.

Olivia leur mima une révérence amusée et s'échappa très vite pour s'enfermer dans son bureau.

Combien de temps lui restait-il avant l'arrivée de Daniel et leur inévitable confrontation ?

Il apparut vers 10 heures, sa silhouette se dessinant à travers les lames des stores intérieurs. Sans parler à personne, il vint directement frapper à sa porte.

Avant même de la saluer ou de s'asseoir, il fit descendre complètement les stores vénitiens afin que personne ne puisse les épier. Olivia l'observait avec attention, essayant de jauger son humeur, mais c'était impossible.

Il s'assit enfin sur la chaise qui lui faisait face, avec un regard aussi mystérieux et insondable que le marécage entourant la ville.

— Est-ce que ton mari, ce Phil, a vraiment existé ? demanda-t-il.

— Oui. C'était le meilleur homme qu'on puisse imaginer. Je n'étais pas amoureuse de lui, mais lui, il était fou de moi. Je l'ai épousé parce que j'étais enceinte de cinq mois. Il m'a promis d'aimer Lily comme sa propre fille, et c'est ce qu'il a fait jusqu'à sa mort.

— Je comprends pourquoi tu ne m'as pas contacté quand tu as découvert que tu étais enceinte. Nous n'avons pas pris le temps d'échanger nos noms de famille et nos adresses, cette nuit-là. Mais pourquoi tu ne me l'as pas dit quand tu es arrivée ici ?

Olivia soutint son regard sans fléchir.

— Parce que je pensais que tu ne voulais pas le savoir. Tu m'avais dit que tu étais célibataire et que tu n'avais aucune envie de te marier ou d'avoir des enfants. Je ne voulais pas t'imposer ce fardeau.

Daniel secoua la tête en fourrageant dans ses cheveux. Il avait de petites rides autour des yeux, signe qu'il n'avait pas beaucoup dormi.

— En rentrant, hier soir, j'ai essayé d'assimiler tous ces événements. J'étais choqué par les actes de Jimmy, sa haine de Bo, son meurtre de Shelly. Mais j'étais complètement abasourdi d'apprendre que Lily est ma fille.

— Je n'aurais pas dû te le dire, du moins pas de cette façon. Mais, Daniel, rien n'a changé. Je ne te demande pas de pension alimentaire, rien de ce genre. Tu peux faire comme si je ne t'avais rien dit et continuer ta vie comme avant, déclara-t-elle, même si chacun de ces mots lui poignait le cœur.

Il la dévisagea d'un air sidéré.

— Qu'est-ce que tu veux dire ? Tout a changé ! Tout ! Hier soir, j'étais assis dans mon salon et j'écoutais le silence. J'ai toujours aimé le calme. Mais depuis quelque temps, je n'aime plus le silence. En fait, je n'aime plus la solitude. Je me sens seul et la vie que j'ai choisie ne me satisfait plus.

Il se pencha en avant.

— Je veux faire partie de la vie de Lily.

Le cœur d'Olivia se gonfla de joie. C'était ce qu'elle voulait pour sa fille. Daniel était un homme bon et il ferait un merveilleux père.

— Alors j'imagine qu'il faudra qu'on parle de garde alternée quand je retournerai à Natchez.

— Je veux la garde complète, dit-il en s'adossant à sa chaise.

Ses yeux brillaient d'émotion, mais Olivia crut recevoir un coup de poing en pleine poitrine. La dernière chose à laquelle elle s'attendait, c'était de devoir se battre avec lui pour la garde de Lily.

— Je… Tu ne peux pas…

Des larmes brûlantes lui montèrent aux yeux.

Daniel se pencha de nouveau en avant.

— Olivia, tu ne m'as pas laissé finir. Je veux la garde de Lily, mais je veux aussi vous garder, Rose et toi.

— Comment ça ?

Elle le dévisagea, craignant de tirer des conclusions hâtives, de s'abandonner à un espoir trop beau pour être vrai.

Alors, Daniel se leva et fit le tour de son bureau. Il la prit par la main, puis la mit debout.

— Olivia, je suis resté éveillé toute la nuit, à lutter avec ce que je croyais être et ce que je suis devenu. Ce que, toi, tu m'as fait devenir.

— Je ne comprends pas…

Elle leva les yeux vers lui, si pleine d'amour qu'elle en avait mal.

— J'ai réalisé que si je suis resté célibataire, c'est que je n'ai jamais rencontré de femme qui me donne envie d'autre chose. Je n'ai jamais voulu d'enfants parce que je ne me suis jamais assez attaché à une femme pour rêver d'en avoir avec elle. Ce que j'ai compris hier soir, c'est que je ne suis plus cet homme-là et que j'ai rencontré une femme qui m'a donné envie de me marier, d'avoir des enfants et même une belle-mère.

Quand son cerveau enregistra enfin ces paroles, Olivia frissonna de bonheur.

— Je t'aime, Daniel, laissa-t-elle échapper.

Il lui prit le visage entre les mains.

— Je t'aime aussi, Olivia. Je t'aime plus que je ne croyais possible d'aimer. Je veux que tu fasses partie de ma vie. Je veux que toi, notre fille et Rose, nous vivions ensemble pour toujours.

S'interrompant, il l'embrassa sur la bouche avec une tendresse qui la fit vaciller jusqu'au fond d'elle-même.

Puis, la tenant toujours dans ses bras, il reprit la parole :

— Il faudra réfléchir à ce que nous allons faire. Je vais

quitter mon travail pour déménager à Natchez. Tôt ou tard, je trouverai quelque chose à faire là-bas. Je peux vendre ma maison et réinvestir l'argent.

Olivia leva la tête.

— Ou nous pourrions rester ici. Je peux demander à mon patron de me muter à Lost Lagoon. En fait, j'ai entendu dire qu'il va y avoir des élections pour le poste de shérif. Tu penses que j'ai des chances d'être élue ?

— Je pense qu'avec mon soutien tu as de très bonnes chances, dit-il avec l'expression heureuse d'un homme qui sait ce qu'il veut et où il va. Ensemble, nous pouvons tout faire, Olivia. Mais tu es sûre que tu veux vivre ici ? reprit-il avec un petit pli entre les sourcils.

— Je ne tiens pas particulièrement à Natchez, et avec l'ouverture du parc d'attractions, Lost Lagoon va sûrement se développer. A dire vrai, je serai heureuse n'importe où, du moment que nous sommes ensemble.

Il l'embrassa de nouveau et Olivia soupira de bonheur : ses rêves allaient enfin se réaliser. Daniel la prit par la main et l'entraîna vers la porte.

— Que fais-tu ? questionna-t-elle.

— On y va.

— Où ça ?

— Chez toi. On va dire à Lily qu'elle ne peut plus m'appeler Adjoint. J'ai hâte de l'entendre m'appeler papa.

Ses yeux brillaient de bonheur, reflétant la joie d'Olivia. Elle se mit à rire et ils quittèrent le bureau.

Dehors, l'air était vif et ensoleillé. Olivia se sentait bouleversée. Elle faisait ses premiers pas dans l'avenir… Un avenir magnifique, qu'elle passerait avec l'homme qu'elle aimait, le père de son enfant.

Epilogue

A Lost Lagoon, la fin octobre était le meilleur moment pour organiser un barbecue, car la chaleur et l'humidité estivales étaient dissipées. Mais les feux de l'amour ne cessaient de brûler entre Olivia et Daniel.

Olivia se tenait à la fenêtre de la cuisine, tandis que Daniel poussait Lily sur la balançoire qu'il avait achetée et installée le jour même où elles avaient emménagé chez lui.

Ils avaient essayé de persuader Rose de venir vivre avec eux, mais elle avait préféré rester dans la petite maison jaune. Elle avait commencé à planter un petit potager dans le jardin, et avait transformé la chambre de Lily en atelier.

Elle s'était aussi fait une amie de Mama Baptiste, et toutes deux prenaient souvent le thé ensemble pour parler de plantes et de plats.

Elle restait disponible jour et nuit pour garder Lily, et tous les dimanches, Olivia, Daniel et Lily allaient dîner chez elle.

Olivia sourit tandis que Lily riait.

— Plus haut, papa ! Pousse-moi plus haut !

Le rire de Daniel se mêla à celui de la petite fille, et le cœur d'Olivia se remplit d'un bonheur qu'elle n'aurait jamais cru possible.

Un coup à la porte la tira de sa rêverie. Elle alla ouvrir

à sa mère, chargée d'une salade de pommes de terre assez grosse pour nourrir une armée.

— Maman, laisse-moi prendre ça !

Et elle s'empara du saladier pour le transporter dans la cuisine, où attendaient déjà des hamburgers, des hot-dogs, des tomates, des oignons en tranches et des flacons de moutarde et de ketchup.

A cet instant, Daniel entra dans la pièce, un sourire heureux aux lèvres.

— N'est-ce pas ma belle-mère préférée que voilà ! dit-il en embrassant Rose sur la joue.

— Regarde, elle a apporté assez de salade de pommes de terre pour nourrir tout le quartier alors que nous ne sommes que huit, commenta Olivia.

— Mais aujourd'hui, on célèbre tant de choses, répondit Rose. En plus, la salade de pommes de terre se garde bien.

Elle jeta un regard par la fenêtre. Lily était toujours sur la balançoire.

— Et maintenant, je vais passer un peu de temps avec ma petite-fille avant l'arrivée des autres.

Dès qu'elle eut franchi la porte de derrière, Daniel prit Olivia par la taille et la serra contre lui.

— Et moi, je vais passer un peu de temps avec ma chérie avant l'arrivée des autres.

Comme toujours, son baiser avait le goût de l'amour et du désir. Olivia ne s'en lasserait jamais. Elle lui avait donné son cœur et son âme, et chaque jour qui passait ne faisait que renforcer leur amour mutuel.

— Mmm, tu es encore meilleure que la salade de pommes de terre, plaisanta-t-il en achevant leur baiser.

— Ça alors, je pensais justement la même chose de toi !

On sonna à la porte et Daniel la lâcha en soupirant.

— Zut, je voulais continuer à t'embrasser, mais on dirait que nos invités sont arrivés.

— Va ouvrir, lui dit Olivia en riant. Il faut que je m'occupe encore de deux ou trois choses.

Daniel disparut et revint quelques secondes plus tard avec Bo et Claire. Bo portait une mijoteuse électrique pleine de haricots. Claire le guida jusqu'à la table où elle brancha le récipient à une prise.

— C'est une journée parfaite pour un pique-nique, lança Bo.

— C'est une journée parfaite pour faire la fête, renchérit Olivia en souriant.

— Tu veux que je t'aide à quelque chose ? lui demanda Claire, tandis que Bo suivait Daniel dehors, où ils se penchèrent tous deux sur le barbecue.

— Absolument rien. Assieds-toi et détends-toi. Ça te dirait une bière fraîche ? J'ai aussi de la limonade, du thé glacé et des sodas.

— Un verre de thé glacé, volontiers, répondit Claire.

Elle était aussi fraîche qu'une rose, avec son joli visage, ses boucles blondes, son short en jean et son corsage bleu.

La sonnette retentit une nouvelle fois à l'instant où Olivia donnait son thé à Claire.

— Ce doit être Josh et Savannah. Je reviens tout de suite.

Elle se hâta d'aller ouvrir la porte pour accueillir leurs derniers invités. Savannah avait apporté un gâteau au chocolat, et dès qu'ils pénétrèrent dans la cuisine, Josh s'esquiva par la porte ouverte pour rejoindre les hommes.

Olivia leur jeta un coup d'œil par la fenêtre et se retourna vers les deux femmes avec un grand sourire.

— Combien d'hommes faut-il pour allumer un feu, à votre avis ?

— Autant qu'on peut en faire tenir autour d'un barbecue, répondit Claire. C'est un truc de mecs. Attends qu'ils commencent à faire griller la viande, et ce sera le chaos.

— Je ne pense pas que Josh leur disputera cet honneur, dit Savannah. En matière de cuisine, c'est un cas désespéré.

Olivia s'était beaucoup rapprochée d'elle. Depuis la résolution du crime, Savannah riait plus souvent et ses yeux noirs pétillaient de bonheur. Olivia était heureuse d'avoir pu contribuer à son apaisement.

— Je voudrais porter un toast avec tout le monde avant qu'on commence à cuisiner, annonça Olivia.

Elle alla appeler les hommes par la porte ouverte. Plusieurs minutes se passèrent avant que tous soient rassemblés et aient un verre en main. Les hommes buvaient de la bière tandis que les femmes avaient choisi du thé glacé. Même Lily avait un verre de jus de raisin pour se joindre aux réjouissances.

Un instant, Olivia contempla les visages autour d'elle et son cœur se gonfla de joie. Depuis que Daniel lui avait déclaré son amour, tout n'était que paix et bonheur dans sa vie.

Claire et Savannah étaient devenues ses amies, et elle avait aussi beaucoup d'affection pour Josh et Bo.

— Papa, on peut boire ? demanda Lily à Daniel.

— Pas encore, ta mère rassemble ses pensées, répondit Daniel.

— J'espère qu'elle se dépêche, parce que j'ai faim, dit la petite fille.

— Bon, commença Olivia, je voulais juste prendre le temps de célébrer la réouverture du restaurant de Bo et le fait qu'il n'ait plus à endurer de soupçons.

— On peut boire maintenant ? questionna Lily.

Daniel secoua la tête et Olivia poursuivit :

— Je veux aussi féliciter Josh et Savannah pour leur mariage, et Savannah pour l'ouverture prochaine de son restaurant sur Main Street.

— Et maintenant ? insista Lily avec une pointe d'impatience.

Olivia lui fit signe que non.

— J'aimerais aussi dire combien je suis heureuse d'avoir été élue shérif de Lost Lagoon la semaine dernière.

Elle s'interrompit une seconde, se rappelant sa joie à l'idée que les habitants de la ville lui aient accordé leur confiance en l'élisant shérif. Cerise sur le gâteau, les autorités avaient accepté sa mutation à Lost Lagoon.

— Et moi, j'ai accepté un emploi au parc d'attractions et démissionné de mon poste d'adjoint, ajouta Daniel en une tentative évidente pour accélérer le rythme. Et Olivia et moi avons fixé la date de notre mariage au 12 décembre, et je crois que c'est tout. Maintenant, oui, tu peux boire, Lily.

Tout le monde se mit à rire, et ils entrechoquèrent leurs verres et leurs bouteilles. La bonne humeur et les rires durèrent tout l'après-midi.

Il était presque l'heure de se coucher quand tous prirent finalement congé. Lily était allée dormir chez Nanny, et Olivia et Daniel se retrouvèrent seuls.

Olivia lavait les derniers plats qui ne rentraient pas dans le lave-vaisselle, quand Daniel s'approcha d'elle, lui noua les bras autour de la taille et lui piqua des baisers sur la nuque.

— C'était une journée formidable, dit-il.

— Oui, c'était merveilleux, confia-t-elle en ôtant les mains de l'eau et en prenant un torchon.

— Et ça va être une nuit merveilleuse, murmura-t-il.

Elle se retourna entre ses bras et lui sourit.

— J'espérais bien qu'on aurait un petit dessert.

Il lui embrassa le bout du nez.

— Quand tu as porté tous tes toasts, tu n'as pas parlé de l'autre chose que nous avons à fêter.

Olivia posa une main sur son ventre.

— Il est encore tôt. J'ai envie de savourer la nouvelle avec toi avant de la rendre publique.

Elle était enceinte d'un mois. Cette fois, le bébé était prévu et désiré, et Daniel était à ses côtés.

— Lily va être aux anges quand on lui dira qu'elle va avoir un petit frère ou une petite sœur.

— Imagine le plaisir d'une glace multiplié par un million, plaisanta Olivia.

— Tel père, telle fille, répondit-il. Cette fois, je ne manquerai pas une minute du bébé.

— Je t'aime, Daniel.

Son cœur était rempli d'amour pour lui. C'était un papa gentil, patient et affectueux pour Lily. Il était entré tout naturellement dans son rôle de père.

— Je t'aime aussi. J'aime notre vie ensemble, et j'aime que tu m'aies aidé à me rendre compte de l'homme que je devais être.

— Et maintenant… le dessert ?

Les yeux de Daniel flamboyèrent de désir et il lui sourit.

— Loin de moi l'idée de faire attendre le nouveau shérif de la ville.

Lui prenant la main, il la conduisit dans leur chambre.

Le garçon sexy et dégagé qu'elle avait rencontré dans un bar cinq ans auparavant avait disparu, faisant place à un homme qui assumait son amour pour sa fille, sa future belle-mère et elle-même.

Ce n'était plus un fantasme, c'était la réalité, une réalité qui la rendait pleinement heureuse.

JENNIFER MOREY

La proie du mensonge

Traduction française de
BLANCHE VERNEY

BLACK ROSE

HARLEQUIN

Titre original :
JUSTICE HUNTER

1

La tête baissée pour se protéger de la bise mordante et glacée du Wyoming, Lucas Curran se demanda pour la centième fois pourquoi diable Kadin Tandy avait choisi ce genre d'endroit pour y installer sa très réputée agence de détectives privés. Tout comme la ville du Montana dont il venait lui-même, Rock Springs était une paisible bourgade de l'Ouest, bien loin de la jungle urbaine, et il ne s'y commettait guère de crimes. Or, les crimes étaient la raison d'être de Dark Alley Investigations.

La neige qui tombait sans relâche paraissait être la seule animation de la rue principale. Il s'arrêta devant une façade aussi pimpante que ses voisines, en remarquant toutefois que la devanture avait été rénovée avec des vitres à l'épreuve des balles.

L'excitation qu'il ressentait toujours au départ d'une enquête le gagna, bien que l'enquête, cette fois, ne soit pas comme les autres. Son but était de démasquer le meurtrier de sa sœur, et il ne connaîtrait le repos que lorsqu'il l'aurait mis sous les verrous. Cette agence de détectives aux faux airs de librairie ou de salon de thé allait être son moyen d'y parvenir. Elle avait pour spécialité la réouverture de dossiers que la police avait déclarés clos, quitte à employer pour leur résolution des méthodes qui n'étaient pas toujours très orthodoxes, ce qui faisait parfaitement son affaire.

Il entra et referma vite la porte, laissant derrière lui les tourbillons de neige. Le décor de l'agence était accueillant, avec de nombreuses touches féminines — des tableaux colorés aux murs, des livres sur des étagères, et même un arbre de Noël scintillant de boules et de guirlandes devant la vitrine.

— Puis-je vous aider ? lui demanda aimablement la jolie jeune femme installée derrière le comptoir de réception.

Difficile de se figurer que l'on se trouvait ici dans l'une des agences d'enquêtes privées les plus réputées du pays, et dont la devise était : Nous reprenons les choses là où la police les a laissées.

Il s'avança, ses chaussures tactiques faisant grincer les lattes du vieux plancher de sapin bien ciré.

— J'ai un rendez-vous…

— Monsieur Lucas Curran ?

Un sourire professionnel, sans doute, mais une affabilité non feinte. Il en fallait, assurément, pour recevoir chaque jour des personnes effondrées à la suite de la mort violente d'un proche, ou encore terrorisées par des menaces.

— Venez, Lucas ! lui lança Kadin depuis une pièce dont la porte était ouverte.

La réceptionniste le fit entrer chez le directeur de Dark Alley Investigations, et referma la porte.

— Bienvenue à bord, lui dit Kadin qui s'était levé pour lui serrer la main. Et content de vous revoir, asseyez-vous.

— Merci, très heureux d'être des vôtres…

Lucas s'installa dans un fauteuil de cuir noir, devant le bureau.

Après avoir repris sa place, Kadin lui tendit l'un des deux dossiers qu'il avait devant lui.

— Vous trouverez là une copie de votre contrat. Le résumé des principales clauses se trouve en première page, lui dit-il.

— Je l'ai lu en intégralité.

Kadin leva les yeux vers lui.

— J'engage des enquêteurs expérimentés, expliqua-t-il, et je sais que vous en êtes un. Je ne prétends pas vous apprendre à mener une investigation, mais je veux que vous sachiez que chacun est libre de sa méthode, ici, mais garant du résultat et responsable en cas d'échec... C'est une chose qu'il est difficile de préciser noir sur blanc dans un contrat, mais c'est la règle...

Lucas acquiesça. Ça ne le dérangeait pas, et il s'y attendait d'ailleurs plus ou moins.

— Trois autres règles découlent de celle-ci, continua Kadin toujours sans le quitter des yeux. Si vous ne les respectez pas, je me réserve non seulement le droit de rompre notre contrat, mais aussi celui de vous lancer les fédéraux aux fesses...

— Règle numéro un, l'interrompit Lucas, parlant à sa place, toujours trouver des preuves qui puissent être utilisées devant un tribunal...

— ... règle numéro deux, reprit Kadin, pas d'usage d'une arme en dehors de la légitime défense.

— Et la règle numéro trois ?

— C'est la victime qui compte, avant toute autre considération.

Lucas comprenait parfaitement le sous-entendu. Lorsqu'on venait solliciter l'aide de Dark Alley, la victime était généralement morte depuis longtemps, mais s'il s'agissait de protéger des innocents, d'éventuels témoins par exemple, les deux principes précédents pouvaient être transgressés. Ce qui ne devait, malgré tout, pas arriver bien souvent.

— Est-ce que l'une des trois vous pose problème ? demanda Kadin.

— Non.

— Pas même la deuxième ?

Lucas n'ignorait pas ce que le détective privé avait en tête : il redoutait que sa nouvelle recrue ne se serve de son statut de membre de l'agence pour exercer une forme ou une autre de vengeance. Bien sûr, quand il aurait mis la main dessus, abattre le meurtrier de Luella serait bien tentant. Mais l'idée de le voir croupir en prison ne l'était pas moins, au fond. En voyant son interlocuteur l'observer longuement, il songea qu'il ne l'avait peut-être pas totalement convaincu de sa bonne foi. Cependant, Kadin n'épilogua pas.

— Bon, lui dit-il. Parlons un peu de l'affaire de votre sœur.

Quatre années s'étaient écoulées depuis le meurtre. La police n'avait rien trouvé de probant, ni témoins ni indices. Une innocente était morte et un assassin courait toujours.

— Donc, continua Kadin en ouvrant le dossier qui était resté devant lui, la dernière personne à l'avoir vue en vie est son mari, Jared Palmer. Il me paraît être un suspect tout désigné…

Sous l'effet de la colère que la seule mention de ce nom faisait monter en lui, Lucas crispa les doigts sur les accoudoirs de son fauteuil.

— Elle sortait sans lui, ce soir-là, expliqua-t-il. Elle avait sa soirée mensuelle au Country Club. Jared dit qu'elle est rentrée vers 22 heures et qu'elle est allée se coucher directement…

Kadin se cala contre le dossier de son fauteuil en se frottant le menton.

— Et il a juré n'avoir rien vu ni entendu tout le reste de la nuit.

— C'est ça…

Cela mettait toujours Lucas en rage. Il était convaincu que Jared mentait, même si sa version, au fil des interrogatoires, n'avait jamais varié d'un pouce, ce qui faisait de lui soit un excellent menteur, soit un innocent.

— … Et puis, il y a cette Rachel Delany…

Lucas n'avait fait cette découverte que très récemment. La police l'ignorait, mais Jared avait appelé cette femme au téléphone et leur conversation indiquait qu'ils s'étaient connus avant le meurtre de Luella. Intimement connus.

— Elle a un curriculum vitæ intéressant, reprit Kadin.

Lucas acquiesça.

— C'est le moins que l'on puisse dire. Elle a très peu

d'amis et ne semble pas arriver à garder un emploi bien longtemps…

Il désigna d'un mouvement du menton une photo que Kadin venait de tirer du dossier.

— Elle est très belle, comme vous pouvez le voir.

Le patron de Dark Alley leva les sourcils.

— En effet, convint-il, mais rien n'empêche une belle femme d'être une meurtrière… Comment se sont-ils rencontrés ?

Rien dans le dossier ne l'indiquait, et Lucas trouvait que le profil de cette femme ne collait pas exactement avec celui de son beau-frère. Il tourna la photo vers lui pour mieux la voir. La brillante chevelure châtain clair de Rachel était retenue par un petit chignon strict. Ses yeux noisette pailletés d'or, discrètement soulignés au crayon sous de longs cils, lui donnaient un air mystérieux et presque dangereux. On sentait que celle qui figurait sur ce cliché avait traversé nombre d'épreuves et ne s'en était pas tirée sans quelques cicatrices.

— Je n'en sais rien. Jared n'était pas son premier amant, indiqua-t-il, mais c'était la première fois qu'elle sortait avec un homme marié. Elle a eu quelques aventures, avant. Avec des types plutôt à leur aise, en général. Aucune de ses relations n'a duré bien longtemps…

— Pas très stable…, commenta Kadin. Ils ont dû s'en apercevoir et filer à temps…

Lucas fit une moue dubitative.

— Ça ne fait pas forcément d'elle une coupable non plus. Une complice, peut-être…

Kadin se pencha en avant.

— Bien. Dites-moi quel est votre plan…

— Désolé, m'sieurs-dames. J'ai appelé le dépôt et un autre bus va venir vous prendre, annonça le chauffeur. On est en panne…

Rachel Delany grimaça, consternée. Il fallait que ce foutu bus rende l'âme juste aujourd'hui, comme un fait exprès !

Elle venait juste de finir son dernier partiel à la fac et avait exactement trente minutes, pas une de plus, pour se rendre à son travail. Et elle venait déjà d'en perdre cinq… Avec un soupir, elle saisit son sac à dos et s'avança dans la travée centrale. Le chauffeur, un Noir d'une cinquantaine d'années, la regarda s'approcher dans son rétroviseur.

— Le prochain sera là dans quelques minutes, Rachel, lui dit-il d'un air désolé.

— Pas le temps d'attendre, Larry, répondit-elle. Tant pis, je vais finir à pied.

— Il y a bien trois kilomètres, jusqu'à ton arrêt. Ta patronne peut bien patienter un peu, non ?

Rachel fit une petite moue qui indiquait qu'elle en doutait et sourit :

— Un peu de neige ne peut pas me faire mal.

Le chauffeur souleva ses sourcils broussailleux, sourit à son tour, et laissa tomber :

— C'est quoi le diplôme que tu prépares, déjà, ma belle ? skieuse de randonnée ? Bon, ne parle pas aux messieurs que tu ne connais pas, sur la route, d'accord ?

Rachel rit franchement et agita gaiement la main en descendant du bus, puis elle leva la tête pour offrir ses joues roses à la caresse des flocons. La perspective de marcher dans le froid et la neige ne l'effrayait pas plus que cela. Bozeman, Montana, n'était pas précisément l'endroit où il fallait vivre si l'on redoutait l'hiver… Heureusement, elle ne craignait pas plus la neige que les petits ou même les grands tracas de la vie.

Elle regarda sa montre et commença à courir. Sa patronne l'avait plus d'une fois mise en garde contre les retards. Rachel aurait aimé l'envoyer sur les roses, mais elle avait besoin de ce travail, au moins jusqu'à ce qu'elle ait obtenu son diplôme. Ensuite, elle pourrait toujours trouver un employeur qui serait moins intéressé par ses horaires que par la qualité du travail qu'elle pourrait fournir. Finalement, elle s'aperçut que courir ne servirait pas à grand-chose et se contenta de marcher d'un bon pas. En tournant en toute hâte dans la rue à l'angle de laquelle se trouvait le magasin, elle percuta un passant et s'excusa, avant de pousser la porte de la boutique. Sa patronne se tenait derrière son comptoir, seule, son visage chafouin exprimant toute sa réprobation. Elle jeta un regard appuyé à la pendule pendue au-dessus de sa tête.

— 14 h 30, dit-elle sèchement. Plus de trente minutes de retard… Je pense que c'est un peu long, même sur votre étrange échelle de valeurs !

— J'avais un partiel et mon bus est tombé en panne, expliqua un peu piteusement Rachel, tout en sachant pertinemment que l'irascible commerçante n'avait pas la moindre indulgence pour ce genre d'excuses.

Sa patronne soupira et fit le tour du comptoir.

— Rachel, reprit-elle, je me suis montrée suffisamment patiente avec vous…

— C'était mon dernier partiel, je n'en ai plus jusqu'en janvier…

— Vous vous trouverez sûrement d'autres bonnes raisons d'être en retard, d'ici là. J'ai besoin d'une employée sérieuse. Vous, vous êtes beaucoup plus souvent en retard qu'à l'heure.

— Je suis obligée d'utiliser les transports en commun et je dépends de leurs horaires, protesta Rachel. Ils ne sont pas toujours compatibles avec les miens… Je vous l'avais dit quand vous avez fixé mon emploi du temps.

Elle commençait à pressentir qu'il était inutile de se chercher des excuses ou de se défendre.

— Je suis désolée, Rachel, mais je ne peux pas tout organiser en fonction de vous.

— Mais c'est la première fois que j'ai un retard de plus de cinq minutes !

La commerçante la toisa d'un air méprisant, détaillant la tenue qu'elle portait comme si celle-ci était indécente.

— Un retard est un retard, laissa-t-elle tomber.

Rachel se laissa envahir par une frustration trop longtemps contenue et eut soudain une révélation.

— Vous ne m'aimez pas, n'est-ce pas ? dit-elle. Vous n'avez jamais pu me supporter…

— Que je vous aime ou non n'a rien à voir avec la raison pour laquelle je vous renvoie !

— Vous cherchiez par tous les moyens une raison de me mettre à la porte. Une ou deux minutes, ce n'est pas un retard. Vous me reprochez même la façon dont je m'adresse aux clients !

La commerçante se redressa d'un air outragé.

— Flirter avec la clientèle n'est pas professionnel !

— Je n'ai jamais fait une chose pareille. Vous inventez !

— Je vous ai fait une faveur en vous engageant. Ce n'est pas ma faute si vous m'avez déçue !

Elle alla prendre une enveloppe derrière le comptoir.

— Tenez, voici votre dernière paye. Vous ne travaillez plus ici, dorénavant.

Rachel prit l'enveloppe. Le dernier chèque. Plus un seul après celui-ci. Il lui fallut un grand effort de volonté pour ne pas exploser. Lentement, elle leva les yeux.

— Merci, dit-elle sourdement. Cela vaut sans doute mieux pour vous comme pour moi.

La commerçante parut un instant désarçonnée, comme si elle s'était attendue à une autre réaction. Aurait-elle aimé la voir se décomposer devant elle ?

— Je ne devrais pas avoir grand mal à trouver mieux, laissa tomber Rachel avant de tourner les talons et de se diriger vers la sortie.

— Si vous voulez me faire un procès, je vous annonce que j'ai pris note de tout ! lui lança son ex-patronne.

Rachel ne se donna pas la peine de répondre. En sortant, elle aperçut un homme en complet élégant devant la vitrine.

Il ne lui prêta pas la moindre attention lorsqu'elle passa près de lui.

Elle jeta un coup d'œil à son téléphone. Toujours aucun SMS de son petit ami... Elle avait essayé de l'appeler plusieurs fois dans la matinée, mais n'avait eu que sa messagerie. Cela aurait pourtant été bien de parler à quelqu'un dans un moment pareil... Une femme bien habillée venait de s'arrêter devant une bijouterie, non loin d'elle. Avait-elle un mari qui s'occupait d'elle, ou se débrouillait-elle seule pour vivre ? Rachel remarqua le gros solitaire à son doigt. Un mari, décidément. Et riche. Il la gâtait sans doute et peut-être même la rendait-il heureuse.

Pourquoi la vie était-elle donc si facile pour certains et si rude pour d'autres ? Rachel n'avait jamais rien obtenu sans avoir à se battre, bec et ongles. Ses difficultés lui avaient valu pas mal d'embêtements au moment de son adolescence mais, Dieu merci, cela n'avait pas eu de conséquences irrémédiables. Et maintenant qu'elle ne désirait rien d'autre qu'une vie honnête et responsable, elle rencontrait des obstacles à chaque pas. La déveine semblait ne jamais devoir la lâcher.

Avec les désespérantes perspectives qui étaient les siennes, elle n'avait pas particulièrement envie de rentrer chez elle pour s'y retrouver seule. Elle ajusta les bretelles de son sac à dos avant de traverser la rue et vit l'homme au complet veston qui venait dans sa direction. Allait-il la suivre ? Lui était-il envoyé par celui avec qui elle avait eu cette histoire désastreuse et qui tentait, à présent, de renouer avec elle ? Son coup de fil l'avait inquiétée, et elle avait refusé catégoriquement son invitation à dîner. Cela allait-il lui valoir de nouveaux ennuis ?

Un bar qu'elle connaissait bien, Chez O'Shuck, se trouvait à quelques pâtés de maisons. Elle en prit la direction, après avoir jeté un coup d'œil par-dessus son épaule. L'homme au complet veston la suivait, il n'y avait aucun doute. Elle pouvait déjà voir l'enseigne au trèfle à quatre feuilles de l'établissement, qui se voulait un pub irlandais. Au moment où elle en atteignait la porte, elle regarda de nouveau en arrière. L'homme venait droit vers elle.

Elle entra dans le bar avec un soupir de soulagement. Que ferait-elle, si les menaces se précisaient ? Venaient-elles de Jared ou d'un autre ? Elle était certaine de n'avoir jamais vu l'homme qui la suivait. En s'efforçant au calme, elle s'avança vers le comptoir. Le pub était toujours plein de gens qui vivaient ou travaillaient dans le quartier et venaient là pour boire une bonne bière irlandaise ou un irish-coffee. Elle y venait elle-même souvent, car ce n'était qu'à quelques minutes de son appartement et parce qu'il y régnait une atmosphère bien plus joyeuse que chez elle, ce qui n'était pas difficile...

Elle s'assit sur un tabouret de bar, posa son téléphone sur le bois ciré du comptoir et attendit que Hans, le barman, vienne s'occuper d'elle. Lançant un coup d'œil derrière elle, elle ne vit pas l'homme au complet veston.

— Salut, Rachel, lui dit Hans, ses yeux bleus de Viking s'illuminant d'un sourire. Un soda, comme d'habitude ?

— Non, un milk-shake spécial. *Vanilla Latte.*

— Tout de suite. Tu fêtes quelque chose ?

— Je me suis fait virer de mon boulot.

— Oh ! C'est dur... La vieille peau de vache avait une bonne raison pour ça ?

— Mon bus est tombé en panne et j'ai eu une demi-heure de retard.

Le bruit de la porte qui s'ouvrait la fit se retourner. L'homme au complet veston était en train d'entrer et l'observait. Il était grand et bien bâti, avec un beau visage aux traits réguliers. Ce n'était en tout cas pas Jared Palmer...

— Je suis vraiment désolé pour toi, Rachel, dit Hans en posant le milk-shake devant elle. Tu ne mérites vraiment pas ça.

L'inconnu s'approchait...

— Hans, fit-elle, cet homme m'a suivie depuis la boutique.

— Tu es sûre ?

— Tout à fait.

— Monsieur, lança le barman alors que l'inconnu venait de s'installer à côté d'elle, la demoiselle dit que vous la suivez. Est-ce qu'il va falloir que j'appelle la police ?

— Vous êtes très observatrice, remarqua l'homme en se tournant vers elle avec un sourire.

Rachel s'attendait à peu près à tout sauf à ce genre de phrase. Etrangement, elle ne percevait rien en lui qui soit vraiment menaçant.

A cet instant, son mobile émit un peu signal sonore indiquant qu'elle venait de recevoir un SMS. Elle baissa les yeux sur l'écran et vit que c'était enfin une réponse de son petit ami.

Désolé, pas facile à dire. J'ai rencontré quelqu'un. C'était quand même très bien, avec toi. Bonne chance.

Il lui fallut lire le message deux fois pour bien en comprendre le sens. *C'était quand même très bien* ? *Bonne chance* ?

Elle regarda sans le voir l'inconnu mettre la main à sa poche comme s'il y cherchait quelque chose, tandis que les six derniers mois de sa vie défilaient dans sa tête. Comment avait-elle pu passer autant de temps avec un type aussi creux et sans intérêt ?

— Je crois que ceci est à vous…

Tirée de ses pensées, elle baissa les yeux sur l'objet qu'il lui tendait. C'était son portefeuille. Il le posa sur le comptoir.

— Mais comment…

— Je prendrai la même chose, dit l'homme en s'adressant à Hans. Et les deux consommations sont pour moi.

— Comment l'avez-vous eu ?

— Il est tombé de votre sac au moment où vous êtes entrée dans ce magasin, tout à l'heure. J'ai voulu vous appeler, mais j'ai entendu sans le vouloir ce que vous disait votre patronne et j'ai pensé que ce n'était peut-être pas le meilleur moment… Mon nom est Luke Bradbury.

Ignorant la main qu'il lui tendait, elle le regarda droit dans les yeux, des yeux d'un surprenant bleu-gris tout à fait assortis à son sourire charmeur. Maintenant qu'elle n'avait plus peur de lui, elle pouvait apprécier son apparence à sa juste valeur. Il était vraiment beau, et son costume élégant dénotait une certaine aisance matérielle. Tout pour retenir l'attention. Seulement voilà, ce n'était guère le moment : son ami venait de la quitter de la façon la plus désinvolte qui soit. Lui aussi était beau et à son aise, comme souvent les hommes qui l'attiraient. Sans doute représentaient-ils pour elle la stabilité, quelque chose qui lui manquait et qu'elle désirait de tout son cœur. Peut-être allait-elle devoir réviser ses critères de sélection…

— Vous auriez pu me le rendre à la sortie du magasin. Pourquoi m'avoir suivie jusqu'ici ? lui demanda-t-elle avec un reste de méfiance.

Il eut à nouveau ce regard si charmant.

— Vous aviez l'air… très en colère et abattue par ce qui venait de vous arriver. Je ne voulais pas être importun…

— Importun ? Vous aviez mon portefeuille !

Elle le prit et le mit dans son sac, en prenant bien soin, cette fois, d'en refermer la fermeture Eclair.

— Eh oui…

Il la regarda d'un air appréciateur et sans équivoque.

— C'était une bonne occasion de faire votre connaissance…

C'était donc ça ? Elle resta un instant médusée, partagée entre la tentation de le trouver charmant et une méfiance instinctive.

— Je suis désolée, mais je ne suis pas intéressée.

— Peut-être pourrions-nous tout de même nous revoir ?

— Je ne pense pas, non. A bientôt, Hans !

Elle regretta aussitôt ses derniers mots. En disant cela, elle avait indiqué à ce Luke Bradbury qu'elle venait souvent ici, connaissait le barman, et y avait ses habitudes. Il le comprit d'ailleurs parfaitement. Se levant à son tour de son tabouret, il lui lança :

— On pourra se retrouver ici, alors…

Obligée de lever les yeux vers les siens, décidément d'une beauté troublante, elle répondit :

— Est-ce que je vais vraiment devoir éviter mon bar favori ?

— Pourquoi le devriez-vous ? lui demanda-t-il avec un sourire ravageur.

— C'est vous, que j'éviterai.

Pas du tout désarçonné, il se mit à rire.

— Dînez avec moi un soir, alors, dans un endroit agréable et tranquille…

— Je vous ai dit que je n'étais pas intéressée.

— Je vous ai rendu votre portefeuille. Vous me devez bien ça ! J'aurais aussi bien pu le garder, après tout…

— Vous l'auriez fait ?

— Non.

Elle tourna les talons et se dirigea vers la porte en lui lançant un « au revoir » définitif par-dessus son épaule.

Il ne paraissait plus aussi sûr de lui, à présent. En sortant dans la rue, elle ne put s'empêcher de sourire. Luke Bradbury ne devait pas être habitué à entendre une femme lui dire non. Son insistance la flattait, mais sa méfiance instinctive avait eu le dernier mot.

Elle regarda de l'autre côté de la rue et aperçut, dans une voiture garée le long du trottoir, un homme qui semblait l'observer à travers le rideau des flocons de neige. Un autre admirateur ?

Elle pressa le pas jusqu'à son immeuble.

2

Plus théâtral que réellement indigné, le beau-père de Lucas frappa du plat de la main son bureau directorial.

— Voilà que tu veux me faire mentir, à présent ?

Joseph Tieber dirigeait la société de transport aérien la plus active de Bozeman et de cette partie du Montana. Après avoir volé durant plus de trente ans, il ne s'installait plus très souvent aux commandes mais employait d'autres pilotes, aussi bien d'avions que d'hélicoptères, ainsi que du personnel à terre. Il avait fait de sa passion pour l'aviation un moteur de réussite personnelle.

Lucas et sa sœur Luella étaient encore petits lorsque leur père avait trouvé la mort, et leur mère avait épousé Joseph à peine un an plus tard. La transition n'avait pas été simple, mais grandir avec Joseph avait toujours représenté une aventure.

— Je te le demande… C'est pour Luella, dit doucement Lucas.

C'était l'argument qui emportait tout. Joseph baissa la tête et poussa un long soupir.

— Quel genre de travail veux-tu que je lui offre ?

— Elle prendra ce qui se présentera, elle en a besoin. Moi, je dois gagner sa confiance, et c'est le meilleur moyen pour ça.

Il s'avançait peut-être un peu en affirmant qu'elle accepterait facilement… Il se souvenait encore de la façon dont elle avait repoussé ses quelques avances, pourtant assez peu pressantes. Cela avait été sans équivoque.

— Ce que je voudrais, expliqua-t-il, c'est l'amener à parler…

— Et si elle fait le lien entre Luella et moi ?

— Je ne vois pas comment ce serait possible. Nous n'avons jamais porté ton nom, Luella et moi ; nous nous appelons Curran, pas Tieber. Et je ne pense pas que Rachel Delany ait jamais eu connaissance du nom de jeune fille de ma sœur. Pour elle, c'était Luella Palmer. Même en imaginant qu'elle le veuille, il lui faudrait du temps pour y parvenir et, d'ici là, j'aurai obtenu ce que je veux d'elle.

Joseph Tieber réfléchit un instant, puis céda.

— Bon… Je vais mettre mon assistante dans le secret et la muter à un autre poste dans la société. Mais c'est bien pour Luella, que je le fais ! Et, entre nous, je n'approuve pas franchement tes méthodes.

— Merci, papa, dit simplement Lucas en se levant de son fauteuil.

Joseph Tieber en fit autant.

— Avant que tu partes, lui dit-il, je voudrais te parler de cette agence de détectives que tu viens d'intégrer. Je ne comprends pas ce qu'un ancien policier comme toi fait dans un machin pareil !

— C'est bien simple : je ne peux pas enquêter tout seul dans mon coin. J'ai besoin de certaines facilités et de certains équipements spéciaux. Dark Alley a tout ce dont je peux rêver, et davantage encore. Kadin m'a aidé à me bâtir une nouvelle identité. J'ai un faux permis de conduire et tout le reste…

— Ta mère et moi, nous sommes ravis que tu reviennes à Bozeman, mais nous avons l'impression que tu ferais mieux de faire confiance à la police.

— Je te rappelle qu'ils ont clôturé le dossier.

— Ce n'est certainement que provisoire ; ils le rouvriront s'ils ont de nouveaux éléments. Tu devrais t'occuper un peu de ta vie personnelle. Quand vas-tu te ranger et fonder une famille ? Ta mère aimerait bien avoir des petits-enfants. Est-ce que tu vas lui refuser ce bonheur ?

Lucas le savait, la disparition de sa sœur avait accru cette angoisse-là, qui venait s'ajouter à la douleur du deuil. A l'annonce de la mort de Luella, sa mère s'était effondrée. Plus rien ne serait jamais comme avant. Bien que ce soit nettement moins perceptible, son beau-père aussi avait perdu la plus grande partie de sa joie de vivre et de son entrain. Il n'était plus le même homme, depuis.

Tout cela ne faisait qu'inciter encore davantage Lucas à passer à l'action. Plus vite il résoudrait le mystère de la mort de sa sœur, plus tôt chacun pourrait reprendre le cours de sa vie.

— Je fais tout ça pour nous trois, papa, dit-il doucement. Et je donnerai des petits-enfants à maman, qu'elle ne s'inquiète pas.

Mais pas tout de suite. Son premier mariage s'étant terminé par un désastre, il n'était pas tellement pressé de recommencer...

Quelques jours plus tard, à bord de son SUV, Lucas stationnait en face de chez Rachel. Il avait placé dans le portefeuille de la jeune femme un émetteur miniature, pas plus grand qu'une petite clé USB, équipé d'une batterie à grande capacité malgré sa taille minuscule et d'une portée d'une quinzaine de mètres. Il l'avait inséré dans une poche, derrière sa carte de crédit. Pour l'instant, elle ne l'avait pas repéré et il avait pu l'écouter travailler sur son ordinateur, sans doute à la recherche d'un nouvel emploi, et se déplacer jusqu'à l'épicerie la plus proche.

Son attention fut attirée par une BMW qui venait de s'engager dans la rue, et il se redressa sur son siège. C'était la voiture de Jared Palmer. Celui-ci se gara le long du trottoir puis descendit de son véhicule et se dirigea vers l'entrée de l'immeuble.

Jared tourna la tête en tous sens pour voir si on l'observait, mais le SUV avait des vitres teintées qui empêchaient de voir à l'intérieur. Son regard passa dessus sans s'y arrêter. Il poussa la porte de l'immeuble et, quelques instants plus tard, Lucas entendit Rachel le faire entrer dans son appartement.

— Je croyais qu'on avait décidé de ne plus se revoir, dit-elle.

— Ça fait longtemps que Luella est morte, répondit Jared. Moi, je n'ai rien oublié…

Elle passa dans une autre pièce, la salle de bains ou la cuisine, car elle ouvrit un robinet. En constatant qu'il pouvait les suivre dans tous leurs déplacements, Lucas songea que ce ne devait pas être bien grand, chez elle. Il se demanda si elle avait toujours des sentiments pour son ex-amant.

— Je t'aime, reprit Jared, qui avait dû la rejoindre.

Après tout ce temps ? Lucas était dubitatif. Pourquoi n'avait-il pas essayé de la revoir plus tôt, dans ce cas ? Rachel ferma le robinet sans répondre. Et elle, l'aimait-elle toujours ? Peut-être ne s'intéressait-elle qu'à son argent…

— Je me suis excusé pour t'avoir caché que j'étais marié…

— Peut-être, mais ça ne change rien au fait que tu m'as menti !

Ainsi, c'était le mensonge de Jared au sujet de sa situation maritale, qui avait poussé Rachel à rompre ? Mais cela n'avait peut-être rien changé à ses sentiments… Lucas, lui, en tout cas, n'avait pas pensé à cela.

— Le temps a passé, insista Jared. On peut être ensemble à nouveau, à présent…

Rachel ne répondit pas.

— Je peux rendre ta vie bien plus facile, Rachel, j'en ai les moyens.

Lucas entendit un bruit métallique. La jeune femme avait dû laisser tomber un ustensile quelconque.

— Je me fiche de ton argent !

Etait-ce bien la vérité ? Jared devait en douter, lui aussi, car il eut un petit rire.

— Bien sûr !

— Ça a été important, c'est vrai, mais ça ne m'a apporté que du malheur. Ce n'est plus ce que je recherche en priorité chez un homme.

Lucas allait de surprise en surprise. Etait-elle sincère ?

— Personne n'est au courant de ce qui s'est passé entre nous, reprit Jared. On pourrait faire comme si on venait juste de se rencontrer.

— Je veux que tu arrêtes de m'appeler et de venir ici. Tu n'as pas l'air de bien comprendre ce que cela m'a fait de découvrir que tu étais marié ! Tu m'as profondément blessée. Et maintenant, tu devrais t'en aller… et ne plus revenir.

— On pourrait partir ensemble, fit encore Jared. Penses-y. Je t'appellerai dans quelques jours.

— Non ! Je t'ai dit non !

Jared poussa un soupir lourd de frustration.

— Réfléchis… Souviens-toi comme c'était bien, toi et moi…

Avant la trahison…

— Va-t'en… S'il te plaît, va-t'en !

Il y eut une longue pause, puis Lucas entendit des pas. Jared obéissait ; il quittait la place. La porte se referma et Rachel poussa à son tour un long soupir. Il y eut un choc sourd, comme si elle s'était laissée aller, la tête contre le bois du battant. Que ressentait-elle exactement pour Jared ? Lucas avait l'impression qu'elle avait surtout peur de lui.

Son ordinateur portable sous le bras, et un soda light à la main, Rachel s'assit à une table chez O'Shuck, se connecta à la wifi de l'établissement, et se mit à surfer sur des sites d'offres d'emploi. Cela faisait une semaine qu'elle cherchait du travail, et elle n'avait encore rien trouvé. Il fallait faire vite si elle ne voulait pas être obligée de puiser dans ses maigres réserves.

— Je peux ?

Surprise, elle leva les yeux et vit Luke qui montrait la chaise face à la sienne. Avant qu'elle ait pu répondre, il posa son blouson de cuir sur le dossier.

— Je croyais pourtant avoir été claire…

Elle aurait certes dû s'y attendre, mais cette nouvelle apparition l'inquiétait. Est-ce que cet homme était en cheville avec Jared ?

— Tout à fait, mais je crois que je vous intrigue un peu quand même.

Ce n'était pas faux, d'une certaine manière. Mais pas de façon très rassurante…

Malgré son angoisse bien réelle, elle se sentait attirée par cet inconnu et se le reprochait déjà. Ce Luke Bradbury, comme il disait s'appeler, allait-il utiliser cela à son avantage ?

Il ne portait pas de complet veston, cette fois, mais un jean et une sobre chemise de flanelle noire.

— On s'habille, ce soir ? lui demanda-t-elle d'un ton ironique.

Il baissa les yeux sur sa tenue, sur son torse très impressionnant sous la chemise cintrée.

— Je ne travaille pas, aujourd'hui, expliqua-t-il.

— Ah ! Parce que vous travaillez ?

Il sourit.

— Cela vous étonne ?

— Je m'étais bien dit, l'autre jour, que vous portiez un costume pour une occasion, mais je ne pensais pas que c'était pour le travail.

— Pourquoi donc ?

Elle but une gorgée de son soda.

— Je ne sais pas. Ça ne me paraît pas coller avec vous…

Il l'observa un long moment, puis sourit.

— D'accord, vous m'avez eu. En fait, je vous avais déjà remarquée, bien avant de trouver votre portefeuille… J'avais mis un complet pour vous faire bonne impression. Et puis, vous avez perdu ce fameux portefeuille, et j'ai pensé que c'était une occasion en or de faire votre connaissance.

— Donc, vous m'espionniez ?

— Mais non ! Je vous avais vue dans votre magasin, en passant sur le boulevard… Et comme ensuite je n'arrêtais pas de repenser à vous, je suis revenu…

— Vous êtes souvent à l'affût des femmes, comme ça ?

Il eut un rire bref.

— Pas du tout. Je vous ai vue en passant, c'est tout. Je ne cherchais rien de particulier.

Elle le regarda attentivement, sans cacher qu'elle n'était pas tout à fait dupe de son histoire. Peut-être était-il sincère, mais elle doutait un peu de ses véritables intentions. De plus, il paraissait un peu trop sûr de lui. Est-ce qu'une femme lui avait déjà dit non, avant elle ?

Il n'avait pas de veine ; elle avait déjà eu trop de déboires avec les hommes pour laisser sa chance à l'un d'entre eux avant longtemps.

— Je vous l'ai dit, je ne suis pas int…

— Je voudrais vous proposer un emploi.

Un emploi ?

— Comment ? fit-elle, stupéfaite.

— J'ai un ami qui dirige une société de transport aérien. Son assistante le quitte et il a besoin d'une remplaçante.

Elle scruta son visage pour essayer de déceler une trace de mensonge, mais n'en trouva pas. Il paraissait vraiment vouloir l'aider.

— J'ai entendu votre patronne vous mettre à la porte, expliqua-t-il. J'avais déjà envie de vous connaître, mais ce n'était visiblement pas le moment de vous aborder. Alors je vous ai suivie jusqu'ici, et voilà…

Tout cela paraissait logique et vraisemblable. Pourtant, elle gardait l'impression persistante qu'il ne lui disait pas toute la vérité.

— Vous ne faites pas tout cela seulement pour m'aider, n'est-ce pas ?

Il sourit largement.

— Non, bien sûr ! J'essaie surtout de vous convaincre d'accepter de dîner avec moi.

En lui proposant un emploi chez un ami... Ce n'était assurément pas une façon banale de flirter avec une femme ! Elle regarda une nouvelle fois le torse musculeux, le visage ouvert aux traits réguliers, les épais cheveux blonds... Elle aurait dû lui dire non tout de suite, mais elle pensa au passage imminent de son diplôme, à son rêve tout près de se réaliser. Après tout, si elle acceptait ce travail, elle n'était pas obligée de sortir avec ce Luke pour le remercier, ni de faire quoi que ce soit dont elle n'avait pas envie...

— Comment savez-vous que votre ami serait prêt à m'engager ?

— Parce que je lui en ai déjà parlé. Vous avez les compétences nécessaires, je suppose ?

— Oui. J'ai déjà fait ce genre de travail.

Elle ne précisa ni où ni avec qui.

— Alors, c'est une affaire qui marche. Vous n'avez plus qu'à l'appeler de ma part.

Il lui tendit une carte de visite. Après une petite hésitation, elle la prit et jeta un coup d'œil au nom qui y figurait : Joseph Tieber, président-directeur général de Tieber Air Transport.

Plus troublée qu'elle n'aurait voulu l'admettre, elle regarda à nouveau ce parfait étranger qui lui lançait une bouée de sauvetage pour la seule raison qu'elle lui plaisait. De nombreux signaux d'alarme s'allumaient dans son esprit, mais s'il comptait la menacer ou lui faire du mal, commencerait-il par lui offrir un travail ?

— Pourquoi faites-vous ça ? lui demanda-t-elle finalement.

Il sourit à nouveau avec, cette fois, un peu de fatuité, pensa-t-elle.

— Parce que c'est en mon pouvoir. Je vous l'ai dit, c'est très égoïste, je voudrais vous inviter à dîner avec moi.

Rachel posa la carte de visite sur la table, mais garda la main dessus. Elle avait désespérément besoin d'un job ; sans un revenu minimal, tous ses projets s'écrouleraient. Elle se mit à tapoter nerveusement la carte. Luke posa sa main sur la sienne, comme s'il voulait l'apaiser.

— Pensez-y…

C'était la deuxième fois en peu de temps qu'un homme lui demandait de réfléchir. Elle regarda les longs doigts qui ne portaient aucune alliance, le bras solide et musclé, les yeux si vifs, et une soudaine chaleur l'envahit. Il se leva de sa chaise.

— Attendez, lui dit-elle.

Elle n'aurait su dire ce qui lui passait par la tête. Etrangement, elle avait envie de le connaître mieux. Quelle était sa vie, et pourquoi l'avait-il remarquée, elle ?

— Prenez donc un verre avec moi, lui proposa-t-elle en lui montrant la chaise qu'il venait d'abandonner.

Il la regarda, l'air surpris comme s'il n'osait trop y croire. Elle lui sourit.

— Je prends toujours un soda, quand je viens ici, expliqua-t-elle. Le milk-shake de l'autre jour, c'était exceptionnel.

— La même chose, s'il vous plaît, lança Luke à Hans, le barman. Pas forcément sans sucre… Bien, que voulez-vous savoir ? demanda-t-il en s'asseyant et sans la quitter des yeux.

Elle lui rendit son irrésistible sourire.

— J'aimerais en apprendre un peu plus long sur l'homme qui me décroche un job, soi-disant parce qu'il me trouve sexy.

— Soi-disant ?

— Tant que je n'en suis pas sûre…

Il hésita, comme s'il répugnait à s'expliquer, sans doute déçu qu'elle ne paraisse pas davantage s'intéresser à lui d'un autre point de vue.

— J'ai acheté récemment une propriété à quelques kilomètres de la ville…

Voilà qui était du concret et du personnel, enfin.

— Un ranch ?

— Oui, mais pas une vraie exploitation. Seulement pour mon plaisir personnel.

Lui aussi avait de l'argent. Et beaucoup, apparemment. Mais elle avait dépassé le stade de la fascination pour les hommes riches. Elle attendait autre chose, à présent… Quand elle aurait son diplôme, elle se trouverait un bon travail et pourrait souffler un peu.

— Je suis le fils d'un homme qui s'est fait tout seul, acheva-t-il.

Rachel se sentit vaguement déçue. Les hommes riches l'avaient toujours intriguée. Leur ambition, leur façon de vivre, leur intelligence… Elle-même avait eu un mauvais départ dans la vie, mais elle progressait. Elle voulait une vie meilleure, c'était dans ce but qu'elle s'était inscrite à la fac.

— Vous avez fait des études ? demanda-t-elle tout à trac.

— Une licence. Ensuite, je suis entré dans la marine, pour suivre l'entraînement des Navy SEALs.

Elle le regarda avec un peu de surprise mais, tout compte fait, c'était assez logique. Il était grand, musclé en finesse, pas bodybuildé. Il paraissait énergique et décidé. Oui, il devait être doué pour ce genre de choses.

Il regardait fixement le verre que l'on venait de lui apporter.

— Vous êtes un SEAL ?

— Non. J'ai quitté le stage avant d'être breveté.

De toute évidence, il lui coûtait d'en parler. Elle hésita à l'interroger plus avant. Au fond, elle n'en avait pas vraiment envie. Elle appréciait les hommes qui rencontraient le succès dans ce qu'ils entreprenaient. Toutefois, il semblait qu'il y avait autre chose que du simple découragement, dans la façon dont il en parlait. Elle pressentait que s'il avait interrompu son stage, c'était pour une raison grave et pas de gaieté de cœur.

— Pourquoi n'êtes-vous pas allé jusqu'au bout ? ne put-elle s'empêcher de lui demander.

Il se tourna vers elle, lentement, comme s'il faisait un effort pour contrôler ses émotions.

— Ce n'était pas mon intention…

Rachel ne le pressa pas davantage. Il avait voulu intégrer le corps très convoité des Navy SEALs et, pour une raison ou une autre, n'y était pas parvenu.

Elle le regarda à nouveau attentivement. Le corps d'athlète, les traits énergiques, les SEALs… tout cela ne collait pas tout à fait avec l'image du fils de famille gâté par l'existence.

— Et vous ? dit-il en reprenant son air charmeur. Tout ce que je sais de vous, c'est que vous êtes belle…

Rachel ne put s'empêcher de sourire. Quelle femme n'était pas sensible aux compliments ?

— Je passe mon diplôme en mai prochain. Un mastère en économie.

Il siffla doucement.

— Depuis quand vous le préparez ?

Elle soupira.

— Depuis des siècles, je crois bien. Je suis les cours quand je le peux…

Quand elle pouvait payer les frais d'inscription, surtout.

Il la regarda d'un air changé, comme si son opinion sur elle évoluait.

— Quoi ? fit-elle. Vous n'avez jamais rencontré une étudiante-pauvre-mais-méritante ?

Il sourit.

— Vous faites des études depuis si longtemps que ça ?

— J'ai trente et un ans. Je n'ai commencé la fac qu'après…

Elle s'interrompit, comme si elle en avait déjà trop dit.

— Après ? l'encouragea-t-il.

— C'est tout ce que vous avez besoin de savoir…

— Pour le moment, répliqua-t-il avec un sourire mystérieux.

Détendu mais attentif, il paraissait ne s'intéresser qu'à elle, à sa vie, à ses études...

... à son corps, très probablement.

Il n'insista pas et se leva.

— Il faut que j'y aille, lui dit-il. Moi, j'ai trente-sept ans. Appelez Joseph Tieber de ma part. Il vous trouvera un job. Et un bon.

Un bon job ? Cela existait donc ?

— A très bientôt, Rachel.

Là-dessus, il quitta le pub sans se retourner.

Rachel reprit la carte et résista à l'impulsion d'appeler tout de suite.

Le destin était une drôle de chose...

3

Son avenir devait prendre le pas sur ses inquiétudes, décida finalement Rachel durant la nuit. Il lui fallait un travail. Son propriétaire était encore passé la veille au soir, pour lui réclamer le montant du loyer. Dans la matinée, elle appela donc Joseph Tieber qui lui donna rendez-vous à 14 heures à son bureau.

A l'heure dite, en chemisier blanc et en pantalon gris très strict, elle était sagement assise dans le salon de réception de la Tieber Air Transport. Une femme franchit peu après la double porte en verre, et s'avança d'un pas assuré dans un tailleur noir très élégant. Elle toisa Rachel comme si celle-ci était sa rivale dans une quelconque compétition.

— Rachel Delany ?

— Oui…

Rachel s'efforça de sourire et tendit sa main à serrer. L'impressionnante apparition baissa les yeux sur cette main tendue avec un air d'infini mépris et ne s'en saisit pas.

— J'ai dit quelque chose qu'il ne fallait pas ? demanda ingénument Rachel.

L'autre ne répondit rien. Peut-être n'avait-elle pas entendu ?

— Vous avez sans doute un nom, je suppose ? reprit Rachel d'un air suave.

— Marcy Sanders, s'entendit-elle répliquer d'un ton glacial et sans même se voir accorder un regard.

La réfrigérante personne lui ouvrit grand la porte d'un bureau et s'effaça toujours sans un mot pour la laisser passer.

— Merci infiniment, lui dit Rachel.

Marcy referma sèchement la porte.

Un homme aux cheveux gris et à la silhouette élancée, assis derrière un large bureau, se leva et lui tendit la main.

— Bonjour, Rachel. Entrez donc.

Rachel lui serra la main avec chaleur.

— Je ne vous remercierai jamais assez pour ceci, lui dit-elle.

— Je vous en prie, répondit Joseph Tieber. Mon… Luke m'a tout raconté. Je serai très heureux de vous aider, si je le puis.

— Vous le pouvez tout à fait. C'est mon propriétaire qui va être soulagé !

Il sourit et lui indiqua un fauteuil.

— Est-ce que… je prendrai la place de quelqu'un ? demanda Rachel

— Oh ! Ne vous inquiétez pas pour Marcy. Quand je lui dirai de quelle manière je vais compenser sa mutation, elle sera ravie.

— Donc, c'est bien ça, je lui prends son job. Monsieur Tieber, je ne crois pas que je peux…

Il leva la main pour l'arrêter.

— D'abord, appelez-moi Joseph, on n'est pas très cérémonieux, ici. Secundo, vous ne prenez le job de personne. Marcy souhaite ce transfert. Elle travaillera désormais au service juridique.

— Le sait-elle ?

— Elle désire être mutée. Je ne lui en ai pas encore dit plus car j'attendais des précisions, mais je sais qu'elle sera satisfaite, n'en doutez pas…

— Dans ce cas, je suis très excitée à l'idée d'entrer dans votre équipe !

— Quand j'aurai annoncé la bonne nouvelle à Marcy, elle vous fera faire le tour de la maison et vous expliquera tout ce que vous devez savoir. Bienvenue chez Tieber Air Transport !

Rachel eut un sourire radieux.

— Comment avez-vous fait la connaissance de Luke ? lui demanda-t-il.

Embarrassée, Rachel se sentit rougir.

— Il… il a retrouvé mon portefeuille, que j'avais perdu…

— C'est ce qu'il m'a dit. Et qu'on vous avait mise à la porte, ce même jour, ainsi que cette ridicule histoire de bus. Si cela vous arrive un jour, ici, appelez-moi simplement pour me prévenir, et cela n'ira pas plus loin…

— Bien sûr, monsieur ! Merci.

Il était vraiment charmant et semblait tenir à la mettre à l'aise. Il appuya sur le bouton de l'Interphone.

— Marcy, vous voulez venir nous rejoindre, s'il vous plaît ?

Pensant que l'entretien était terminé, Rachel se leva.

— Non, non, restez, je vous en prie.

L'air toujours aussi renfrogné, Marcy les rejoignit.

— Oui, monsieur Tieber ?

— Je viens de parler à M. Jordan. Son assistante le laisse en plan. Vous la remplacerez dès demain matin…

Marcy en resta bouche bée de surprise et ses yeux se mirent à briller d'un éclat joyeux.

— C'est vrai ? demanda-t-elle.

— Bien sûr que c'est vrai. Alors j'attends de vous que vous soyez un peu plus aimable avec Rachel, ici présente. J'ai besoin que vous lui indiquiez ce qu'elle aura à faire ici.

— J'en serai ravie…

Instantanément métamorphosée, elle dédia un large sourire à Rachel.

— Si vous voulez me suivre, on va commencer…

L'assistante de Joseph Tieber l'emmena jusqu'au bureau qui allait être le sien et tira une chaise pour elle.

— Vous vous êtes vraiment fait renvoyer à cause d'une panne de bus ? lui demanda-t-elle en s'asseyant à son tour.

Devant la surprise de Rachel, elle ajouta :

— Excusez-moi, j'ai entendu ce que vous disiez à Joseph.

— C'est toujours comme ça…

— Vous êtes toujours aussi malchanceuse ?

Marcy eut un petit rire.

— Pas à ce point-là, tout de même ?

— Oh si ! Ça a commencé lorsque j'avais treize ans.

— Vos parents ont gardé un mauvais souvenir de votre adolescence, c'est ça ?

— Ils sont morts. Mais je n'étais pas un cadeau, certainement…

Il y avait de l'émotion dans sa voix, et un regret à peine dissimulé.

Après avoir attendu quelques jours, le temps de laisser Rachel s'acclimater à son nouveau travail, Lucas se montra au siège de la société. Elle n'était pas dans son bureau quand il entra dans celui de Joseph.

— Ah ! te voilà tout de même !

Lucas referma la porte et alla s'asseoir en face de son beau-père.

— Quand as-tu prévu de dire la vérité à Rachel ? reprit celui-ci sans s'embarrasser de préambules.

— Quand je serai certain qu'elle n'a rien à voir avec le meurtre de Luella.

— Je ne la vois pas en complice d'un assassin. Marcy m'a beaucoup parlé d'elle. Elles ont pas mal sympathisé, toutes les deux, en quelques jours. Tu savais que ses parents sont morts quand elle avait treize ans ? Qu'elle s'est enfuie de chez deux familles d'accueil et qu'elle a été arrêtée pour vol à l'étalage ?

La suspecte idéale…

— Et tu voudrais que je lui dise qui je suis ?

— Elle a volé pour manger. Elle avait perdu ses parents, et était seule au monde. C'est une chic fille, Lucas.

En tout cas, il ne lui avait pas fallu longtemps pour faire la conquête de Joseph. Lucas n'en revenait pas.

— Elle a rattrapé le temps perdu dans ses études, a passé son bac à vingt ans et, maintenant, elle prépare une maîtrise d'économie, poursuivit Joseph. Elle en a bavé, on dirait… c'est pourquoi tu devrais la mettre au courant avant qu'il ne soit trop tard. Et, pour commencer, tu n'aurais pas dû lui mentir.

— Il y a bien une chose dont je voudrais lui parler, et c'est de ses relations avec Jared.

— Eh bien, dépêche-toi de le faire. Je n'aime pas trop être complice de tous ces mensonges…

Très bien. Lucas allait passer à la vitesse supérieure ; celle de la séduction. Avec Rachel, cela ne serait certainement pas trop désagréable…

Rachel leva les yeux, surprise de voir Luke Bradbury sortir du bureau de Joseph. Comme elle n'était pas là lors de son arrivée, il avait dû entrer sans se faire annoncer. Mais cela n'avait rien de surprenant, puisque les deux hommes étaient amis.

— Bonjour, Rachel, lui dit-il avec un sourire ravageur avant d'enchaîner : Voulez-vous dîner avec moi, ce soir, là, maintenant ?

La tentation d'accepter était grande, mais quelque chose qu'elle sentait en lui sans bien l'analyser la retint.

— Je dois réviser mes cours.

— Je vous ai laissée tranquille quelques jours. Maintenant, il est temps de me remercier pour vous avoir trouvé ce job, répliqua-t-il sans se démonter.

— Merci de m'avoir trouvé ce job !

— Ce n'est pas une réponse, ça !

Joseph passa la tête par l'entrebâillement de la porte.

— Vous pouvez y aller, mon petit, lança-t-il. Il ne mord pas, vous savez…

— Très bien. D'accord, allons dîner, dit-elle en soupirant.

— Je vous fais appeler une voiture, ajouta Joseph.

Elle n'eut pas le temps de s'interroger sur la façon dont les choses s'enchaînaient que, déjà, Luke lui tendait la main pour l'aider à se lever. Elle ne la prit pas.

Lorsqu'ils arrivèrent dans le hall, elle vit qu'une limousine les attendait devant la porte. Cela sentait un peu le coup monté…

— Qu'est-ce que vous avez manigancé dans mon dos, tous les deux ? demanda-t-elle.

Le chauffeur leur ouvrit la portière et ils s'installèrent sur la confortable banquette.

— Rien, fit Luke. On a parlé de vous.

— De moi ?

— Oui. Joseph m'a dit, pour vos parents… Je suis désolé. Ça a dû être très dur.

Rachel n'avait jamais su et ne savait toujours pas que répondre à cela. Elle ne s'était jamais habituée à leur perte, à la façon si brutale dont ils étaient sortis de sa vie. Elle s'était toujours sentie différente des autres ; personne ne comprenait vraiment ce qui lui était arrivé. Au lycée, tous avaient un père et une mère pour s'occuper d'eux. Pas elle. Il n'y avait pas même un frère ou une sœur pour partager sa peine.

— N'importe qui aurait été déboussolé à votre place, reprit doucement Luke. Vous n'avez pas à regretter ce que vous avez fait.

Elle garda le silence un long moment puis murmura :

— Je n'aurais peut-être pas dû me confier autant à Marcy…

— Vous avez lutté pour survivre, c'est tout. Et vous avez évité la prison, tout de même…

C'était exact. Mais il s'en était fallu de peu !

— Quand les choses ont-elles changé, pour vous ?

Cette question lui parut un peu indiscrète. Décidément, Joseph et lui devaient avoir eu toute une conversation à son sujet. Elle avait à peu près raconté toute sa vie à Marcy, sauf son histoire avec Jared. Elle y répondit malgré tout :

— Après ma troisième arrestation, le juge pour enfants m'a avertie que la prochaine fois ce serait la prison. Il a su me parler. Il m'a demandé de réfléchir à ce que mes parents penseraient de moi s'ils pouvaient me voir. Alors, j'ai eu honte de la petite délinquante que j'étais en train de devenir. Je n'aurais pas voulu qu'ils aient honte de moi, eux aussi. Mais il m'a quand même fallu encore quelques années pour savoir vraiment ce que je voulais faire de ma vie. Je me suis mise à travailler et à prendre des cours du soir pour pouvoir passer mon bac et avoir un petit appartement.

— Et tout ça parce qu'un juge avait su vous parler ?

— Pas seulement. Le fait de trouver un travail dans une compagnie d'assurances m'a redonné confiance en moi. Ce n'est pas si facile, vous savez, pour quelqu'un qui a eu un casier judiciaire avant ses vingt ans…

— Quelle compagnie d'assurances ?

La limousine se gara devant un restaurant.

— On dirait que nous sommes arrivés, dit Rachel.

Avant que le chauffeur n'ait eu le temps de le faire, elle ouvrit la portière.

Un bref instant, elle croisa le regard de Luke et crut y voir comme un soupçon. A moins que ce ne soit un peu de déception ?

Pendant le trajet de retour, Lucas respecta le silence de Rachel. Elle avait évité ses questions tout au long du dîner, en changeant fréquemment de sujet ou en le questionnant à son tour, toujours avec courtoisie et distance. Conscient qu'elle devait bien se rendre compte qu'il essayait d'en savoir plus sur elle et, peut-être, qu'il la soupçonnait de quelque chose, il avait fini par ne plus insister. Pour tout dire, il n'était toujours pas convaincu de son honnêteté.

De plus, ses yeux aux reflets dorés, son regard si profond et si direct le troublaient bien plus qu'il ne l'aurait voulu.

L'arrêt de la limousine devant l'immeuble de Rachel le rappela opportunément à ses devoirs de gentleman.

— Je vous raccompagne jusqu'à votre porte, annonça-t-il.

— C'est inutile. Merci pour le dîner.

Une nouvelle fois, elle ouvrit la portière avant que le chauffeur n'ait pu intervenir et descendit de voiture. Lucas lui emboîta immédiatement le pas.

— Je vous assure, lui dit-elle, il n'y a rien à craindre...

Ignorant ses protestations, il ouvrit la porte d'entrée et s'effaça pour la laisser passer.

Pas d'Interphone ni de concierge...

Elle se dirigea vers l'ascenseur, pressa le bouton d'appel et se retourna.

— Vous pouvez partir, maintenant.

Il n'en avait pas la moindre intention ; elle n'en avait pas assez dit.

— N'importe qui peut entrer dans l'immeuble, répondit-il. Il n'y a pas d'Interphone.

— On n'est pas à Manhattan !

La porte de l'ascenseur s'ouvrit. Rachel entra dans la cabine et il la suivit.

Elle s'avança jusqu'au fond puis se retourna et lui fit face, les bras croisés. Lucas songea qu'il n'allait pas être facile de gagner sa confiance et de l'amener à parler.

De l'amener à se détendre un peu non plus...

Même habillée très sagement comme elle l'était, avec une jupe grise qui descendait aux genoux et un chemisier boutonné jusqu'au cou, elle était terriblement sexy. Ses longs cheveux châtains cascadaient sur son épaule, et même bien stricts et « professionnels », ses vêtements ne dissimulaient pas la plénitude de ses formes. Aucune tenue n'y serait parvenue, d'ailleurs, à part peut-être un grand sac.

Il constata qu'elle était parfaitement consciente de son regard appréciateur et que, malgré elle, elle y réagissait.

Il y avait entre eux une attraction mutuelle tout à fait perceptible, qui faisait vibrer l'atmosphère de cette banale cabine d'ascenseur.

La porte s'ouvrit à nouveau. Il s'écarta pour lui céder le passage, et elle le remercia d'un sourire. Il continua à la détailler tandis qu'elle s'engageait dans le couloir, et elle n'en était pas moins consciente que précédemment. Arrivée à sa porte, elle se retourna.

— Voilà, dit-elle, je suis chez moi. Saine et sauve.

Il fit un pas vers elle pour tester sa réaction. Le regard de Rachel était curieux et rieur, comme si elle attendait quelque chose. Lucas n'avait cependant jamais été du genre à brusquer les choses ; il attendait toujours le bon moment.

Elle posa la main sur son torse et, l'espace d'un instant, il crut qu'elle le repoussait.

— Vous êtes toujours aussi direct, avec les femmes ? demanda-t-elle.

— Si direct que ça ? répliqua-t-il doucement.

Lentement, sans la quitter des yeux, il se pencha. Elle avait à présent les deux mains sur son torse, mais elle ne le repoussait pas vraiment. Sans plus perdre de temps, il couvrit ses lèvres des siennes. Les yeux dorés cillèrent. Il se contenta d'abord d'effleurer sa bouche, avant que sa langue demande le passage. Rachel le laissa faire et il l'embrassa, en y mettant toute son expérience. Elle répondit à son baiser d'une langue douce et agile, et il perdit tout contrôle sur lui-même. Cette bouche accueillante ainsi que ces seins pressés contre son torse lui faisaient perdre tout son sang-froid.

Une bonne minute plus tard, ils s'arrêtèrent, à bout de souffle, leurs fronts l'un contre l'autre.

Le sang pulsait dans le sexe de Lucas, le rendant dur comme la pierre.

— Laisse-moi entrer, murmura-t-il, en lui déposant de petits baisers dans le cou.

— Mais je te connais à peine…

— On peut parler, d'abord, proposa-t-il avant de revenir à sa bouche.

Elle recula un peu et se mit à rire, un rire de gorge profond et très excitant. Puis elle se tourna dans ses bras et déverrouilla la porte, le laissant la suivre. Ces quelques secondes de répit permirent à Lucas de recouvrer un peu son calme. En regardant Rachel, il vit qu'elle aussi semblait récupérer un peu de sa réserve de tout à l'heure.

— Tu veux du café ?

— Je veux bien, merci !

Il l'accompagna dans la cuisine. L'appartement était à peine plus grand qu'une chambre d'hôtel, avec un canapé-lit dans un coin, pour ne pas prendre trop de place. Elle se mit à préparer du café.

— Tu ne m'as pas dit pourquoi tu as quitté les SEALs avant la fin du stage de formation, lui dit-elle.

Il se demanda un instant s'il allait le lui dire. Bien sûr, elle ne pouvait pas imaginer tout ce que cette question provoquait en lui. Peut-être aurait-il dû, comme elle l'avait fait au restaurant, changer de conversation. Il s'exécuta néanmoins, toujours dans l'espoir de gagner sa confiance. Maîtrisant tant bien que mal son ancienne colère, il dit d'un ton aussi neutre que possible :

— Je me suis marié.

— Et ta femme ne te soutenait pas dans ton projet ?

— Elle m'a annoncé qu'elle était enceinte. Je ne voulais pas abandonner mon entraînement et les SEALs, mais je ne me voyais pas non plus partir en mission à l'autre bout du monde à tout bout de champ alors que j'aurais un enfant… J'avais l'intention de rester dans les SEALs pendant quelques années et de fonder une famille seulement ensuite. J'ai pensé que nous n'avions pas pris assez de précautions, elle et moi, et que nous étions tous deux fautifs…

Il aurait bien aimé pouvoir en rester là. La cafetière commença à gargouiller et l'arôme du café envahit la pièce. Rachel prit deux tasses sur l'égouttoir et les remplit.

— Qu'est-il arrivé ? lui demanda-t-elle pour l'encourager à continuer.

L'amertume le submergeait toujours, quand il y repensait. Est-ce que lui raconter tout cela lui permettrait au moins de gagner sa confiance ?

Il pensa alors soudain au visage de sa sœur, à ses fous rires, aux bons moments passés ensemble lorsqu'ils étaient enfants. Luella toujours si spontanée, si insouciante, toujours prête à s'amuser.

Ils avaient grandi très proches l'un de l'autre, et Lucas avait souvent l'impression que sa jeunesse était morte avec elle.

Oui, pour parvenir à ses fins, il fallait certainement qu'il dise à Rachel ce qui s'était passé.

— Après notre mariage, commença-t-il, elle m'a avoué qu'elle n'était pas enceinte. Elle a bien essayé de me faire croire qu'elle avait eu une fausse couche, mais quand j'ai voulu voir des échographies, des ordonnances de médecins, enfin quelque chose de tangible, elle n'a pas pu me montrer quoi que ce soit. Nous nous sommes âprement disputés, et elle a fini par me dire que se prétendre enceinte était la seule façon qu'elle avait trouvée de se faire épouser.

Rachel en resta bouche bée.

— J'ai obtenu le divorce, mais je n'ai pas pu pour autant retourner dans les SEALs.

Rachel secoua la tête.

— Comment peut-on mentir à un homme pour une chose aussi grave ?

— Elle a fait tout ce qu'elle a pu pour éviter de divorcer…

— Moi, j'aurais peut-être pu pardonner, à la rigueur, mais je n'aurais plus été capable d'avoir confiance en une personne qui m'aurait fait une chose pareille, ni même de l'aimer. Si quelqu'un peut mentir à ce point, jusqu'où sera-t-il prêt à aller la prochaine fois qu'il voudra obtenir quelque chose ?

Rachel pensait manifestement à Jared en disant cela, songea Lucas. Comme elle, il avait appris, de la façon la plus brutale qui soit, que l'on pouvait vous débiter des mensonges très convaincants et vous induire délibérément en erreur. Vous tromper sans le moindre égard… Sa petite amie lui avait annoncé en pleurant qu'elle était enceinte, qu'elle ne l'avait pas prévu, et qu'elle se reprochait de ne pas avoir pris ses précautions. Tout cela était tellement illogique ! Elle avait à toute force voulu épouser un candidat au prestigieux corps des SEALs… Sa décision de quitter l'entraînement, quand elle lui avait annoncé qu'elle attendait un enfant, l'avait surprise et attristée. Sans doute était-ce parce qu'elle espérait profiter de ses missions à l'étranger pour s'amuser un peu de son côté…

— Cela te mine toujours, n'est-ce pas ? demanda Rachel.

Il regardait fixement sa tasse de café.

— J'ai certainement fait une lourde erreur en demandant à quitter les SEALs. J'ai bien essayé de revenir en arrière, mais c'était trop tard ; ils ne l'entendaient pas de cette oreille.

— Tu penses que tu aurais dû l'épouser, mais ne pas les quitter, c'est ça ?

— Sans doute. Je savais déjà qu'elle m'avait menti, de toute façon.

— Tu as placé la paternité au-dessus de tes espoirs de carrière, il n'y a rien de honteux à cela. C'est même tout à ton honneur. C'est elle qui t'a menti, toi, tu n'as rien fait de mal.

— Si on veut. Reste que j'ai refusé de terminer l'entraînement. C'est une forme de déshonneur.

— Des choses pires peuvent arriver, dans l'existence…

— A part mourir, je ne vois pas vraiment quoi…

Rachel but une petite gorgée de son café.

— Eh bien, tu n'es pas mort, et tu ne peux pas changer le passé. L'amertume ne sert strictement à rien.

— Tu ne regrettes jamais d'avoir été une délinquante juvénile ?

Les mains autour de sa tasse, elle le regarda sans ciller.

— Si, bien sûr. J'aimerais changer le passé, mais je sais que ce n'est pas possible.

— Et tu n'en es pas amère ?

— Je ne crois pas, non. J'en ai longtemps voulu à la terre entière parce que j'avais perdu mes parents. Finalement, j'ai réalisé que la même chose était arrivée à bien d'autres, et que l'on n'y pouvait rien.

Ils se regardèrent, longtemps. Lucas ne savait plus trop que penser de Rachel. Il ne s'était pas attendu à la trouver aussi posée, raisonnable et si équilibrée. Quelqu'un de bien… Peut-être que son beau-père avait raison, après tout, et qu'elle méritait qu'il lui dise la vérité.

De son côté, Rachel pouvait constater à quel point il souffrait encore en lui racontant la façon dont son mariage s'était terminé. Il y avait fort à parier qu'il serait bien incapable, après cela, de proférer lui-même un tel mensonge. A elle aussi, un homme avait menti. Elle savait ce que cela voulait dire.

Ils étaient debout dans sa minuscule cuisine. Elle s'approcha, lui caressa doucement le visage, puis pressa son corps contre le sien.

— Rachel…

Par quoi commencer ?

— Chuuuut…

Elle posa son index sur les lèvres de Luke, puis sa main glissa vers sa nuque et elle se haussa sur la pointe des pieds pour l'embrasser.

— Il y a quelque chose…

… *Que je dois te dire* resta dans sa gorge tandis qu'elle lui offrait sa bouche.

Il l'attira plus près, la passion flambant en lui. Encore un peu et il allait tout lui avouer. Il plongea ses doigts dans sa chevelure, elle se serra davantage contre lui. Leur baiser le mettait en feu, attisait son désir. Il la voulait nue, tout de suite.

— C'est fou…, murmura-t-elle contre sa bouche.

Fou, oui. Elle ne savait pas à quel point.

— Pourquoi est-ce que tu me fais cet effet-là ? reprit-elle, presque dans un gémissement.

Elle aussi plongea ses doigts dans les épais cheveux blonds, pressant sa bouche contre la sienne, pour un autre baiser explosif.

— J'ai envie de toi, dit-elle dans un souffle, au bout d'un moment. Je n'avais jamais ressenti une chose pareille…

Et elle recula, en posant les mains sur son torse, comme si cesser de le toucher était la chose la plus difficile au monde.

— Mais pourquoi… et pourquoi toi ?

Il aurait pu lui dire exactement la même chose. Pourquoi elle ?

4

Rachel ne pouvait s'empêcher de penser à Luke, encore et encore. Il l'avait pressée de questions durant tout le dîner, la veille, et l'avait mise très mal à l'aise. Qui était-il vraiment ? Quelle que soit la réponse à cette question, l'attirance qu'ils ressentaient l'un pour l'autre était aussi incroyable qu'inexplicable. Sa journée de travail était terminée et, après une petite pause en salle de détente, elle regagnait son bureau pour récupérer ses affaires quand elle entendit, par une porte entrouverte, un petit rire qui ressemblait à celui de Marcy. Elle s'approcha, dans l'intention de souhaiter une bonne soirée à sa nouvelle amie, mais ce qu'elle entendit la fit s'immobiliser.

— Oui, je sais, elle ne se doute de rien. Et elle croit que nous sommes tous ses amis.

— Que va faire Joseph quand elle découvrira la vérité ? demanda une autre voix.

Une femme.

Parlaient-elles d'elle ? Il semblait bien que c'était le cas. Rachel sentit son sang se glacer et se mit à trembler d'appréhension.

— Il engagera quelqu'un d'autre, je suppose. Moi, je ne retournerai pas travailler avec lui. Il sait que je voulais ce poste au service juridique.

C'était bien ça…

Le sentiment d'avoir été trahie la frappa de plein fouet.

— Pourquoi Lucas lui a-t-il menti ? voulut savoir l'amie de Marcy. Pourquoi ne pas lui avoir dit la vérité ?

Rachel aurait aimé le savoir, elle aussi. *Lucas* ? Il avait donné une fausse identité ?

— Son ex-femme l'a appelé, tu savais ça ? reprit Marcy.

— Non. Tu crois qu'ils vont se remettre ensemble ?

— Elle ne dirait pas non, je crois. On peut la comprendre, il est vraiment craquant !

— Et riche…

Elles éclatèrent de rire.

— J'ai un peu pitié de Rachel, reprit l'amie de Marcy.

— Elle va finir par découvrir la vérité, c'est inévitable.

— Est-ce que Joseph t'a dit pour quelle raison Lucas et lui ont monté toute cette histoire ? Pourquoi ils ont voulu l'engager ?

— Non, mais j'ai entendu dire que Lucas venait d'intégrer la fameuse Dark Alley Investigations. Tu sais ce que c'est ?

— Non…

— Une des meilleures agences de détectives privés. Ils sont spécialisés dans la réouverture d'affaires classées. Les gens viennent les voir quand l'un des leurs a disparu, ou a été tué, et que le meurtre n'a pas été élucidé par la police.

— Ah bon ? Ça le rend encore plus sexy, je trouve… Peut-être qu'on devrait prévenir Rachel… Tu as vu comment il la regardait, hier ? C'était chaud !

— Ah oui ?

— Plutôt ! Je ne suis pas sûre qu'il s'en aperçoit lui-même…

La sonnerie d'un téléphone portable retentit.

— C'est mon nouveau patron qui m'appelle, dit Marcy. Il vaut mieux que j'y aille…

Elle s'arrêta net en découvrant Rachel dans le couloir. Celle-ci ne lui adressa pas un regard et alla tout droit au bureau de Joseph. Il était en réunion, mais elle s'en moquait bien. Elle ouvrit la porte sans frapper et si brusquement que le battant alla claquer contre le mur. Joseph était assis à sa place, quatre de ses collaborateurs auprès de lui. Il leva les yeux vers elle et comprit instantanément ce qui venait de se passer.

— Pourquoi Lucas m'a-t-il menti ? demanda-t-elle d'une voix blanche.

En fait, elle s'en doutait. Cela devait être en rapport avec son ancien job dans les assurances. Et avec Jared…

— Rachel…

Joseph se leva et vint vers elle, sous les regards très intéressés de ses quatre collaborateurs.

— Je… je ne voulais pas, mon petit, je le lui ai dit…

— Pourquoi ? répéta-t-elle.

Elle était à deux doigts de fondre en larmes et ne le voulait à aucun prix.

— Lucas aurait dû vous le dire. J'étais d'avis qu'il ne fallait pas vous mentir…

Rachel tourna les talons et se dirigea vers son bureau. Celui de Marcy, plutôt, sauf que celle-ci n'en voulait plus. Il était plus que temps de mettre fin à cette farce.

— Il voulait vous faire parler… de Jared…

Rachel prit son sac à main et se hâta vers la sortie. Joseph la suivit.

— Laissez-moi vous expliquer, plaida-t-il. Lucas vous exposera ses raisons, lui aussi.

Elle traversa le hall, Joseph juste derrière elle. Tous ceux qui étaient là interrompirent ce qu'ils faisaient pour les regarder avec curiosité. Joseph la prit par le bras pour l'arrêter. Elle se laissa faire, sans le regarder. Il lui avait toujours paru si bon pour elle, si paternel…

— Je lui ai dit que vous étiez quelqu'un de bien, dit-il. Ah ! je savais que tout cela finirait mal ! Je regrette d'y avoir participé… Je vous présente mes plus sincères excuses. Soyez sûre que j'ai le plus grand respect pour vous, et que je déplore sincèrement ce qui est arrivé. Je vous prie de me pardonner.

— J'étais tellement contente de tout ça, murmura-t-elle, à nouveau au bord des larmes. D'avoir ce travail…

— Il est toujours à vous, si vous le souhaitez.

Il lâcha son bras.

— Prenez tout le temps que vous voudrez pour y réfléchir…

Ses regrets paraissaient tout à fait sincères, et elle avait envie de le croire.

— Malheureusement, j'ai bien peur qu'il soit trop tard, lâcha-t-elle en essuyant une larme qui lui avait échappé.

Elle sortit du bâtiment, courut presque jusqu'à l'arrêt du bus et monta dans le premier qui s'arrêta. Elle ne voyait plus qu'à travers un brouillard de pleurs. Est-ce que tout ce que Luke… enfin… Lucas, lui avait dit n'était que mensonges ? Une chose était sûre, en tout cas : s'il avait rejoint cette agence de détectives privés, ce ne pouvait être que pour une seule raison : rouvrir le dossier du meurtre Luella Palmer. Qu'était celle-ci, pour lui ? Une amie ? La fille de Joseph ? Elle prit son smartphone, qui n'était pas un modèle dernier cri, et se mit à chercher sur Internet tout ce qui pouvait concerner Joseph Tieber et Luella Palmer. Elle trouva vite la réponse à la question qu'elle se posait. Luella était bien la fille de Joseph, et elle était la sœur de Lucas. Lucas Curran, soit dit en passant, et non Bradbury.

Non sans amertume, elle songea qu'ils avaient fait l'amour et qu'elle ignorait qui il était vraiment…

Joseph était-il son beau-père ? Ils ne portaient pas le même nom de famille. Et Luella s'appelait-elle Tieber ou Curran, avant d'épouser Jared ?

Elle se méprisait pour avoir laissé éclater sa colère et son chagrin dans le bureau de Joseph. L'humiliation qu'elle en ressentait lui faisait redouter de devoir retourner à Tieber Air Transport, et plus encore de revoir Lucas. Ne voulant pas non plus rentrer chez elle avec tout ce tumulte dans ses pensées, elle laissa passer son arrêt et resta dans le bus.

Une heure plus tard, elle prenait le chemin du domicile

de Joseph. Il lui fallait des informations, savoir la vérité et, à tout prendre, elle préférait affronter son ex-patron plutôt que Lucas. Il devait être rentré, à présent…

Elle arriva enfin dans la rue très résidentielle où il habitait, avec ses grandes maisons séparées les unes des autres par de vastes terrains, se présenta à son adresse — qu'elle connaissait pour l'avoir lue sur des documents officiels —, et sonna à la porte.

Une dame vint lui ouvrir, blonde, encore très belle et très soignée de sa personne. Elle parut surprise de sa visite. On entendait une vague rumeur dans la maison, peut-être le son d'un poste de télévision. L'entrée fit à Rachel l'effet d'une nef de cathédrale. Jamais encore elle n'en avait vu d'aussi grande dans une maison particulière.

— Oui ?

— Est-ce que M. Joseph Tieber est là, s'il vous plaît ?

— Il n'est pas encore rentré. Qui le demande ?

La dame la dévisageait comme si elle essayait de se rappeler si elle l'avait déjà vue quelque part.

— Je travaille pour votre mari, madame. Enfin… plutôt, je travaillais pour lui.

— Mais c'est à quel sujet ?

— Je…

Embarrassée, Rachel se mordit la lèvre. Elle voulait seulement parler à Joseph et n'avait pas envie de s'en expliquer.

— Attendez une minute…, reprit la dame. C'est vous… C'est vous qui avez eu une liaison avec le mari de notre fille ?

Rachel baissa la tête.

— Je suis désolée, dit-elle en soupirant. Je crois que ma démarche n'était pas… une bonne idée. Je m'en vais.

— Attendez une minute…, répéta la dame en posant la main sur son bras.

Surprise, Rachel la regarda dans les yeux. Ils étaient

bleu-gris, comme ceux de Lucas. Elle n'y vit aucune dureté, mais plutôt de la douceur et de la compréhension.

— Vous avez découvert la vérité, alors ?

— Vraiment, je crois qu'il vaut mieux que je m'en aille, fit Rachel.

— Joseph disait que vous la découvririez tôt ou tard. Venez, entrez…

La dame l'emmena jusqu'à un spacieux salon qui impressionna aussi beaucoup Rachel.

— Asseyez-vous et discutons. C'est bien ce qu'auraient dû faire mon mari et mon fils, avec vous, depuis le début…

Rachel s'assit sur le bord d'un canapé à la taille spectaculaire. Elle se sentait émue et pleine de gratitude envers cette femme qui aurait pu la chasser et qui, au lieu de cela, lui ouvrait sa porte. Depuis sa malheureuse liaison avec Jared et la perte de son premier « vrai » travail, beaucoup de ses amis lui avaient fermé les leurs, et elle n'avait aucune famille, à part quelques cousins éloignés, dans tous les sens du terme.

— Je suis Gloria Tieber. Comment avez-vous appris la vérité ?

Un peu prise de court, Rachel ne put que répondre :

— J'ai entendu Marcy en parler à une de ses amies.

— Peu importe ce qu'elle dit. Cette femme est dévorée par la jalousie. Joseph voulait la transférer à un autre poste, de toute manière. Il n'aime pas beaucoup les hypocrites, il préfère les gens francs, comme vous… Vous savez, ce n'est pas son genre de mentir. Il l'a fait pour Lucas. Ils ont toujours été très proches, tous les deux.

— Votre mari… n'est pas son vrai père, je crois ? avança Rachel.

Elle l'avait déduit, mais elle en voulait la confirmation.

— Non, mais il l'a élevé, ainsi que ma fille, d'ailleurs. Mon premier mari est mort quand Lucas avait quatre ans et que Luella était un bébé…

Rachel hocha la tête. Perdre un mari, puis une fille…

cette femme n'avait pas été autant gâtée par la vie qu'elle le paraissait.

— Cela a dû être terrible, murmura-t-elle.

Gloria eut un sourire un peu triste.

— Joseph m'a beaucoup aidée. C'est un homme merveilleux. Il a élevé les enfants sans vouloir les adopter officiellement, par respect pour leur père.

Il paraissait bien être capable, en effet, de ce genre de dévouement désintéressé. Lucas aussi, songea Rachel avant de repousser au plus vite cette pensée inopportune.

— Pourquoi m'a-t-il menti ? demanda-t-elle. Est-ce qu'il croit que j'ai quelque chose à voir avec le meurtre de votre fille ?

— Je crois surtout qu'il envisage toutes les possibilités, répondit Gloria.

— Je ne la connaissais pas. Je n'ai entendu parler d'elle qu'au moment de son assassinat, dit Rachel qui éprouvait le besoin de se justifier.

— Je sais, Joseph me l'a dit.

Un matin comme les autres, Rachel s'était réveillée et s'était préparée à partir au travail. Comme toujours, elle avait bu une tasse de café en regardant vaguement le journal télévisé. Un reportage sur un crime avait attiré son attention, et elle avait instantanément reconnu la maison de Jared. Il l'y avait emmenée quelques fois, pas très souvent, et peut-être dans le but qu'elle ne soupçonne pas qu'il était marié. Il devait attendre pour cela les moments où Luella s'absentait pour plusieurs jours.

C'est ainsi qu'elle avait découvert que Jared lui mentait. Ce n'était pas possible ! Il n'avait pas pu faire ça…

La caméra le montrait ensuite tandis qu'on l'emmenait au poste de police pour l'interroger. Le mari était toujours le premier suspect, mais quel mobile aurait-il bien pu avoir ?

— Après cela, il a essayé de m'appeler, reprit-elle à l'intention de Gloria. Mais je n'ai plus jamais voulu lui parler, ni même entendre ses explications. Il m'avait menti en me cachant qu'il était marié ; je n'avais pas besoin d'en savoir plus.

— Pourquoi n'êtes-vous pas allée voir la police ?

Etait-ce cela que Lucas lui reprochait ?

— Je ne voulais plus entendre parler de lui, et je n'avais rien à voir avec le meurtre de sa femme. J'ignorais son existence, et je n'étais pas avec Jared, cette nuit-là. Qu'aurais-je pu leur dire ? Je suppose qu'il pourrait être l'assassin et avoir menti à la police...

Une part d'elle-même le souhaitait presque et aurait été heureuse de le voir croupir en prison.

Gloria croisa ses belles jambes et dit simplement :

— Lucas est convaincu que Jared a tué Luella.

— Pourquoi ? A-t-il découvert quelque chose ? Et s'il en est tellement convaincu, pourquoi s'intéresser à moi ?

— A cause de votre liaison, bien sûr, et parce que vous n'êtes pas allée voir la police.

Cette fois, Rachel garda le silence. Sans doute valait-il mieux ne pas trop en dire.

— Et je ne pense pas qu'il vous traque, vous savez. Il a besoin de trouver des informations, c'est tout.

Rachel commençait à n'être plus tout à fait sûre d'apprécier cette femme. Elle vous accueillait très cordialement, mais allez savoir ce qui se cachait derrière son amabilité...

— Je vais devoir y aller...

Alors qu'elle se levait, elle vit Lucas sur le seuil du salon et en resta interdite une seconde. Avait-il entendu sa conversation avec Gloria ?

— Bonsoir, Rachel.

La façon dont il avait prononcé son prénom lui mit les nerfs à vif. Elle se repassa en vitesse tout ce qu'elle venait de dire. Rien de bien terrible, après tout...

Gloria se leva à son tour et, souriante, alla embrasser son fils.

— Je me demande bien ce qui t'amène ici, lui dit-elle.

Au ton de sa voix, on devinait qu'elle le savait parfaitement. Lucas rendit ses baisers à sa mère, sans quitter Rachel des yeux.

Pourquoi la regardait-il ainsi ? Ce qu'ils avaient vécu ensemble l'autre nuit était bien oublié, sans doute...

Elle se dirigea vers la porte, mais Lucas lui barra le passage.

— Tu n'iras nulle part, murmura-t-il.

Elle recula, hors de sa portée. Comment comptait-il l'empêcher de s'en aller ? La nuit dernière, la passion l'avait aveuglée. Elle y voyait plus clair, à présent. Jamais elle n'aurait dû baisser sa garde... Elle aurait dû se méfier, suivre son instinct.

— Tu viens de dire à ma mère que tu n'avais pas parlé à Jared.

— C'est la vérité. Pas après que j'ai découvert qu'il était marié...

— Tu lui as bel et bien parlé, pourtant. Il a essayé de te reprendre.

— Comment le sais-tu ? répliqua-t-elle. Tu m'espionnes ?

Non seulement il lui avait menti, mais en plus il la surveillait, Dieu seul savait depuis quand. Il était au courant de son histoire avec Jared et, après ce qui s'était passé entre eux la nuit dernière, il allait peut-être reprendre la vie commune avec son ex-femme ! Toute l'humiliation qu'elle avait déjà subie refit surface. Elle refusait d'être une nouvelle fois la victime d'un homme. Elle le bouscula pour sortir, mais il la retint par le bras.

— Qu'est-ce que tu nous caches, Rachel ? demanda-t-il d'un ton dur.

— Laisse-moi passer !

Elle regrettait à présent de s'être aventurée seule chez les Tieber.

— Parle-moi de ton job dans cette compagnie d'assurances. C'était celle de Jared, n'est-ce pas ?

D'un mouvement sec, elle se libéra et s'enfuit hors de la maison.

Lucas la suivit dans la rue.

— Si tu sais quelque chose, c'est ton devoir de me le dire, lui lança-t-il.

Elle l'ignora et pressa le pas.

— Rachel !

— Laisse-moi tranquille ! Je souhaite que tu trouves l'assassin de ta sœur, mais je ne sais rien qui puisse t'y aider.

Elle se retourna vers lui, l'index pointé.

— Et si j'avais su quelque chose, figure-toi que je serais allée le dire à la police !

— Le plus petit détail, le plus insignifiant, peut faire rebondir une enquête dans une tout autre direction.

« Le plus petit détail… »

Lui parler de la seule et unique fois où elle avait vu sa sœur ne pourrait pas lui être d'une grande utilité et cela constituait à peine un détail, comme ce qui s'était ensuivi. Mais oserait-elle le lui révéler ?

Elle se remit en marche sans répondre. Il eut un soupir résigné.

— Où vas-tu ? lui demanda-t-il finalement.

— Prendre mon bus.

— Attends, je te ramène…

Il semblait ne plus vouloir insister, mais elle n'était pas dupe : il allait probablement la questionner avec insistance. Jusqu'où irait-il pour la faire parler ? Allait-il lui mentir encore ?

— Non merci, tu m'as déjà fait le coup hier soir.

— Ça n'a rien à voir avec hier soir !

— Ce qui est arrivé hier soir est le produit de ton mensonge ! rétorqua-t-elle.

— Je dois trouver qui est l'assassin de ma sœur et tu n'es pas précisément bavarde…

— Ce n'est pas moi qui l'ai tuée !

— Sais-tu qui l'a fait ?

Rachel songea à l'homme sans visage qui l'avait suivie jusque chez elle et qui lui faisait si peur.

— Non. Je l'ignore.

Elle arriva à l'arrêt du bus et constata avec dépit qu'aucun ne passerait avant vingt bonnes minutes.

— Allons, laisse-moi te ramener, insista Lucas.

Elle le regarda, certaine qu'il ne la croyait toujours pas et ne lui faisait aucune confiance.

— Tu m'as menti, répliqua-t-elle. Et tout ce qui t'intéresse, c'est ce que je pourrais savoir. Seulement je ne sais rien. Rien du tout !

Il parut s'adoucir.

— Il fait nuit et il fait froid, lui dit-il. Allez, viens…

— Je ne peux pas t'aider. Alors pourquoi perds-tu ton temps avec une fille comme moi ?

— Je ne perds pas mon temps, et je suis désolé de t'avoir menti. Mais tu peux comprendre à quel point cette affaire est importante pour moi. Allez, viens…

Il lui tendit la main, mais elle n'était toujours pas prête à rendre les armes.

— Et ton ex-femme ? Elle serait d'accord pour que tu me ramènes chez moi ?

Il la dévisagea, un peu interloqué, et mit une seconde ou deux à comprendre où elle voulait en venir.

— Ça m'est égal, qu'elle soit d'accord ou pas.

Jared aurait pu lui dire à peu près la même chose. Tous les menteurs se ressemblent…

Elle détourna le regard.

— Pourquoi ? Tu crois que je voudrais la reprendre, après ce qu'elle m'a fait ? Je ne suis pas Jared, et ça ne me plaît pas que tu nous confondes !

Il lui prit la main et la força à le regarder.

— Je vois bien que tu n'accordes pas ta confiance facilement, surtout quand on t'a menti, mais je t'assure que tu ne cours aucun risque en me laissant te ramener chez toi.

Il lâcha sa main.

— Où est ta voiture ? demanda-t-elle avec répugnance.

C'était le froid, et non ses belles paroles, qui l'avait fait changer d'avis.

Pas question de faire confiance à un manipulateur…

5

Lucas coupa le contact après s'être garé devant l'immeuble de Rachel.

— Pas la peine que tu montes, cette fois, lui dit-elle plutôt sèchement en ouvrant sa portière.

— Rachel…

Il devait toutefois admettre qu'elle avait raison ; se retrouver seul avec elle dans son petit appartement présentait des risques pour eux deux.

— Ne rends pas mon père responsable de ce que je t'ai fait. Tu devrais garder le job… C'est un homme bon, et tu as besoin du salaire.

Elle se tourna vers lui.

— Pas comme toi ?

— Je n'ai pas besoin du salaire ?

— Non. Tu n'es pas « bon », toi, n'est-ce pas ?

Il sourit.

— Je suis peut-être un peu plus brut de décoffrage que lui…

Elle le regarda une seconde en silence et reprit :

— Et l'entraînement pour devenir un SEAL, c'était du boniment aussi ?

— Non, ça, c'est vrai.

Il aurait donné n'importe quoi pour en devenir un, et elle était le genre de femme qui l'aurait certainement soutenu.

Il se demanda pourquoi cette idée venait de lui traverser la tête…

— Et ton ranch ? reprit-elle.

— Vrai aussi. Il existe.

— C'est ton papa qui te l'a offert ?

— Il m'a servi de garant à la banque, mais j'avais de l'argent de côté. On n'est pas trop mal payé, dans les groupes d'intervention… Une fois qu'ils t'ont recruté, les SWAT cherchent à te garder un peu.

— Tu as été SWAT, aussi ?

— Oui, dans la police de Los Angeles, avant d'entrer chez Dark Alley.

Rachel parut intéressée, peut-être admirative. Elle n'avait toujours pas quitté la voiture. Il y avait peut-être de l'espoir, après tout.

— Et ton ex-femme ? demanda-t-elle.

— Pas question que je renoue avec elle. Et ce n'est pas non plus un mensonge.

Le fait de s'être sentie trahie l'avait poussée à dresser autour d'elle un véritable rempart. Au fond, il la comprenait. Elle devait être en train de peser soigneusement tous ses discours pour savoir si elle pouvait les croire ou non.

— Dark Alley… Une agence d'élite, à ce qu'il paraît. La crème…

Il ne put s'empêcher de sourire.

— « Elite » n'est pas un mot que j'aime employer à propos de tout et de n'importe quoi. Disons…

Il chercha le mot quelques instants.

— Disons qu'elle offre des facilités.

Les yeux d'or se tournèrent vers lui de nouveau, avec curiosité. Il faillit s'y perdre et oublier jusqu'au fil de leur conversation.

— « Des facilités » ?

— Avec eux, j'ai les mains beaucoup plus libres que lorsque j'étais dans la police de Los Angeles.

— Tu veux dire qu'ils regardent ailleurs si tu fais quelque chose d'illégal, pourvu que cela serve les investigations ?

— Quelque chose comme ça. Je suis une sorte de

mercenaire, là-dedans. Un mercenaire avec un cœur et des principes, toutefois.

Cette fois, elle descendit de voiture puis se pencha vers lui et dit tranquillement :

— Tu mens !

Puis elle se dirigea vers la porte de son immeuble. Lucas la regarda s'éloigner avec une sorte d'admiration. La lumière d'un réverbère nimbait sa silhouette et ses cheveux. Puis, tout à coup, plus rien. Elle était entrée.

Avant de revenir sur terre, il s'accorda quelques secondes de rêverie. Depuis la dernière fois qu'il s'était intéressé à une femme pour des raisons autres que professionnelles, il n'avait plus ressenti ce petit pincement au ventre… Cela s'était passé peu de temps après son divorce, avec une de ses collègues de la police de Los Angeles, et ne s'était pas très bien terminé. Il n'était pas prêt à s'engager de nouveau.

A vrai dire, il ne savait plus exactement à quoi il était prêt. Il s'était préparé successivement à devenir un bon SEAL, puis un bon enquêteur, puis un bon policier d'intervention. Il fallait croire qu'il avait quelque chose à se prouver à lui-même…

Quant à ses relations avec les femmes… Allait-il passer le reste de sa vie dans la peau d'un célibataire ? En réalité, cette question ne le tourmentait guère. Mais ce pincement, tout de même… Certaines femmes pouvaient faire prendre à votre vie un tournant tout à fait inattendu, il en savait quelque chose. Il en était là de ses pensées quand il remarqua soudain une ombre en train de grimper à l'échelle d'incendie qui flanquait la façade de l'immeuble de Rachel. L'homme allait atteindre le quatrième étage.

Sans hésiter, Lucas descendit sans bruit de sa voiture après avoir pris dans sa boîte à gants son pistolet qu'il glissa dans sa ceinture. A son tour, il se hissa souplement sur l'échelle, en prenant bien soin de rester dans l'ombre.

L'homme s'activait visiblement sur le loquet d'une fenêtre.

Etait-ce l'une de celles de Rachel ? Elle devait se préparer à se coucher et ne se doutait certainement de rien.

Lucas monta rapidement, tandis que l'homme s'introduisait dans l'appartement, sans refermer derrière lui. Croyait-il qu'elle était absente et venait-il pour un cambriolage, ou avait-il l'intention de l'agresser ?

Enjambant à son tour l'appui de fenêtre, Lucas passa dans le petit living-room de Rachel plongé dans l'obscurité.

Il pouvait entendre couler la douche et voir l'homme, qui lui tournait le dos, se diriger vers la salle de bains dont la porte était entrouverte. Il mesurait environ un mètre quatre-vingts, avait des cheveux sombres et des vêtements noirs. A un moment, il tourna un peu la tête comme pour écouter, et Lucas aperçut son profil. Il ne se souvenait pas de l'avoir déjà rencontré. L'intrus prit soudain conscience de sa présence et se rua sur lui. Lucas n'eut aucun mal à parer ses premiers coups et à lui en porter deux à la tête. Comprenant qu'il avait affaire à un adversaire entraîné, l'homme plongea au sol et roula sur lui-même avant de se relever. Lucas le frappa du pied en plein dans la poitrine, l'envoyant heurter le mur opposé à la fenêtre. Il parvint néanmoins à se rétablir et à bondir vers la porte avant que Lucas ait pu l'intercepter. Rachel parut alors sur le seuil de la salle de bains, drapée dans une serviette, et l'intrus profita de cet instant de confusion pour se précipiter sur le palier puis dans l'escalier.

— Reste ici ! cria Lucas à Rachel en se lançant à sa poursuite.

Mais l'inconnu était rapide. Arrivé au rez-de-chaussée, il bouscula au passage un vieil homme qui rentrait et, Lucas à ses trousses, s'engagea dans la rue, renversant des poubelles qui roulèrent sur le trottoir dans un véritable tintamarre. Lucas parvint à l'extrémité du pâté de maisons à temps pour le voir s'engouffrer dans un parking presque vide à cette heure-ci, et où un automobiliste était en train de garer sa Sedan flambant neuve. L'homme ouvrit la portière du conducteur en voltige, l'arracha à son volant, prit sa place et démarra en trombe quasiment dans le même mouvement. Hébété, assis par terre sur le ciment, le malheureux propriétaire regarda sa voiture sortir du parking tandis que Lucas, qui avait saisi son arme, tirait dans ses pneus. Il dut en toucher un à l'arrière, car la Sedan se mit à zigzaguer, mais sans s'arrêter pour autant.

— Elle… elle a des *run-flats*, bégaya le malheureux automobiliste. Il peut encore rouler plusieurs kilomètres avec, même s'ils sont crevés.

Lucas remit son pistolet dans sa ceinture.

— Allez porter plainte pour vol, lança-t-il à l'homme en s'éloignant.

— P… pourquoi vous le poursuivez ? Vous êtes de la police ?

Lucas ne prit pas le temps de répondre et retourna en courant vers l'appartement de Rachel. Avant toute chose, il devait la mettre en lieu sûr. Il verrait à faire une déposition demain matin.

Rachel avait enfilé un jean et une chemise de flanelle à manches longues. Il pouvait voir qu'elle n'avait pas pris le temps de mettre un soutien-gorge…

— Prépare quelques affaires, lui dit-il, la gorge un peu serrée de la trouver si séduisante.

— Pourquoi ?

— Je t'emmène chez moi.

— Dans ton ranch ?

— Non. J'ai une maison en ville.

Elle alla dans la cuisine et ouvrit le réfrigérateur.

— Ce n'est pas nécessaire.

Lucas la suivit, s'arrêtant sur le seuil du minuscule espace dans lequel elle préparait ses repas.

— Bien sûr que si, insista-t-il.

— J'aurais pu me débarrasser de cet homme toute seule.

Son excès de confiance en elle l'attendrissait presque.

— Avec une serviette drapée autour de toi ? demanda-t-il, amusé.

— Je m'en serais débarrassée !

Elle referma le réfrigérateur et décapsula une bouteille d'eau minérale.

Il fixa le sillon entre ses seins, que laissait voir l'échancrure du chemisier.

— Ça ne lui aurait peut-être pas déplu, remarqua-t-il, pince-sans-rire.

— Je sais me battre.

Elle lui tendit la bouteille.

— Tu en veux ?

Retournant dans la pièce principale, Lucas ouvrit une armoire, à la recherche d'un sac ou d'une valise quelconque.

— Mais qu'est-ce que tu fais ? demanda Rachel.

Il regarda sous le lit et y trouva un sac de voyage, qu'il ouvrit et où il commença à fourrer quelques vêtements pris sur les étagères.

— Hé ! Arrête ! s'exclama-t-elle en lui saisissant le bras.

Sans se démonter, il rangea le pantalon qu'il tenait dans le sac.

— Je t'emmène, dit-il très calmement. Même si je dois pour cela te ficeler et te jeter sur mon épaule.

— Pourquoi veux-tu à toute force me protéger, puisque tu me prends pour une meurtrière ? demanda-t-elle en lâchant son bras.

— Je ne pense pas que tu aies tué quiconque, mais je me demande si tu n'as pas connaissance de quelque chose d'important que tu ne veux pas me dire. C'est pourquoi je m'intéresse beaucoup à toi.

Et il appuya ses dires d'un long regard appréciateur, qui semblait plutôt indiquer un intérêt d'une tout autre nature…

Elle soutint son inspection en silence, les bras croisés.

— Allez, lui dit-il doucement, finis ton sac. Je vais oublier des choses, si c'est moi qui le fais.

*
* *

Pendant quelques instants, Rachel ne bougea pas. Puis elle regarda autour d'elle. C'était vraiment petit, ici. Trop petit. Abandonner cet endroit ne serait pas un grand sacrifice. Et puis, qu'avait-elle le plus à redouter ? Lucas, ou ces menaces diffuses qu'elle sentait autour d'elle ?

Mais Lucas savait maintenant qu'elle lui cachait bel et bien quelque chose.

— J'assurerai ta protection…, insista-t-il.

Elle leva lentement les yeux vers lui. Elle n'avait nulle part où aller. Bien sûr, elle pouvait rester là, au risque de recevoir d'autres visites du genre de celle de ce soir. Cependant, il lui fallait un travail pour payer son loyer, et elle ne savait pas encore si elle retournerait chez Tieber Air Transport.

— … et je ne te traiterai pas comme une suspecte, c'est promis.

Pas avant d'avoir une preuve contre elle, ou d'avoir découvert ce qu'elle dissimulait.

Elle continua à réfléchir quelques secondes, puis poussa un soupir résigné.

— Bon, d'accord. Mais seulement jusqu'à ce que j'aie trouvé un nouveau travail.

— Ou que tu te décides à garder celui que tu as, dit-il en souriant, pas le moins du monde impressionné par le regard noir qu'elle lui lança.

Comparée à son appartement, la maison de ville que possédait Lucas donnait l'impression d'être un palais. Il gara sa voiture dans un garage à trois places, où se trouvait déjà une limousine aux vitres fumées. Rachel le suivit dans les pièces d'habitation. Une bonne odeur de fleurs fraîches régnait dans la lingerie, qu'ils traversèrent pour passer dans le vestibule, où un large escalier donnait accès à l'étage. Au rez-de-chaussée, Lucas lui montra un vaste salon, un bureau bibliothèque, une cuisine et la salle à manger attenante. Plus encore que l'aspect cossu de cette belle demeure, c'étaient les touches personnelles dans sa décoration qui plaisaient à Rachel. Il y avait des photos de famille sur les meubles et les étagères dont certaines, anciennes, devaient être des portraits du père biologique de Lucas. Sur l'une d'elles, il portait un uniforme de la police.

— Qu'est-il arrivé à ton père ? s'enquit-elle.

— Il est mort en service commandé, répondit-il très simplement.

Elle perçut toutefois encore la trace du deuil dans sa voix.

— Un jour, il a reçu un appel au secours dans sa voiture de patrouille. Il s'est rendu à l'adresse indiquée et a été abattu sur le pas de la porte par le petit ami de la femme qui l'avait appelé à l'aide. Elle était morte, il venait de l'assassiner… L'homme a réussi à prendre la fuite, mais il a été tué quelques jours plus tard, en voulant résister aux policiers qui venaient l'arrêter.

— C'est terrible !

— Je n'étais qu'un gamin et ma sœur, un bébé…

— Ta pauvre mère…

Pour avoir perdu ses parents à un âge très tendre, Rachel ne savait que trop ce que ce genre de perte représentait.

— Oui, mais heureusement, elle a rencontré Joseph. Il lui a redonné le goût de vivre, et à nous aussi. Je le considère comme mon père.

Il y avait un beau modèle réduit de voilier sur une console, et elle voyait bien que les tableaux aux murs n'étaient pas des reproductions.

— De qui sont-ils ? fit-elle.

— Un de mes informateurs qui était artiste peintre. Je lui ai acheté quelques toiles… il était accro à la drogue, et j'essayais de l'aider.

— Qu'est-il devenu ?

— Overdose… Viens, je vais te montrer ta chambre.

A l'étage, il la fit entrer dans l'une des chambres d'amis, et ouvrit une armoire. Il y avait des vêtements à l'intérieur. Des vêtements de femme. Surprise, Rachel demanda :

— C'était à ton ex ?

— Non. Une femme qui avait été victime d'un viol tenait une boutique de fringues de deuxième main. J'ai enquêté sur son affaire, à Los Angeles, et on est restés copains, ensuite. Comme ses affaires ne marchaient pas trop bien, je lui ai acheté tout ça pour l'aider.

Décidément, il était très secourable. Rachel commençait à le voir sous un jour un peu différent et se sentait presque tentée d'oublier qu'il lui avait menti.

— S'il y a quelque chose qui te va, ajouta-t-il, tu peux le mettre et le garder.

— Merci !

Le lendemain matin, vêtue d'un jean en velours et d'un joli pull écru qu'elle avait trouvés dans l'armoire, Rachel attendait avec Lucas l'inspecteur avec qui il avait pris rendez-vous pour faire sa déposition sur les événements survenus dans la nuit.

Le poste de police bourdonnait d'activité, et Rachel observait avec curiosité une jeune femme qu'elle n'aurait jamais identifiée comme une prostituée, si elle n'avait pas entendu les faits retenus contre elle. Elle n'arborait pas une tenue vulgaire ou outrageusement sexy. Sa robe noire plutôt stricte lui allait à ravir, et les quelques beaux bijoux qu'elle portait semblaient tout à fait authentiques. Le grand type en costume cravate qui l'accompagnait, un tatouage visible sur le dos de la main, était peut-être son souteneur… Rachel les examinait tous les deux avec un intérêt passionné. Les êtres humains, dans leur ensemble et leur diversité, la fascinaient toujours ; aussi bien ceux que la vie favorisait que ceux, bien plus nombreux, qu'elle brisait.

Elle se pencha vers Lucas.

— Je me demande ce qu'elle peut bien penser, chuchota-t-elle. Est-ce qu'elle a une famille ? Est-ce qu'elle aimerait changer de vie ? Faire un métier normal ?

Elle aurait voulu que chacun, dans la vie, puisse trouver sa voie. Or, ce n'était pas le cas et elle le savait. Seuls les plus forts survivaient. Et les plus riches qui, eux, ne se souciaient pas toujours des autres, de les aider à garder la tête hors de l'eau. Elle, elle se jurait bien de venir en aide à son prochain lorsqu'elle en aurait les moyens.

— Monsieur Curran ? appela un policier en civil en passant la tête à la porte de l'un des bureaux. Vous voulez venir ?

Rachel n'était pas encore habituée au véritable nom de Lucas. C'était toujours un pénible rappel du fait qu'il lui avait menti…

Elle se leva avec lui et ils entrèrent dans le bureau en serrant la main du policier, un homme de petite taille qui commençait à perdre ses cheveux. Il se présenta.

— Inspecteur Bob Newman.

Il se tourna vers Lucas.

— Comme vous aviez dit au téléphone que vous étiez de l'agence Dark Alley, je leur ai passé un coup de fil et votre patron m'a rappelé pour me parler de vous. Si on m'avait dit que le célèbre Kadin Tandy me téléphonerait en personne…

Il les invita à s'asseoir.

— Qui ne connaît pas Dark Alley Investigations à Bozeman ? Mais aussi ailleurs, continua-t-il. L'agence qui résout les affaires qui ont été classées… Il y a pas mal de collègues qui vous en veulent, mais moi, j'estime que les leçons sont bonnes à prendre, d'où qu'elles viennent.

Lucas ne répondant rien, Newman enchaîna :

— Il m'a dit que vous étiez vous-même un enquêteur très expérimenté…

— C'est-à-dire que j'ai travaillé à la Criminelle, à Los Angeles, avant d'entrer au SWAT, dit sobrement Lucas.

— Vous deviez être un as, c'est sûr ! s'exclama chaleureusement l'inspecteur. Kadin Tandy n'engagerait pas n'importe qui !

— Euh…

Lucas toussa.

— Au sujet de cette voiture, sur laquelle j'ai dû ouvrir le feu…

— Ah oui, la Lexus volée…

Newman ouvrit un dossier devant lui.

— Nous l'avons retrouvée abandonnée, à la sortie de la ville.

Il montra un plan et Rachel se pencha pour regarder. Elle visualisa vite l'emplacement. Il y avait, non loin de là, un bar plutôt mal famé et relativement isolé, donc doublement dangereux.

— Et les empreintes ont parlé, ajouta Newman en poussant vers eux une photo couleur tirée d'une imprimante.

Rachel reconnut sans peine l'homme qui s'était introduit chez elle.

— Est-ce que vous l'aviez déjà vu auparavant ? lui demanda le policier.

— Non, répondit-elle sans hésitation.

Lucas ne fit aucune remarque, mais elle eut le sentiment qu'il ne la croyait pas.

Il ne lui faisait aucune confiance, puisqu'il savait bien qu'elle lui dissimulait quelque chose qu'elle ne voulait pas divulguer.

Quand ils sortirent du poste de police, Lucas prit la direction du bar près duquel la voiture avait été retrouvée. Rachel aurait été surprise de l'apprendre, mais il croyait tout à fait qu'elle n'avait jamais vu son agresseur. Il n'avait aucune raison d'en douter.

Cependant, elle avait bel et bien d'autres secrets…

Il était maintenant près de midi, et il y avait déjà pas mal de voitures sur l'aire gravillonnée qui servait de parking à l'établissement. La Lexus avait été abandonnée au bord de la route, à environ cinq cents mètres de là. Peut-être que le voleur était allé boire un verre… A l'entrée du minable débit de boissons, une odeur de bière bon marché et d'huile de friture les prit à la gorge. Suivi de Rachel, Lucas se fraya un chemin jusqu'au comptoir où s'agglutinaient des consommateurs à la mine patibulaire. Il montra au barman la photo dont Bob Newman lui avait donné une photocopie, mais l'homme secoua la tête. Il fit alors circuler sans succès le portrait à la ronde, jusqu'à ce qu'un buveur, après avoir jeté un coup d'œil au cliché, dise :

— Vous cherchez Marcus Henderson ?

Lucas pointa la photo du doigt.

— C'est son nom, vous êtes sûr ?

— Je veux ! Ce salopard m'a emprunté un tas de fric et me l'a jamais rendu !

— Vous savez où on peut le trouver ?

Lucas remit la photo dans la poche de son blouson.

— Qu'est-ce qu'il a encore fait ?

— Effraction, violation de domicile et vol de voiture.

— Vous êtes flic ?

L'homme le détailla de la tête aux pieds.

— Vous n'en avez pas l'air…

— Je suis un « privé ».

Le buveur se mit alors à examiner Rachel, avec plus d'attention encore et un plaisir visible.

— C'est mon assistante, lança Lucas. On peut le trouver où, votre Henderson ?

— Vous allez l'obliger à me rembourser ?

— Il vaudrait mieux passer par les voies légales, pour ça. Mais on peut toujours le lui rappeler…

Lucas mit les mains sur ses hanches, de façon que son pistolet soit bien visible dans son holster. L'homme hocha la tête et sourit pour montrer qu'il avait bien saisi le message.

— Il y a autre chose que vous voulez savoir sur lui ? demanda-t-il.

— Tout ce que vous savez. Où il travaille, s'il a de la famille, des amis. Les endroits qu'il fréquente…

— Il travaille pas, il deale, c'est tout. Enfin, il paraît aussi qu'il fait les sales boulots de ses fournisseurs. Comme forcer à payer les gens qui leur doivent du pognon. Plutôt marrant, pas vrai ?

— Et qui sont-ils, ses fournisseurs ?

— Ça, personne le sait et c'est pas lui qui va le dire… Il est malhonnête, mais il est pas fou.

— Et vous ? fit Rachel tout à trac. Vous dealez de la drogue, aussi ?

Lucas la regarda, vaguement désapprobateur. C'était une question bien naïve, à laquelle aucun truand ne répondrait honnêtement.

— Ah non, m'dame ! Moi, je vends des voitures chez le concessionnaire Ford, en ville. Je veux pas d'histoires…

— Il a d'autres amis ? reprit Lucas. De la famille ?

— Des frères et sœurs qui vivent dans l'Est, je crois. Il a coupé les ponts avec eux. S'il a des amis, je les connais pas.

Lucas comprit, par la force de l'expérience, que l'homme n'en savait pas davantage et qu'ils n'en tireraient rien de plus. Impossible de savoir à ce stade si Henderson avait agi sur commande ou pour son propre compte.

— Merci, dit-il à son informateur. Vous nous avez été très utile.

— De rien. Dites bien à cette ordure qu'il faut qu'il me rembourse.

— On fera ça…

Un peu plus tard, Rachel et Lucas se garèrent devant une assez jolie maison de banlieue, à une vingtaine de minutes du centre de Bozeman.

Une BMW était visible dans le garage ouvert ; il devait

donc y avoir quelqu'un. Lucas sonna à la porte. Comme personne ne répondait, il observa un moment les alentours, puis tira de sa poche un petit outil métallique avec lequel il se mit en devoir de crocheter la serrure. Cela dura de longues secondes pendant lesquelles Rachel lança des regards nerveux autour d'elle. Pas un passant ni une voiture. Le quartier paraissait désert, à cette heure de la journée, mais quelqu'un pouvait toujours les observer de derrière une fenêtre et appeler la police. Ils ne le sauraient qu'au moment où ils entendraient les sirènes... Enfin, il y eut un léger déclic, et la porte s'ouvrit.

Lucas dégaina son arme et entra. Rachel le suivit et tendit le cou pour voir par-dessus ses larges épaules. En découvrant le désordre qui régnait dans la maison, elle écarquilla les yeux. Lucas la regarda et elle comprit sans qu'il ait besoin de parler.

— Hors de question que je reste dehors ! chuchota-t-elle.

Il esquissa une grimace de contrariété, mais n'insista pas. Un lampadaire et des chaises étaient renversés sur le tapis. Il y avait un pack de bière entamé sur la table basse, et des bouteilles vides un peu partout sur le sol, ainsi que les coussins du canapé. La pièce paraissait avoir été fouillée sans ménagement. A moins que l'on ne s'y soit battu...

Ils s'avancèrent, Rachel prenant bien soin de rester à l'abri derrière son compagnon. Comme ils s'approchaient de la cuisine elle vit, par la porte entrebâillée, les pieds d'un homme étendu sur le carrelage.

— Qu'est-ce que c'est ? demanda-t-elle.

Elle avait vu des scènes de violence, par le passé. Des maisons cambriolées, des bagarres entre gangs rivaux, mais encore jamais de meurtre.

Est-ce que c'était Henderson ? Et est-ce qu'il était mort ? C'est alors que son regard se posa sur la mare de sang dans laquelle baignait le corps.

— Ne touche à rien, surtout ! ordonna Lucas.

Scène de crime...

Horrifiée, elle pressa ses mains sur sa bouche pour ne pas crier. Elle n'avait encore jamais vu le cadavre d'un homme assassiné. Celui qui s'était introduit chez elle avait été tué.

Mais pourquoi ?

6

— Tu es bien sûre que tu ne le connaissais pas ? lui demanda encore Lucas.

— Mais oui, j'en suis sûre ! s'exclama-t-elle en essayant de chasser de son esprit l'image du cadavre.

Elle remarqua tout à coup que Lucas ne prenait pas la direction de sa maison.

— Où allons-nous ?

— Voir Jared.

Une sonnette d'alarme retentit dans sa tête. Voir Jared ? Pourquoi faire ?

Sentant son pouls s'accélérer brutalement, elle prit une profonde inspiration.

— Tu n'as pas l'air d'y tenir, remarqua-t-il, impavide.

— Non, pas de problème, répliqua-t-elle crânement. Allons-y…

Puis elle garda le silence, jusqu'à ce qu'ils s'arrêtent devant un immeuble qu'elle connaissait bien — celui où elle avait été si heureuse, dans son travail. Là où elle avait cru que le rêve pourrait devenir réalité.

De toute évidence conscient de son trouble, Lucas n'avait pas cherché à relancer la conversation.

Il comprenait manifestement que la perspective d'être confrontée à son ancien amant lui déplaisait, mais il aurait sans doute bien aimé savoir pour quelles raisons exactes et jusqu'à quel point.

Ils entrèrent dans l'immeuble et Lucas demanda à la

réceptionniste de prévenir Jared de leur présence. Rachel ne doutait pas que, quelles que puissent être ses occupations du moment, il allait se précipiter vers eux. Très stressée, elle exhala un bref soupir. Comme elle l'avait prévu, ils n'eurent pas à attendre longtemps. Jared arriva peu après, la cravate en bataille.

— Rachel ! s'exclama-t-il, puis son regard se posa sur Lucas et il lui tendit la main sans trop d'enthousiasme : Lucas… Cela fait longtemps…

— Jared…

Le ton de Lucas surprit Rachel. Son expression ne trahissait aucune animosité, mais la façon dont il avait prononcé le prénom de son beau-frère ne laissait aucun doute sur le peu d'estime qu'il lui portait.

Jared la regarda, comme s'il espérait deviner la raison de leur visite. Elle ne fit aucun effort pour le mettre sur la voie. C'était sa faute à lui, si elle se trouvait dans cette situation et si tout était allé de mal en pis depuis qu'elle avait découvert qu'il lui mentait. Elle avait été tellement stupide de lui accorder sa confiance !

— Si nous allions dans mon bureau ? proposa-t-il avec raideur. Nous serions mieux…

Elle lui emboîta le pas la première et, à sa grande surprise, sentit la main de Lucas au creux de ses reins. Avait-il fait ce geste machinalement ? Quoi qu'il en soit, ce simple contact lui procura un assez délicieux frisson.

Dans le bureau de Jared elle préféra rester debout, les bras croisés, à distance de l'occupant des lieux. Lucas se campa à côté d'elle, mais retira sa main. Elle en ressentit un pincement de déception qu'elle refoula. Il était préférable qu'elle se prépare à affronter la conversation à venir.

— Que puis-je faire pour vous ? demanda Jared en s'asseyant dans son fauteuil.

— C'est bon, fit plutôt sèchement Lucas. Nous ne sommes pas tes clients !

Non seulement Jared ne lui répondit pas, mais il ne daigna pas même le regarder. Il se tourna vers elle.

— Comment se fait-il que tu le connaisses ? lança-t-il.

— A ton avis ? répliqua-t-elle du tac au tac.

L'expression de Jared se durcit et il eut un mouvement de menton vers Lucas.

— Depuis le début, il est persuadé que j'ai tué sa sœur…

— Et tu l'as fait ? demanda-t-elle.

— Tu sais bien que non !

— Et comment le sait-elle ? intervint Lucas, pressant son beau-frère de fournir enfin une réponse.

Du regard, Rachel envoya un avertissement silencieux à Jared. Il valait mieux pour lui qu'il ne la mêle pas à tout cela, sinon…

Elle avait décroisé les bras et crispé les mains sur le dossier du fauteuil derrière lequel elle se tenait.

— Je vous repose la question, reprit Jared, la mine sombre. Vous n'êtes pas venus ici sans raison. Alors qu'est-ce que vous voulez ?

— Quelqu'un s'est introduit dans mon appartement, dit Rachel.

Elle n'ajouta évidemment pas que cela s'était produit juste après qu'il était venu la voir. Jared la dévisagea, l'air sincèrement surpris.

— Un cambrioleur ?

Elle était bien bonne ! Rachel faillit éclater d'un rire sans joie.

— Non, Jared, non… Il n'y a rien de valeur chez moi, et tu le sais très bien.

— Il faut croire que celui qui a fait ça devait se sentir menacé par elle, ajouta Lucas en se rapprochant d'elle presque à la toucher.

Rachel se sentait de plus en plus nerveuse. Pourquoi se comportait-il ainsi ? Elle le vit regarder Jared, comme pour s'assurer qu'il comprenait bien ce que cela voulait dire. Dans quel but ? Pourquoi tenait-il à faire savoir à son beau-frère qu'il y avait quelque chose entre eux ?

— Tu es revenu voir Rachel, reprit Lucas d'un ton accusateur. Pourquoi ?

Le visage de Jared se ferma.

— Mes relations avec Rachel ne te regardent pas.

— Tu devrais plutôt dire « ma relation avec Rachel ». Tu as trompé ma sœur, et pas qu'une fois…

— C'est vrai, j'ai connu beaucoup de femmes, et je ne vois pas en quoi ça te dérange. Tu as toi-même toujours eu ta petite cour aussi…

— Luella était ma sœur. Tu crois que ça me plaisait de la voir avec toi ?

— Elle m'aimait et je l'aimais.

— Jusqu'à ce que tu rencontres Rachel ?

Lucas lança à celle-ci un bref regard, comme pour lui faire comprendre qu'il ne voulait pas lui faire offense. Elle soupira. Elle avait bel et bien eu une liaison avec le mari de sa sœur, même si elle ignorait alors qu'il était marié. Son code moral très strict sur cette question l'aurait empêchée d'en arriver là, si elle l'avait su.

— Ça a commencé à se gâter entre Luella et moi à peu près un an avant que je rencontre Rachel, précisa Jared. Nous avions décidé de divorcer. Ta sœur te l'aurait dit, si vous aviez été si proches que tu le prétends.

Lucas fit un pas en avant, menaçant. Rachel posa doucement la main sur son bras pour le calmer. Comprenant sa prière muette, il n'alla pas plus loin.

Ce bref échange n'échappa pas non plus à Jared qui demanda sèchement :

— Depuis combien de temps le connais-tu, Rachel ?

Elle préféra ne pas répondre et ce fut Lucas qui, avec un sourire suave, renseigna son beau-frère.

— Nous venons tout juste de nous rencontrer…

— Bon, fit Jared en se levant à moitié. Si c'est tout ce que vous avez à me demander…

— Quand as-tu vu ma sœur en vie pour la dernière fois ? lui lança Lucas de l'air le plus impérieux que Rachel lui ait jamais vu.

Jared finit lentement de se lever.

— J'ai répondu à cette question des dizaines de fois, déjà. La dernière fois que je l'ai vue, je partais au travail. Quand je suis rentré, ce soir-là, j'ai trouvé mon dîner dans le réfrigérateur. C'était son soir de sortie avec ses amies. Moi, je suis allé me coucher à 21 h 30.

— Et tu ne l'as pas entendue rentrer ?

— Non.

Le trousseau de clés de Luella avait été retrouvé dans son sac ; sa voiture était au garage, et la porte ne montrait aucun signe d'effraction. Il n'y avait pas de sang, rien. Rachel l'avait lu dans les journaux.

— Tu as dit à la police qu'elle était venue se coucher…

— C'est vrai !

Jared lança à Rachel un bref regard, comme pour quémander son appui.

— … et tu as même précisé à quelle heure : 22 h 20.

— Je dormais, quand elle est rentrée.

Rachel les écoutait, fascinée. Lucas était visiblement habile à mener un interrogatoire, et sa seule présence physique en imposait à celui qu'il mettait sur le gril.

— Comment as-tu pu l'entendre, alors ? Et comment sais-tu à quelle heure c'était ?

— Ecoute, je ne mens pas. J'ai estimé l'heure de son retour. Je l'ai bien entendue rentrer et venir se coucher, mais je me suis rendormi tout de suite. Je suppose qu'elle s'est relevée au milieu de la nuit…

Rachel trouvait décidément difficile à croire que Jared ne s'était pas de nouveau réveillé et n'avait pas remarqué que sa femme n'était plus là. Et si Luella n'était pas rentrée du tout ? Si quelque chose s'était passé avant 22 h 20 ?

— Tu es sûr que tu ne sais pas pourquoi on s'est introduit chez moi ? demanda-t-elle à Jared aussi doucement qu'elle le put.

Elle n'avait plus aucune confiance en lui. Un homme qui mentait à sa femme comme à sa maîtresse ne méritait que du mépris et elle le tenait, elle aussi, pour le principal suspect du meurtre de Luella.

Il accusa le coup.

— Pourquoi crois-tu que j'ai quelque chose à voir avec ça ?

Rachel préféra ne pas répondre. Elle surprit un bref regard de Lucas dans sa direction. Il semblait déçu qu'elle s'en abstienne.

— Puisqu'on parle de relations, de quelle nature sont les vôtres ? demanda agressivement Jared, repassant à l'attaque.

Rachel rougit et lança à son tour un regard vers Lucas. L'attraction mutuelle, animale, qu'il y avait entre eux devait être perceptible. Jared pointa sur son beau-frère un index accusateur.

— Tu lui passais la main dans le dos, quand vous êtes entrés, et je vois bien la façon dont tu la regardes.

— Jared…, commença Rachel.

— Qu'est-ce que tu fais avec lui ?

Lucas contre-attaqua immédiatement.

— Est-ce que tu as tué ma sœur parce qu'elle gênait ton histoire avec Rachel ?

L'intéressée en resta un instant bouche bée.

— Mais…

— Non. Je n'aurais eu besoin de tuer personne pour avoir Rachel, du moins…

Il lui lança un regard mauvais.

— … du moins jusqu'à ce qu'elle découvre que j'étais marié. Mais à ce moment-là, Luella était déjà morte.

— Jared, je…

— Pourquoi tu t'es mise avec ce type ? la coupa-t-il.

— Je ne suis pas avec lui !

Elle se tourna vers Lucas.

— Ma relation avec Jared n'a aucun rapport avec le meurtre.

— Ça, ça reste encore à prouver, répliqua-t-il froidement.

Surprise, Rachel se figea quelques secondes puis se dirigea vers la porte.

— Restez en dehors de ma vie. Tous les deux ! leur lança-t-elle par-dessus son épaule.

— Rachel…, fit Lucas, plus conciliant.

Jared ricana.

— Si tu voulais la mettre de ton côté, c'est plutôt raté, dit-il à son beau-frère. Tu ne la connais pas encore très bien, on dirait…

Non, personne ne la connaissait — personne, depuis la mort de sa mère. Elle se précipita vers l'ascenseur. Les portes automatiques se refermèrent devant Lucas qui l'avait suivie, juste au moment où il allait la rejoindre dans la cabine.

En regardant défiler les numéros d'étage, Rachel songea avec tristesse qu'elle aurait bien aimé ne pas être obligée de fuir, chaque fois que quelque chose ou quelqu'un la mettait sur la sellette. Durant son adolescence, c'était le juge pour enfants puis, une fois adulte, tout ce qui l'empêchait de mener une vie normale. C'était comme si elle devait éternellement retomber dans la même spirale infernale.

Avoir rencontré un homme comme Lucas n'allait pas forcément arranger les choses. Il y aurait toujours entre eux le meurtre de sa sœur, la relation qu'elle avait eue avec Jared et, par-dessus tout, le fait qu'il se méfiait d'elle. Au fond, c'était lui qu'elle fuyait. La façon dont il la voyait et l'impossibilité pour elle d'y changer quelque chose. Elle devait à tout prix reprendre le cours normal de sa vie, passer ses derniers examens, et travailler dur pour bâtir son avenir. Toute seule. Elle devait démontrer au monde entier et se prouver à elle-même qu'elle était digne de confiance. Rester avec Lucas ne pouvait que la tirer à nouveau vers le bas, vers son passé. Cela, elle ne pouvait pas se le permettre.

*
* *

— Qu'est-ce qu'il y a exactement entre vous ?

Devant les portes closes de l'ascenseur, Lucas soupira et se tourna vers son beau-frère.

— J'allais justement te poser la même question.

— Ça ne va probablement pas te plaire, mais je suis amoureux de Rachel.

— Tu es amoureux de toutes les femmes avec qui tu as trompé ma sœur, lui répliqua-t-il. J'étais au courant de tes frasques avant même que tu l'épouses, mais je ne lui ai rien dit, parce que j'espérais que tu te rangerais, une fois marié.

Et il le regrettait de tout son cœur. S'il avait parlé, peut-être Luella aurait-elle quitté Jared et serait-elle encore en vie.

— C'est parce que je ne l'ai pas fait que tu as commencé à me détester autant ? lui lança son beau-frère à voix haute et d'un ton provocant.

Deux femmes qui sortaient d'une salle de réunion les regardèrent avec surprise. Lucas répondit en baissant la voix.

— Non. Je me suis aperçu que tu n'étais qu'un rat peu de temps après t'avoir présenté à Luella.

Jared venait alors de s'associer avec Eldon Sordi, un homme d'affaires qui menait grand train. Sordi en était à sa quatrième épouse et jouait des fortunes au poker. C'était aussi un toxicomane, ce que Jared s'était bien gardé de lui dire, mais Lucas l'avait découvert tout seul.

Il en avait averti Luella et en avait parlé à Jared. Celui-ci avait reconnu que son associé était cocaïnomane, tout en jurant que lui-même ne touchait pas à cela. Or, un soir, Luella lui avait téléphoné en larmes. Jared était rentré ivre, avec des traces de poudre blanche sur le nez. Lucas lui avait alors conseillé de divorcer, mais elle lui avait répondu qu'elle aimait son mari.

A cette époque, il vivait à Los Angeles. Il avait pris le premier avion et eu une explication orageuse avec Jared. C'était ainsi que cela avait commencé.

La cerise sur le gâteau avait été la série de photos qu'un détective privé, engagé par l'épouse d'Eldon Sordi, avait prises des deux associés sur le yacht d'Eldon, en compagnie de deux jeunes et jolies femmes. Mme Sordi en avait immédiatement expédié des copies à Luella, qui avait à nouveau appelé son frère, en larmes.

Elle avait été assassinée six mois plus tard... L'ascenseur qui était remonté s'ouvrit, et un groupe en sortit, les contraignant à faire momentanément silence.

— Toi et tes fichus principes ! lança Jared lorsqu'ils furent seuls à nouveau. Ce doit être parce que ton père est mort en service, que tu as trouvé ta vocation : devenir flic, pour le remplacer.

— Et ta vocation à toi, c'est l'infidélité et l'amour de l'argent ?

— J'ai toujours aimé ça, c'est vrai. Le reste... c'est arrivé, c'est tout.

— Ce n'était pas ta faute, c'est ça ? C'est toujours ce que disent les gens dans ton genre... C'est plus facile de se laisser flotter dans le courant que de faire attention à ceux qui vous entourent !

— C'est bien ce que je disais, tu es trop rigide, Lucas. Tu devrais te laisser aller, de temps en temps. Te laisser vivre...

Eldon Sordi, son associé, arriva dans le couloir et se dirigea vers eux d'un pas vif.

— Je te cherchais ! dit-il à Jared après un bref regard dénué d'intérêt en direction de Lucas. La réunion commence dans un quart d'heure à peine, il faut que je te parle avant.

— J'allais y aller, justement...

Jared désigna Lucas.

— Tu te souviens de Lucas Curran ?

— Le frère de ta femme ? Bien sûr...

Eldon lui tendit une main molle que Lucas serra brièvement.

— La prochaine fois que tu veux me voir, lui dit Jared,

appelle-moi avant. On pourra se rencontrer dans un endroit plus tranquille.

Sur ces mots, il emboîta le pas à son associé qui s'éloignait déjà.

Mais Lucas le rappela.

— Juste un mot, Jared. Sache que je serais devenu flic, que mon père soit mort ou non. J'ai ça dans le sang. Et je suis bon à ça. Très bon…

Jared, qui s'était retourné, se raidit. Le message était clair : Si tu as tué Luella, je finirai par te coincer.

Il se remit en marche et alla rejoindre son associé dans son bureau tandis que Lucas se retournait vers l'ascenseur qui arrivait. Les portes s'ouvrirent et il allait entrer dans la cabine quand il s'arrêta net.

Marcy en sortait.

— Oh ! Bonjour, monsieur Curran.

— Bonjour, Marcy, mais qu'est-ce que vous faites là ?

— Je connais quelqu'un dans cette société, répondit-elle avec un sourire vaguement complice.

Cela parut assez étonnant à Lucas. Comment l'avait-elle rencontré, ce « quelqu'un » ? Pour autant qu'il sache, Joseph ne faisait pas d'affaires avec Eldon et Jared.

— Pendant que je vous tiens, reprit Marcy, je voudrais m'excuser pour ce que j'ai pu dire et ce que votre amie a surpris. Je n'avais pas l'intention… enfin…

Rien n'indiquait qu'elle était particulièrement gênée de le trouver ici, mais lui continuait de trouver cela plutôt étrange.

— C'est sans importance, marmonna-t-il.

Marcy se rapprocha de lui et posa la main sur son bras.

— Cela en a pour moi, je vous assure. Peut-être que si elle avait ignoré votre plan plus longtemps, elle aurait laissé échapper quelque chose d'important pour l'enquête. Votre papa m'a dit qu'elle savait sans doute quelque chose sur le meurtre de votre sœur.

Décidément, ce cher papa parlait trop…

— Si je peux faire quelque chose, surtout dites-le-moi !

Lucas songea que la seule chose qu'elle pouvait faire pour lui serait précisément de cesser de fourrer son nez dans ses affaires.

Elle retira sa main et ajouta avec coquetterie :

— J'étais vraiment heureuse quand j'ai su que vous reveniez à Bozeman…

Ce n'était pas la première fois qu'elle essayait de flirter avec lui. Elle avait un peu la réputation de se jeter à la tête de tous les célibataires présentables passant à sa portée. Rien à voir avec Rachel, toutefois, qui était sortie avec des hommes riches parce qu'elle aspirait à une vie meilleure, alors que Marcy le faisait par pure cupidité. Rachel recherchait l'amour, Marcy, l'argent.

Rachel recherchait l'amour ?

Cela paraissait évident, et devait dater au moins de la mort de ses parents. Il s'étonna de l'envie qu'il ressentait soudain de la défendre. Marcy, au contraire, la chargeait presque, prête à voir en elle une complice du meurtre de Luella, voire davantage… Pour quelle raison agissait-elle ainsi ? Avait-elle des vues sur Jared, ou alors sur lui ?

Il prit rapidement congé d'elle et s'engouffra dans l'ascenseur. La façon dont Marcy l'avait abordé ne lui paraissait décidément pas très naturelle. Et pourquoi le meurtre de Luella semblait-il l'intéresser autant ?

Il décida d'attendre discrètement qu'elle ressorte, pour voir à quoi et avec qui elle passait son temps libre. Posté dans sa voiture, il surveilla les abords du bureau de Jared. Il n'eut pas à patienter très longtemps. Il vit bientôt celui-ci sortir de l'immeuble en compagnie de Marcy et s'engouffrer dans une Sedan noire. Lucas démarra et les suivit jusqu'au centre-ville.

Pourquoi donc Jared avait-il écourté une réunion qui paraissait si importante ? Marcy et lui, bras dessus, bras dessous, se rendirent dans un bar cossu qui annonçait sa « Happy Hour » sur une ardoise fixée à la porte. Il était un peu plus de 15 heures ; ils n'étaient pas en retard.

Lucas décida de rendre une visite discrète à l'appartement de Marcy pour y installer un de ses petits systèmes d'écoute miniaturisés, après quoi il irait tenter d'arranger les choses avec Rachel.

Pour la première fois depuis longtemps, il était peut-être sur une « vraie » piste…

7

Le téléphone de Rachel se mit à sonner alors qu'elle sortait d'un long bain. Il était plus de 17 heures, et Lucas ne s'était toujours pas montré. Elle était rentrée chez elle, dans son petit appartement, pour mettre un peu de champ entre eux. Elle en avait besoin, ne serait-ce que pour une seule nuit, et espérait qu'il la laisserait tranquille. Son téléphone ne sonnant pas souvent, elle se demanda si c'était lui qui appelait. Une serviette drapée autour d'elle et une autre sur la tête, elle prit le petit appareil sur le comptoir de la kitchenette et regarda l'écran. Voyant qu'il s'agissait d'un appel masqué, elle fut tentée de ne pas répondre, puis se reprocha ce qu'elle considérait comme de la couardise.

— Oui, allô !

Elle entendit le son étouffé d'une télévision et celui d'une respiration tranquille. Tout de suite, elle fut sur ses gardes.

— Allô ?

— Nous avions un accord, tous les deux, tu te souviens ?

La voix basse et posée, menaçante par son calme même, la ramenait plusieurs années en arrière. Cette voix n'avait cessé de la hanter…

— Qui êtes-vous ? Pourquoi m'appelez-vous ?

— Tu le sais très bien, Rachel.

La voix lui parvenait un peu étouffée ; l'homme avait probablement mis quelque chose entre sa bouche et le combiné pour la déformer, mais elle n'en était pas moins glaçante.

— Je crois que je ne t'ai pas tuée plus tôt parce que je te trouvais très attirante. Mais les choses ont changé, à présent. Tu es avec Lucas Curran…

Comment le savait-il ? Est-ce qu'elle était surveillée, espionnée à son insu ? Instinctivement, elle eut un regard de bête traquée en direction de la fenêtre.

— Au début, j'ai cru que c'était encore un de ces fils à papa avec lesquels tu as toujours aimé traîner… et puis j'ai découvert que c'était un privé et qu'il travaillait pour la Dark Alley Investigations. Du sérieux, dis-moi… le frère de Luella n'est pas n'importe qui…

Rachel refréna son envie de le supplier de la laisser tranquille.

— Je crois que j'aurais dû m'occuper de ton cas il y a quatre ans…, reprit-il.

— Je n'ai rien dit. A personne.

Elle détestait la façon dont sa voix tremblait. Quelques instants plus tôt, elle s'accusait de lâcheté. Voilà ce que cet inconnu faisait d'elle : une couarde. Le vieux cauchemar, celui qui avait commencé par la mort de ses parents et sa première comparution devant le juge pour enfants, continuait…

— Si… si vous n'arrêtez pas de m'appeler, je… je vais aller à la police, bégaya-t-elle, le cœur battant.

— Tss, tss, fit la voix moqueuse. Ce n'est pas ce que j'espérais entendre, Rachel. Il se sert de toi, ce Lucas Curran, tu sais… J'ai lu un article sur lui, c'était au temps où il était dans la police de Los Angeles… Une fois, il a sauvé un petit garçon que son beau-père avait enlevé. Une autre fois, il a empêché un viol alors qu'il n'était même pas en service. Cet homme-là ne s'arrête jamais…

— Alors, je n'aurai même pas besoin d'aller voir la police, répliqua-t-elle, sentant son courage revenir peu à peu.

Elle y avait pensé à plusieurs reprises depuis qu'elle avait découvert la véritable identité de Lucas. Il résoudrait l'énigme du meurtre de sa sœur et la sauverait, elle, au passage. Force resterait à la loi.

— Non. Le mieux que tu as à faire, c'est rester à l'écart de lui…

Et si elle ne le voulait pas, et Lucas non plus ? S'il était sa seule planche de salut ?

— … sinon, reprit la voix, je te tuerai.

— Mais je vous dis que je ne sais rien !

C'était la vérité. Elle n'était en possession d'aucun élément qui aurait pu impliquer qui que ce soit dans le meurtre de Luella.

— Vous perdez votre temps avec moi. Si j'avais su quelque chose, pourquoi je ne serais pas allée le dire à la police ?

— Tu en sais suffisamment, ma douce Rachel…

Bien sûr, il devait sentir qu'elle avait peur. Peut-être savait-il aussi que depuis ses problèmes, à l'adolescence, elle redoutait toujours d'être confrontée aux policiers, accusée de quelque chose qu'elle n'avait pas fait… Cet homme, qu'elle ne connaissait pas, l'en avait déjà menacée par le passé.

« Ne dis rien, ma douce Rachel, sinon c'est peut-être bien toi qui pourrais te retrouver sur le banc des accusés… »

Il faisait alors naturellement allusion à sa liaison avec Jared. On pouvait très bien la soupçonner d'avoir voulu supprimer une rivale, et tant pis si, en fait, c'était elle qui l'avait quitté et ne voulait plus jamais le revoir…

— Qui êtes-vous ? insista-t-elle.

— C'est mon dernier avertissement. Eloigne-toi de Lucas Curran. Redeviens la gentille Rachel que tu étais avant de le connaître.

« La gentille Rachel… »

Il raccrocha et elle reposa le téléphone d'une main trem-blante. Jamais elle n'aurait dû laisser cet homme jouer à ce point avec sa peur, comme il l'avait déjà fait quatre ans plus tôt. Elle aurait dû aller à la police, elle le savait bien. Et depuis longtemps…

Comme la première fois, elle était persuadée d'avoir eu affaire soit à l'assassin de Luella, soit au commanditaire du meurtre. Elle avait essayé de le savoir, ce qui lui avait valu de nouvelles menaces. Alors elle était rentrée dans sa coquille, et l'inconnu avait cessé de la terroriser. Il fallait faire quelque chose, mais quoi ? Le temps avait passé… Si elle remuait tout cela maintenant, elle ne pouvait qu'attirer les soupçons sur elle.

Elle ne savait plus ce qu'elle devait redouter le plus : sa propre lâcheté ou la perspective d'être accusée du meurtre de Luella.

Elle entendit une clé tourner dans la serrure et eut l'impression que son cœur cessait de battre. Elle trouva néanmoins la force de se retourner et vit Lucas entrer et refermer la porte.

— Que… comment as-tu fait pour ouvrir ? balbutia-t-elle.

Il montra la clé qu'il venait d'utiliser.

— J'ai fait copier la tienne.

— Oh ! Espèce de…

Elle se précipita sur lui pour essayer de la lui prendre, mais il leva simplement le bras pour la mettre hors de sa portée. Elle laissa échapper un soupir de frustration.

— Est-ce que tu connaissais Marcy, avant de commencer à travailler pour mon beau-père ? lui demanda-t-il tout à trac.

— Non. Pourquoi ?

— Je suis tombé sur elle par hasard chez HealthFirst. Elle m'a dit être venue voir quelqu'un, et je l'ai vue repartir avec Jared.

Rachel n'en était pas autrement étonnée.

— Ça lui ressemble assez, dit-elle. Et puis Jared était le mari de ta sœur… Il a très bien pu faire la connaissance de Marcy chez Tieber Air Transport.

Elle le regarda.

— Tu me crois, maintenant, quand je te dis que je ne veux plus rien avoir à faire avec lui ?

Il ne répondit pas, se contentant de la regarder pensivement, et se demandant certainement, une fois de plus, s'il pouvait lui faire confiance.

— Bon, dit-il finalement en soupirant. Je crois qu'on peut faire une trêve, ça nous fera du bien à tous les deux…

Une trêve ?

— Et tu vois ça comment ? demanda-t-elle.

— C'était quand la dernière fois que tu es allée dans un musée d'histoire naturelle ?

— Mon Dieu ! Il y a des années… avec mes parents, Pourquoi ?

Non qu'elle n'aimât pas cela, mais les occasions lui avaient manqué, et l'argent, bien souvent… Mais elle aurait aimé y aller, oui, et y emmener ses enfants, même, un jour.

— Nous irons demain nous laver un peu la tête de tout ça…

C'était une offre plutôt étonnante, et elle s'interrogea sur les motifs qu'il pouvait avoir d'agir ainsi. Beau, plein de charme et de virilité, il avait déjà tout ce qu'il fallait pour lui ravir son cœur. Quand avait-elle commencé à penser avoir une famille, un jour ? En aurait-elle jamais, tout simplement, la possibilité ? Une fois son diplôme passé, elle allait devoir travailler dur pour se faire une situation. Cela prendrait du temps, et son horloge biologique devrait attendre. Qu'est-ce qui était le plus important, dans la vie ? La carrière ou la famille ? Et ne pourrait-elle pas avoir les deux ? Sa mère, elle, ne travaillait pas. Elle avait passé beaucoup de temps avec elle, durant son enfance. C'était entre autres pour cela que la perdre s'était révélé aussi dévastateur…

En fin de matinée, le lendemain, Rachel et Lucas commencèrent la visite du musée d'histoire naturelle de Bozeman par les salles dédiées aux dinosaures. Rachel essayait de repérer son harceleur parmi tous les inconnus qui croisaient leur chemin, sans succès. Mais elle n'était pas détective, après tout. Peu à peu, elle finit par se détendre et put apprécier les collections. Des squelettes parfois entièrement reconstitués dormaient de leur dernier sommeil dans les vitrines ou sur des piédestaux. Rachel s'arrêta devant plusieurs de ces ensembles d'ossements qui s'étaient trouvés pris dans la boue des marais, dans laquelle ils s'étaient fossilisés au long des millénaires.

— Parfois, je me sens aussi prisonnière et aussi enfouie qu'eux, dit-elle en soupirant.

— Est-ce que nous ne nous sentons pas tous comme ça ? lui répondit Lucas en souriant un peu.

Elle le regarda, détaillant son large torse, sa blondeur, son beau visage…

— Je n'aurais jamais cru qu'un homme comme toi puisse se sentir prisonnier de quelque chose.

— C'est quoi, « un homme comme moi » ? demanda-t-il en souriant plus largement.

— Un SEAL, un inspecteur, un homme des SWAT, un détective privé… Un type comme toi ne se laisse pas enfermer dans la boue et encore moins fossiliser… il ferait éclater la pierre, plutôt…

Il regarda la vitrine en silence, un long moment. Rachel n'osa pas le déranger dans ses pensées.

— J'ai pourtant bel et bien été pris dans une gangue, dit-il enfin lentement. Celle du mensonge, d'un mariage raté… Et je suis toujours prisonnier d'une autre, une sorte de labyrinthe : le meurtre de ma sœur.

Rachel était surprise de l'entendre parler ainsi.

— Mais tu as quitté ta femme…

Et maintenant, elle revenait à la charge pour le reconquérir. Allait-il se laisser faire ?

— Et en ce qui concerne le meurtre de ta sœur, tu veux dire que tu te sens prisonnier d'une enquête qui n'a pas été résolue, c'est ça ?

— Non, je la résoudrai. Mais je ne peux pas me pardonner d'avoir laissé mourir Luella…

Elle le regarda sans comprendre. Il s'éloigna et elle le rejoignit, l'air interrogateur.

— C'est moi qui les ai présentés, expliqua-t-il. Nous étions ensemble à la fac, lui et moi.

— Qu'est-il arrivé ?

— Ce que tu sais… Il m'a montré quel genre d'homme il était. J'aurais dû le deviner plus tôt…

Ils quittèrent les salles dédiées aux dinosaures et Lucas lui ouvrit la porte qui menait à une vaste cour intérieure. Au fond se trouvait une vieille cabane de pionniers, au milieu de la végétation couverte de neige.

— L'été, tout est fleuri, c'est très spectaculaire, dit-il en la guidant le long de l'allée qui y menait.

Mais on était en hiver, et le sol était gelé. Elle faillit glisser et Lucas lui offrit son bras. Instantanément, elle se sentit rassérénée.

— En quoi était-ce ta faute ? demanda-t-elle. Elle avait choisi de l'épouser.

— Si j'avais su l'en dissuader, elle serait peut-être toujours vivante…

Toutes celles et tous ceux qui avaient perdu un être cher passaient par ces phases d'interrogation et de culpabilité, mais lui poussait les choses un peu trop loin.

— Tu penses toujours qu'il l'a tuée ?

— Tu peux me dire quelque chose qui pourrait me faire changer d'avis ?

Rachel lâcha son bras pour passer le seuil de la cabane. Essayait-il encore de la faire parler ?

— Je croyais qu'on faisait une trêve avec tout ça, dit-elle en soupirant.

Il poussa la porte pour elle.

— C'est ce que nous faisons.

Elle entra et eut tout de suite l'impression d'être projetée dans un lointain passé. Des employés du musée, en costumes d'époque, cuisinaient sur un poêle à bois, filaient de la laine et tissaient un tapis. Un peu plus loin, en ressortant de la cabane, ils virent d'autres figurants faire fonctionner une vieille forge et ferrer un cheval. Rachel sentait bien que Lucas scrutait ses réactions, bien plus qu'il n'observait ces scènes d'autrefois, et faillit lui en faire la remarque. Elle aurait voulu pouvoir lui ouvrir librement son cœur, mais comment réagirait-il ?

Violemment, sans doute. Il serait furieux qu'elle ait gardé pour elle certaines informations, aussi insignifiantes soient-elles. Qu'elle les lui ait cachées à lui, mais aussi à la justice…

Lorsqu'ils quittèrent le musée et prirent la direction du parking, elle sentit la main de Lucas se poser au creux de ses reins. Il s'était montré très attentif toute la journée. Par calcul, peut-être.

— On va dîner ? proposa-t-il.

— D'accord.

Encore une fois, elle regarda autour d'elle, mais personne ne semblait l'épier. Elle suivit Lucas, qui lui ouvrit la portière de son SUV.

— Tout va bien ? demanda-t-il.

Elle hocha la tête puis feignit la nonchalance pendant qu'il s'installait au volant.

— Pourquoi regardes-tu tout le temps autour de toi, comme ça ? reprit-il en démarrant.

— Moi ?

Il eut une moue ironique, qui voulait clairement signifier : « Tu sais très bien que tu le fais. »

— Notre rencontre avec Jared m'a effrayée, répondit-elle.

Ce n'était pas l'entière vérité, mais ce n'était pas non plus un mensonge.

— Pourquoi ça ?

Elle chercha ses mots avec circonspection.

— Il dit qu'il veut me revoir. Qu'il m'aime toujours.

Elle coula un regard de côté vers lui.

— Tu l'as entendu.

— Et ça te fait peur ?

— Il prétend m'aimer et il sort avec Marcy… Ça n'a rien à voir avec l'amour, c'est une histoire de pouvoir.

— Tu connais Jared, il n'aime que ça, le pouvoir. Ce n'est pas nouveau.

Le pouvoir sur sa femme, sur sa maîtresse, sur ses affaires. Se prouver à lui-même qu'il était le patron, l'Homme, avec une majuscule.

— C'est vrai…

Comment avait-elle pu se laisser manœuvrer aussi facilement ? Il faut croire qu'il était facile de mystifier les gens, surtout en leur cachant quelque chose.

Lucas arrêta sa voiture devant une vieille maison de style cottage, oubliée par le temps, et dont l'enseigne proclamait qu'il s'agissait bien d'un restaurant. De grands sapins entouraient et dissimulaient son parking aux passants. Ils sortirent du SUV et Rachel remonta la fermeture Eclair de son blouson pour se protéger de l'air froid de la nuit qui tombait.

Derrière eux, une voiture s'engagea sur le parking. En l'entendant, Lucas passa son bras autour de la taille de Rachel et l'attira contre lui.

La voiture accéléra. Rachel ne se rendit vraiment compte qu'elle fonçait droit sur eux que lorsque Lucas la poussa de côté, tout en dégainant son arme.

Il fit feu et le conducteur vira brusquement avant de décrire une boucle pour revenir vers eux.

Rachel courut vers le côté du parking, avec l'intention de se mettre à l'abri derrière un tas de neige accumulé lors d'un récent déneigement. La voiture fonça droit sur elle, et Lucas tira de nouveau.

Tout en hurlant de peur, elle entreprit d'escalader le monticule glacé. Jetant un coup d'œil derrière elle, elle vit la voiture déraper et zigzaguer, puis l'aile côté passager vint s'encastrer dans le tas de neige qui s'effrita. Elle glissa de son très précaire perchoir en hurlant de plus belle et tomba devant le pare-chocs du véhicule. Sans doute à cause des tirs de Lucas, le chauffeur ne tenta pas de profiter de la situation. Il passa la marche arrière pour filer dans un rugissement de moteur, ses pneus projetant de la neige glacée au visage de Rachel, qui dut se protéger de ses bras.

— Rachel !

Lucas courut vers elle, en s'assurant du regard que le véhicule avait bien quitté les lieux.

— Ça va… je… je crois que je n'ai rien, dit-elle d'une voix tremblante en essayant de vérifier si elle n'avait effectivement rien de cassé.

Elle avait peine à le croire…

On avait essayé de la tuer. Etait-ce l'homme qui la harcelait au téléphone ? Cette fois, il avait manqué son coup. Mais la prochaine fois…

Lucas mit ses mains sur les joues de Rachel et lui fit doucement lever la tête, la forçant à le regarder dans les yeux.

— Je t'en prie, l'implora-t-il. Dis-moi la vérité ! Dis-moi ce qui se passe vraiment.

Le souffle coupé, Rachel le regardait intensément. Elle pouvait voir son inquiétude et sa colère à l'idée qu'elle ne lui faisait toujours pas confiance.

Soudain, il se pencha et prit brusquement sa bouche, pour un baiser au goût de désespoir. Rachel en fut saisie, transportée immédiatement. Incapable de résister, elle le laissa l'entraîner dans un abîme de passion brûlante qui n'avait ni début ni fin.

Il s'interrompit et posa sur son visage une série de petits baisers fiévreux.

— Il a failli te tuer, murmura-t-il.

Puis il reprit sa bouche avant de soupirer :

— J'ai bien cru qu'il allait y arriver…

— Lucas…

Et un baiser à en mourir, encore, auquel elle répondit avec la même ferveur.

A nouveau il s'interrompit et elle plongea dans le bleu-gris de ses yeux.

— Dis-moi tout, souffla-t-il.

En entendant cette prière éperdue, Rachel faillit capituler, mais elle se reprit. Elle ne se sentait tout simplement pas capable de lui accorder toute sa confiance. Où était son ex-femme ? Qu'éprouvait-il réellement pour elle, à ce jour ? Bien sûr, elle lui avait menti. Mais s'il l'aimait toujours, il pardonnerait. D'autant qu'elle avait très bien pu lui mentir par amour pour lui, pour le garder, l'avoir pour elle seule...

— Je ne peux pas, dit-elle dans un souffle.

— Mais pourquoi ?

La passion, en lui, commençait à faire place à la colère.

— Parce que j'ai peur.

Ça, au moins, c'était la vérité.

— Je te protégerai.

Elle posa sa tête sur l'épaule de Lucas.

— Tu ne peux pas...

Il la força à le regarder dans les yeux.

— Pourquoi dis-tu ça ?

— Parce que j'aurais l'air d'être coupable, alors que je ne le suis pas.

— Ça n'a pas de sens ! Je sais bien que tu n'as pas tué ma sœur. Je t'en prie, dis-moi ce que tu sais.

Les larmes brûlaient les yeux de Rachel. La tentation de se confier à lui était grande, mais elle avait passé tant d'années à se méfier de tout et de tous qu'elle n'y parvenait pas.

— Si je pouvais t'aider à trouver l'assassin, je le ferais. Mais rien de ce que je pourrais te dire ne te serait utile, Lucas, je te supplie de me croire sur ce point.

— Alors, tu n'as rien à craindre. De ma part, en tout cas. Je peux t'aider. Aie confiance en moi !

Malgré tous ses efforts, elle ne put retenir un sanglot.

— Mais je le voudrais, dit-elle. Oh ! je le voudrais tant !

— Alors, fais-le ! Dis-moi ce que tu sais ! Peu importe si c'est peu de chose ou si c'est un détail. Cela a peut-être plus d'importance que tu ne le crois...

Elle n'avait pas tué Luella, et ne doutait pas de la capacité de Lucas à retrouver celui qui l'avait fait.

Elle soupira.

— J'ai peur, répéta-t-elle.

— Je suis là.

Elle ferma les yeux quelques instants. Lorsqu'elle les rouvrit, sa décision était prise.

— Je l'ai vue, dans le bureau de Jared. Il était tard.

— Luella ?

— Oui. La veille de sa mort.

— Qu'est-ce que tu faisais là ? Tu travaillais ?

Elle hésita un peu.

— J'étais venue voir Jared. Il était tard, plus de 22 heures. J'allais partir... Nous venions de... Nous étions dans la salle de conférences, il... il avait ce fantasme...

— D'accord, j'ai compris. Qu'est-ce que Luella faisait là ?

— Je ne sais pas. Je le lui ai demandé, justement, et elle m'a dit qu'elle s'était trompée de bureau. Et je n'ai su à qui j'avais eu affaire ce soir-là que le surlendemain, quand j'ai vu sa photo à la télévision. C'est là que j'ai appris qu'elle était l'épouse de Jared et qu'il était soupçonné de l'avoir tuée. Je suppose qu'elle était venue voir ce qu'il faisait si tard au travail, mais je ne crois pas qu'elle ait compris que j'étais avec lui.

— Elle cherchait peut-être autre chose, dit Lucas.

Elle n'avait jamais pensé à cela. Pour elle, Luella Palmer devait soupçonner les infidélités de son mari et vouloir le prendre en flagrant délit. Jamais elle n'avait imaginé que sa présence au bureau à cette heure tardive pouvait avoir eu d'autres motifs.

En fait, elle avait surtout pensé à elle-même, à l'horreur qu'elle avait ressentie en découvrant que Jared lui avait menti, qu'il était marié et, ensuite, à sa terreur à l'idée que c'était cette même nuit que Luella avait été assassinée.

— Qu'est-ce que cela pouvait bien être ? demanda-t-elle, interloquée.

— Ce qui l'a tuée, je pense, répondit sombrement Lucas.

Comme elle frissonnait, il passa le bras autour de sa taille et l'attira contre lui.

— A part Luella, quelqu'un d'autre savait-il que tu te trouvais là ? reprit-il.

Elle secoua la tête.

— Et Jared ? Qu'a-t-il fait ?

— Il a reçu un coup de fil et m'a dit qu'il avait encore du travail. Je l'ai laissé dans la salle de conférences.

— Un coup de fil ? Qui l'appelait ?

— Une relation professionnelle, apparemment.

— A cette heure-là ?

— Je n'en sais rien, en fait. Tu crois que ça pourrait être important ?

— C'est possible…

Il prit sa main.

— Si nous prenions quelque chose à emporter et que nous allions chez moi, plutôt ?

Elle ne trouva rien à y redire. Après ce qui venait de se passer, dîner dans un endroit public avait perdu beaucoup de son attrait.

— L'homme qui essaie de te faire peur n'est pas Jared, reprit Lucas.

— Oui, je sais.

— Ce qui ne veut pas dire pour autant que ce n'est pas lui qui le paie…

Rachel en convint encore tandis qu'ils retournaient vers le SUV. Il lui ouvrit la portière et, quand elle fut installée sur le confortable siège de cuir, il se pencha vers elle.

— Depuis combien de temps on essaie de te faire peur ?

Elle le dévisagea, éberluée.

— Allons, Rachel ! Tu te conduis toujours comme si on te surveillait. Tu jettes des regards autour de toi, tu te retournes… Il y a longtemps, n'est-ce pas ?

Elle le regarda droit dans les yeux. Oui, elle avait peur, et depuis longtemps. Mais jamais elle n'avait eu aussi peur qu'aujourd'hui. L'homme qui la menaçait était là, quelque part, aux aguets. Il avait tenté de la tuer. Lucas parviendrait-il à la protéger, comme il semblait en être si sûr ?

Il alla s'asseoir au volant, comme s'il n'avait pas vraiment besoin de réponse, mit le contact mais ne démarra pas tout de suite.

— Il y a quelque chose qui ne colle pas vraiment, dans tout ça, dit-il pensivement.

— Quoi donc ?

— Pourquoi Jared prétend-il t'aimer toujours, s'il veut ta mort ?

— Peut-être ne la veut-il pas vraiment...

Elle était soulagée que la curiosité de Lucas n'aille pas plus loin. Si elle lui en révélait davantage, elle mettait sa propre vie en danger. Car, alors, il pourrait bien découvrir quelque chose qui les emmènerait très loin.

Beaucoup *trop* loin...

8

Lucas avait eu beaucoup de mal à convaincre Rachel de le laisser la déposer chez Tieber Air Transport. Il voulait la savoir en sécurité pendant qu'il irait explorer une certaine piste dont il ne lui avait pas encore parlé.

— Pourquoi justement à la Tieber ? demanda-t-elle avec beaucoup de réticence.

— Parce que tu y seras en sécurité.

Elle évita de le regarder.

— C'est ce que tu dis…

— Et d'ailleurs, tu ferais bien de conserver ton job.

— Justement, ce n'était pas le mien.

Ils en avaient déjà parlé, le matin même.

— Mais bien sûr que si ! Tu ne vas pas recommencer ! Joseph t'attend ; il insiste pour te parler.

Il arrêta la voiture devant l'immeuble de Tieber Air Transport et se tourna vers elle.

— Je repasse te prendre dans deux heures.

— Où vas-tu ?

— Ça, je ne peux pas te le dire.

— Et pourquoi tu ne peux pas ?

Elle lui lança un regard noir, qu'il ressentit assez douloureusement. Ce n'était pas qu'un agacement passager, cela voulait dire qu'elle se méfiait toujours de lui.

De toute évidence, elle était en train de penser que lui non plus n'avait aucune confiance en elle…

Sans même attendre de réponse, elle descendit de la

voiture et claqua violemment la portière. Il la regarda se diriger vers l'entrée du bâtiment, ses hanches se balançant joliment au rythme de sa démarche. Quand elle fut entrée, le vigile de service à la porte lui fit le signe de connivence dont ils étaient convenus. Il garderait un œil sur elle.

Nan McNally habitait à quelque distance de la ville, dans une ferme proche de celle où avaient vécu les parents de Rachel. Lucas avait pu apprendre qu'elle avait été l'une des amies d'enfance de Rachel, la plus proche, semblait-il, et la seule avec qui elle ait gardé des liens après la disparition des Delany. Les enfants sont souvent sans pitié, et le fait d'être devenue orpheline avait fait de Rachel une solitaire.

Une clochette tinta lorsqu'il poussa la porte du petit salon de coiffure que possédait Nan. Kadin lui avait communiqué quelques indications sommaires ; le salon ouvrait cinq jours par semaine, à 9 heures. Nan paraissait être la seule à y officier, même s'il y avait trois autres fauteuils devant le grand miroir mural. La décoration, à base de noir et d'or, était soignée ; des enceintes dissimulées dans les cloisons diffusaient de la musique douce.

Lucas attendit patiemment que Nan en ait terminé avec une petite dame toute pomponnée avant de s'avancer vers la coiffeuse dont les boucles d'oreilles étaient assorties au vert et noir de sa jupe.

— Si vous voulez vous installer au shampooing, monsieur, lui dit-elle, j'arrive tout de suite…

C'était une femme assez grande, élancée, avec des mèches blondes qui lui tombaient sur les épaules et un maquillage assez soutenu.

— Merci, mais ce n'est pas pour une coupe de cheveux que je suis venu.

— Pour quoi, alors ? Vous n'avez pas vu la pancarte sur la porte ? « Pas de démarcheurs ni de représentants ».

— Je suis venu parler avec vous de Rachel Delany.

— Oh…

Elle lui sourit poliment, mais son sourire ne paraissait pas des plus sincères.

— Désolée. Je croyais que vous vouliez me vendre quelque chose… Vous savez, dans une petite ville comme celle-ci, les gens s'imaginent toujours que si vous tenez un commerce, vous êtes forcément riche et que vous pouvez distribuer de l'argent à tout le monde. Monsieur… ?

Elle lui tendit la main.

— Curran, Lucas Curran. Je suis le frère de Luella Palmer.

Le sourire un peu forcé de Nan disparut immédiatement.

— Ah, fit-elle. Vous avez découvert que Rachel avait eu une liaison avec son mari et vous voulez me faire dire quelque chose qui puisse être retenu contre elle, c'est ça ?

Lucas secoua la tête.

— Non, pas du tout. Je suis venu vous voir pour essayer de comprendre pourquoi elle a tenté de cacher sa relation avec lui.

Nan le regarda d'un œil nouveau.

— Quand l'avez-vous vue pour la dernière fois ? reprit-il.

— Il y a quatre ans, à peu près. Elle a eu de sales moments, mais elle n'a jamais perdu courage. Elle croit toujours qu'elle finira par retrouver la vie qu'elle a connue avant la mort de ses parents. Comment l'avez-vous su ?

La liaison de Rachel et Jared était restée secrète, jusqu'à ce que Joseph ait vent de certaines rumeurs. Lucas comprenait à présent que c'était probablement Marcy qui avait fait parler Jared.

— Le bruit en est venu jusqu'à moi, répondit-il, évasif. Pourquoi avoir passé tout ce temps sans vous revoir ?

— Probablement pour la même raison qui fait qu'elle a gardé sa liaison secrète… Elle n'avait plus de famille, mais commençait à se faire quelques amis et à bien réussir dans son travail. Jared Palmer a ruiné tout cela. Elle s'est sentie humiliée par ses mensonges et a eu peur qu'il soit l'assassin de votre sœur.

— Qu'est-ce qui le lui faisait croire ?

— Elle ne me l'a pas dit, et ne me le dira pas. J'ai essayé de l'appeler pour en parler avec elle, mais Rachel ne sait pas se confier. Elle est comme ça depuis la mort de ses parents, elle croit qu'elle ne peut se reposer sur personne. Ça m'a souvent mise en colère. Nous nous connaissons pratiquement depuis que nous sommes nées, elle et moi. Pourquoi ne peut-elle pas me faire confiance ?

Nan resta un long moment silencieuse, perdue dans ses pensées et visiblement malheureuse d'avoir perdu une aussi grande amie.

— Comment a-t-elle appris que Jared était marié ? demanda Lucas pour rompre le silence.

— Par les nouvelles, quand le meurtre de Luella a été connu.

Nan soupira.

— Ça commence à dater, tout ça…

En effet, et, depuis tout ce temps, l'assassin de sa sœur courait toujours…

— Etait-ce la nuit même du meurtre ?

Nan le regarda d'un air soupçonneux.

— Je croyais que vous ne cherchiez pas à la mêler à ça !

— J'essaie seulement de relier les choses, répondit-il en souriant aimablement.

Visiblement, Nan cherchait toujours à protéger son ancienne amie. Mieux valait ne pas la brusquer.

— Pourquoi ne pas laisser enquêter la police ? répliqua-t-elle.

— Je suis moi-même un ancien policier, et je trouve que la police n'a pas beaucoup avancé sur cette affaire. J'essaie de l'aider.

Sur ce point, il disait vrai. Nan parut y réfléchir un moment. Elle lui faisait l'effet d'une bonne personne, honnête et attachée à la défense de Rachel. C'était à mettre à l'actif de celle-ci, mais il essayait de rester impartial, malgré tout. Il ne pouvait pas encore exclure tout à fait que Rachel ait pu être mêlée au meurtre, d'une façon ou d'une autre, et, si tel était le cas, il ne pouvait se permettre la moindre complaisance.

— Rachel était chez elle, le soir du meurtre, dit finalement Nan. Je l'ai eue au téléphone vers 20 heures. Elle m'a dit qu'elle allait prendre un bain et se coucher tôt.

Cela ne prouvait strictement rien. Luella avait été assassinée entre 23 heures et minuit. Rachel aurait eu tout le temps de se rendre en voiture chez Jared. Peut-être même avaient-ils opéré ensemble…

— Est-ce qu'elle vous a dit quelque chose à propos de Luella ?

— Seulement qu'elle était mariée à Jared et qu'elle avait été tuée. Cela a été un grand choc, pour Rachel.

— Rien d'autre ?

Nan réfléchit de nouveau quelques secondes.

— Si… Elle m'a parlé d'une femme qui était venue voir Jared et était repartie en larmes. Rachel disait qu'elle l'avait entendue l'accuser de fraude…

Un long frisson glacé parcourut le dos de Lucas. Rachel n'avait fait aucune allusion à cela. Il se souvenait en revanche très bien de ses mots : « Je ne sais rien qui puisse t'aider. Si j'avais su quelque chose, figure-toi que je serais allée le dire à la police ! »

N'était-ce pas là « quelque chose » ? Elle avait entendu une femme accuser Jared de fraude. Fraude aux assurances, très vraisemblablement…

— Je crois que Rachel soupçonnait Jared de quelque chose de malhonnête, ajouta Nan.

— Quel genre, elle vous l'a dit ?

— Non. Je pense qu'elle ne le savait pas. Elle n'avait entendu qu'une bribe de conversation. Cela ne voulait peut-être rien dire.

Ou alors cela expliquait tout, au contraire…

— Quand cela s'est-il passé ?

— Peu après le meurtre de votre sœur. Elle était retournée chercher ses affaires au bureau. La même semaine, en fait…

Nan le regarda d'un œil méfiant.

— Je ne devrais pas vous raconter tout ça, au fond. Rachel ne vous en a rien dit ?

— Non.

L'attitude de Nan changea instantanément. Il dut faire un effort pour garder son calme ; la rudoyer ne servirait à rien. Une cliente entra dans le salon. Nan la salua, la pria de s'asseoir en lui disant qu'elle n'en avait que pour un instant, puis saisit un balai.

— Vous devriez aller lui demander tout ça directement, dit-elle à l'intention de Lucas. Parce que j'ai l'impression que vous essayez de me faire dire des choses que je pourrais regretter…

C'était bien le cas, en effet.

— Le meurtre de ma sœur est toujours impuni, expliqua-t-il. Vous pourriez mettre en lumière quelque chose qui n'est pas apparu auparavant.

— J'ai une cliente, répondit la coiffeuse, en continuant de balayer. Vous devriez nous laisser, maintenant.

— Comment Rachel a-t-elle pris les mensonges de Jared ?

— Qu'est-ce que vous croyez ? Elle en a été terriblement blessée, bien sûr ! Avant ça, pour elle, c'était une sorte de prince charmant à l'armure étincelante. Elle disait même que leur relation était trop belle pour être vraie… Elle ne croyait pas si bien dire !

Lucas avait lui aussi fait l'amère expérience du mensonge. Il continua :

— Est-ce que Rachel s'est isolée de ses amis parce qu'elle était impliquée dans les malversations de Jared ?

Nan s'arrêta un instant de balayer.

— Seigneur ! Non ! Elle ne ferait rien d'illégal. Après ce qu'elle a traversé dans son adolescence, elle s'est bien juré de ne plus jamais sortir du droit chemin ! Elle craint la justice et ne veut plus avoir affaire à elle.

— Que voulez-vous dire ?

— Eh bien, vous le lui demanderez…

Elle rangea le balai et se tourna vers sa cliente.

— Voilà. On va passer au shampooing, madame Preston.

Puis elle s'adressa à Lucas :

— Venez…

Il la suivit jusqu'aux bacs et la regarda préparer sa cliente, qui l'observait avec curiosité.

— Comme d'habitude, madame Preston ? demanda Nan.

La dame acquiesça et Lucas reprit :

— Rachel avait peur de Jared ?

— Il faut comprendre à quel point il est important pour elle de remonter la pente. Elle est très honteuse de ce qu'elle a dû faire pendant ses années d'adolescence. Cela la rend hypersensible à tout ce qui peut toucher de près ou de loin à la loi.

Les innocents n'avaient pas ce genre d'inquiétude, en général. La cliente, sous le jet d'eau, écoutait de toutes ses oreilles.

— Pourquoi cela ? insista Lucas. Si elle n'a rien fait de mal, elle n'a rien à craindre !

— Elle a peur de Jared, oui. Il lui a dissimulé sa vraie nature, et elle se sent menacée par lui.

Cela changeait bien des choses. Si Rachel avait une raison légitime de se sentir menacée, il devait absolument découvrir ce qu'elle lui cachait.

— Que croit-elle qu'il pourrait faire contre elle ?

Tout en continuant de shampouiner sa cliente, Nan leva les yeux vers lui.

— La faire passer pour coupable d'une fraude…

Lucas la remercia et quitta le salon. Durant tout le trajet jusqu'à Tieber Air Transport, il oscilla entre la colère et le soupçon grandissant que Rachel redoutait autre chose que la seule sanction de la loi. Cela n'avait pas de sens ; elle ne dissimulerait pas à la police des informations concernant un meurtre par seul réflexe de peur égoïste.

A moins qu'il ne se soit complètement trompé sur son compte, depuis le début.

Rachel, qui se sentait très mal, s'agita sur son siège. Comme elle avait refusé de s'asseoir à son ancien bureau, Joseph l'avait installée dans la salle de conférences. Il était à côté et elle, elle restait là, à ne rien faire. N'eût été la crainte permanente de celui qui semblait toujours la guetter dans l'ombre, elle aurait volontiers quitté les lieux.

Quoi qu'il en soit, elle ne pouvait tout de même pas rester là indéfiniment, comme un mannequin de cire.

« Ne va nulle part avant mon retour… »

Elle avait l'impression insupportable d'être retombée sous la coupe des juges pour enfants et des familles d'accueil. Tous étaient de braves gens qui ne voulaient que son bien, certes, mais ils avaient fait peser sur son adolescence une charge tellement lourde…

Elle était alors bien davantage une victime qu'une coupable et avait à présent le sentiment déprimant qu'elle continuait à en être une. Elle ne voyait pas la moindre porte de sortie, pas le moindre avenir pour elle, qui ne soit sombre et désespérant.

Pourtant, avec Jared, elle avait bien cru entrevoir enfin une lueur d'espoir. Il lui avait donné sa chance, un vrai travail. Pour la première fois depuis la mort de ses parents, elle s'était sentie sur de bons rails, elle avait même cru pouvoir aspirer au bonheur et à l'amour. Finalement, elle avait découvert que tout cela n'était que tromperie et mensonges.

Ce nouveau job, à la Tieber Air Transport, cette famille… Cela paraissait tout de même bien différent. Bien sûr, ce poste lui avait été offert comme une sorte de leurre, mais on pouvait y voir aussi une offre généreuse. Elle se leva et fit quelques pas hors de la salle pour profiter un peu de l'ambiance familière qui régnait dans les locaux de la société : cadres et employés au téléphone ou pianotant sur leur ordinateur, hommes et femmes affairés, des dossiers sous le bras, qui souriaient et lançaient une plaisanterie au passage… Elle aimait ce décor familier de ruche bourdonnante et le sentiment de sécurité qu'il lui procurait.

— Tiens, Rachel !

Elle se retourna et vit Marcy s'approcher d'elle, téléphone à la main et un carnet de notes sous le bras. Dissimulant le peu de plaisir qu'elle avait à la voir, Rachel lui adressa un sourire un peu contraint.

— Bonjour, Marcy.

— Tu reviens travailler ici ?

Peu désireuse de répondre, elle fit diversion.

— Lucas dit qu'il t'a vue chez HealthFirst…

La façade d'amabilité mielleuse de Marcy s'altéra quelque peu.

— Oui, c'est vrai.

— Il a dit aussi qu'il t'avait vue en repartir au bras de Jared.

Après tout, elle n'avait pas grand-chose à perdre, et il était plutôt amusant d'observer la confusion de Marcy, qui semblait avoir tout à coup perdu ses grands airs.

— … Il est toujours la proie de ses vieux démons ? insista-t-elle suavement.

En un instant, Marcy émergea de sa stupeur momentanée et redevint l'arriviste sûre d'elle qu'elle était d'ordinaire.

— Pourquoi ? demanda-t-elle, il t'intéresse toujours ?

— Oh ! Que non !

Rachel n'ajouta pas qu'il aurait fallu pour cela qu'elle soit vraiment très stupide.

Le téléphone de Marcy se mit à sonner et elle regarda l'écran. C'est alors que Joseph sortit de son bureau, des feuillets à la main.

— Ah ! Marcy, vous voilà, dit-il. J'ai besoin que vous me fassiez vingt copies de ceci, et si vous pouviez vous occuper du café et de tout ça… Je reçois un client important, aujourd'hui. L'Alaskan Touring Company, vous vous souvenez ?

Marcy regarda de nouveau son écran, puis Joseph.

— Je suis désolée, lui dit-elle, mais M. Johnson vient justement de m'appeler, et je dois…

Rachel l'interrompit en prenant d'autorité les feuillets des mains de Joseph.

— Je vais m'en occuper, ainsi que de votre client, monsieur Tieber. Ne vous inquiétez pas.

Elle vit le regard satisfait de Joseph avant de s'éloigner.

La réunion avait commencé lorsqu'elle revint avec les photocopies à distribuer ; une présentation passait déjà sur l'écran vidéo.

Le café et les viennoiseries furent apportés quelques instants plus tard. Joseph lui adressa un sourire de remerciement.

Contente, mais pas encore tout à fait décidée à reprendre son poste, elle retourna néanmoins s'installer à son ancien bureau et alluma son ordinateur. Durant une heure, elle consulta des e-mails et y répondit. Absorbée par ce travail, elle ne remarqua pas immédiatement l'arrivée de Lucas. Mais lorsqu'elle leva les yeux, elle comprit instantanément, rien qu'à la dureté de son regard, qu'il venait de parler à quelqu'un qui la touchait de près. C'était davantage une certitude qu'une intuition. Elle se prépara au pire, ce qui était, hélas ! quelque chose qui lui était familier. Et ce serait sans doute particulièrement douloureux, cette fois…

La colère que pouvait éprouver Lucas l'affectait singulièrement. D'une façon plus profonde. Elle se leva.

— Viens, lui dit-il.

Il la prit par le bras, un peu trop fermement, et la ramena dans la salle de conférences qu'elle avait quittée. Il en claqua la porte.

— Une fraude ? lui lança-t-il.

Interdite, elle recula instinctivement et s'appuya au dossier d'une chaise. Quel que soit celui ou celle à qui il venait de parler, il en avait visiblement appris beaucoup.

— Je ne peux rien prouver, balbutia-t-elle.

— Et c'est pour ça que tu n'es pas allée voir la police ?

Il était furieux. Elle soupira, peinée, puis alla à la fenêtre et regarda sans les voir les montagnes que chevauchaient des nuages. L'appréhension la rendait muette, comme lorsqu'on l'avait menacée, si elle révélait quoi que ce soit à quiconque, de s'en prendre à sa vie.

— A qui es-tu allé parler ? demanda-t-elle. A Nan ?

C'était forcément elle. Elle n'avait parlé à personne d'autre de ces soupçons concernant Jared.

— Oui, je suis allé la voir…

Elle pivota pour lui faire face.

— Combien de mes amis vas-tu interroger encore ? Je vais te faire gagner du temps : Nan est la seule personne à qui j'ai parlé de Jared. Comment l'as-tu retrouvée ?

— Par Kadin.

— Ah oui, bien sûr ! La toute-puissante Dark Alley Investigations !

— Comment as-tu pu garder cela pour toi aussi longtemps ?

Rachel se retourna vers la fenêtre, bras croisés, incapable de soutenir le regard de Lucas qui, étrangement, paraissait maintenant plus implorant qu'accusateur.

— Après avoir quitté HealthFirst et emporté mes affaires, commença-t-elle, j'ai voulu y retourner un peu plus tard, et la sécurité ne m'a pas laissée entrer…

Elle n'avait ni l'entregent ni les arguments d'un Lucas Curran…

— Je voulais voir si je pouvais trouver quelque chose qui confirmerait ce que j'avais entendu.

Et cela lui avait valu une agression qui l'avait terrifiée et la hantait toujours.

— Il s'est passé quatre ans, ensuite, Rachel. Quatre ans !

Il s'approcha pour se placer juste derrière elle, frémissant de colère. Elle comprenait parfaitement qu'il soit furieux et s'en voulait de ne pas avoir été plus brave.

— Quatre ans et l'assassin de ma sœur est toujours en liberté, alors que tu aurais pu changer les choses en allant voir la police !

— Je ne voulais pas aller en prison, dit-elle d'une voix tremblante.

— Mais pourquoi y serais-tu allée ?

Comme quatre ans plus tôt, elle devait prendre une décision : risquer sa vie en disant tout, ou garder le silence...

— Pourquoi, Rachel ?

— Tu ne peux pas comprendre !

Faisant soudain volte-face, elle se rua hors de la salle de conférences en attrapant son sac au passage et courut vers l'ascenseur.

Elle appuya frénétiquement sur le bouton d'appel, et les portes métalliques s'ouvrirent enfin. Elles allaient se refermer lorsque la main et le pied de Lucas les retinrent. Il entra à son tour dans la cabine. Elle recula et s'adossa à la cloison d'acier tandis qu'il se campait devant elle.

— Aide-moi à comprendre comment tu as pu laisser courir un assassin pendant tout ce temps.

Non, elle n'avait pas fait cela...

— Je n'en savais pas assez !

C'était ce qu'elle se répétait depuis quatre ans. Trop de chocs s'étaient succédé : le meurtre de Luella Palmer, la découverte qu'elle était la femme de Jared. Tous les mensonges de celui-ci, sa trahison. Elle l'aimait, alors, ou croyait l'aimer... Il y avait eu la désillusion, et puis cette histoire de fraude. Quoi d'étonnant à ce qu'elle ait essayé de se cacher de tout et de tous, de s'enfouir au fond d'un trou ?

— Je n'avais que ma parole, expliqua-t-elle. Cela n'aurait pas suffi. Personne ne m'aurait crue. Je ne suis peut-être pas un grand détective comme toi, mais je sais cela.

— Arrête un peu avec ça ! Tu n'as plus à avoir peur, je suis là !

Elle en eut un instant chaud au cœur, puis se rappela qu'elle ne pouvait malheureusement pas lui faire confiance. Il la blâmait pour avoir dissimulé des informations et n'avait pas forcément tort, il fallait le reconnaître. Et, à présent, il essayait de la manipuler pour les obtenir ; elle pouvait voir étinceler sa colère dans ses yeux.

— Dis-moi tout, la pressa-t-il encore.

Il ne la laisserait pas en repos...

Les portes de l'ascenseur se rouvrirent et elle sortit, Lucas sur ses talons.

Dans la rue, une Sedan noire attendait. Rachel savait que son chauffeur était aux ordres de Lucas. Elle pouvait monter dans sa voiture avec lui ou rester seule et faire face à celui qui la guettait toujours.

Ils venaient juste de sortir de l'immeuble lorsque Lucas se rua soudain sur elle. Elle se retrouva couchée sur le trottoir, tandis que la grande porte en verre de Tieber Air Transport volait en éclats avec fracas. Des détonations retentirent, et le pare-brise de la Sedan explosa, puis la vitre arrière.

Lucas, qui était accroupi entre elle et la voiture, avait son arme à la main. Ouvrant le feu pour couvrir leur mouvement, il la saisit par le bras pour la tirer à l'abri du véhicule. Recroquevillée sur elle-même, Rachel le vit se redresser légèrement. Tout en continuant à faire feu, il ouvrit la portière arrière puis lui attrapa le bras et l'entraîna dans l'habitacle. Elle avait encore un pied à l'extérieur quand la Sedan bondit en avant.

Lucas continua à tirer à travers ce qu'il restait de la vitre arrière pendant qu'ils quittaient rapidement les lieux. Lorsque la fusillade cessa, Rachel vit le chauffeur se redresser sur son siège. Lucas baissa les yeux sur elle. Elle était allongée sur le plancher de la voiture.

— Ça va ? lui demanda-t-il. Rien de cassé ?

Elle s'étonna de le trouver aussi sexy, même dans cette situation.

— Euh… Non, rien…

Il parut soulagé et se déplaça un peu ; il avait un pied entre les jambes de Rachel.

Elle le regarda tirer un mouchoir de sa poche et pousser de côté les éclats de verre pour qu'elle puisse s'asseoir sur la banquette.

— Bon, dit-elle lorsque ce fut fait. C'était très excitant !

Sa pauvre tentative de faire de l'humour tomba à plat car Lucas enchaîna immédiatement :

— Pourquoi est-ce qu'on essaie de te tuer, Rachel ?

— Parce qu'on croit que je sais quelque chose, je suppose. Tout comme toi…

— Tu en sais suffisamment, et tu vas tout me dire, en commençant par le commencement, c'est-à-dire ce fameux soir où tu as eu un rapport avec Jared dans la salle de conférences. N'omets aucun détail, même le plus insignifiant.

Elle lança un regard gêné en direction du chauffeur. Lucas regarda celui-ci dans le rétroviseur.

— Bernie est tout à fait digne de confiance, et ne répétera rien. D'ailleurs il n'écoute pas. N'est-ce pas, Bernie ?

— Oui, monsieur. Je travaille pour votre père depuis vingt ans ; il a toujours été bon pour moi.

— Nous n'avons jamais douté de votre totale loyauté, Bernie.

Sans même en avoir reçu l'ordre, Bernie remonta la vitre de séparation entre eux et lui, et ils ne furent plus distraits que par le vent qui s'engouffrait par les vitres brisées.

— Après la salle de conférences, que s'est-il passé ?

Rachel regarda un instant les immeubles qu'ils longeaient. Elle se sentait particulièrement mal à l'aise au moment de révéler son plus grand secret, mais il n'était plus possible de reculer. Il ne la laisserait pas en repos tant qu'elle n'aurait pas parlé. Et puis… peut-être cela valait-il mieux, tout compte fait. Il était avec elle.

— Je te l'ai dit, j'ai vu Luella dans le bureau de Jared. Je ne la connaissais pas.

— Et ensuite ? Continue.

— J'ai pu me confronter avec lui quelques jours après. Il m'a dit de ne parler de notre liaison à personne. Cela m'a mise très en colère, alors je lui ai dit ce que j'avais entendu à propos d'une fraude. Il a allumé mon ordinateur et m'a montré des dossiers, qu'il y avait forcément placés lui-même. C'était les preuves d'une fraude à l'assurance.

— Il a exercé un chantage sur toi ?

— En me quittant, il m'a dit d'y réfléchir à deux fois avant de me mêler de ce qui ne me regardait pas.

— Que voulait-il dire ?

— Ses affaires, le meurtre de Luella… Pour ses fraudes et ses usages de faux, il disait que j'avais toujours été au courant.

— Et ce n'était pas vrai ?

— Mais non ! Il disait que tout était sur mon ordinateur. Je travaillais pour lui. Je m'occupais de la plupart de ses transactions. Il est possible que j'aie envoyé de sa part, et sans même m'en douter, des documents frauduleux.

— Tu penses que c'est Jared qui a installé ces fichiers sur ton ordinateur ?

— Oui. Mais je ne peux pas le prouver.

— Moi, je le peux sûrement.

— Je ne pense pas que ce soit lui qui nous ait tiré dessus, cependant…

— Même si ce n'est pas lui, il a très bien pu payer quelqu'un pour le faire et pour te menacer, aussi. Mais je peux te protéger, tu n'as pas à avoir peur.

Elle soupira, sans cesser de regarder Lucas. Aussi étrange que cela puisse paraître, il la faisait se sentir en sécurité. Et c'était loin d'être son seul effet sur elle… Fallait-il qu'elle soit stupide !

*
* *

Lucas soutint son regard et s'y plongea, surpris par l'extraordinaire énergie qui les liait l'un à l'autre.

— Tu aurais dû en parler à quelqu'un…

Il avait l'impression de n'avoir prononcé ces mots que pour s'empêcher de la prendre dans ses bras. Chaque fois, décidément, que les feux de l'amour se mettaient à flamber, la réalité venait jeter de l'eau dessus. Il ne pouvait se permettre la moindre faiblesse de ce genre, surtout en ce moment.

Rachel ferma alors les yeux et se tourna vers la vitre.

— Je n'ai aucune excuse valable à t'offrir, murmura-t-elle.

9

Lucas essayait de ne pas se montrer trop sévère envers Rachel ; elle avait cédé au chantage par peur. Les menaces qu'elle avait reçues étaient sérieuses et, quatre ans plus tard, elles étaient devenues une sinistre réalité : on venait de tirer sur eux. Les choses s'accéléraient, et il était certain d'en être lui-même la raison principale. Le tueur savait qu'il était à ses trousses et qu'il n'abandonnerait pas la traque avant d'avoir découvert qui avait tué sa sœur.

La caméra de sécurité placée à l'angle nord-ouest du bâtiment de la HealthFirst s'encadra exactement dans la lunette de visée de son fusil. Il était assis à l'arrière d'une camionnette banalisée, sans vitres, avec seulement une petite ouverture très discrète pratiquée dans la carrosserie, une simple et quasiment indécelable fenêtre de tir. Rachel se tenait auprès de lui. Depuis sa confession, elle n'avait pratiquement plus ouvert la bouche. Peut-être n'avait-elle plus confiance en lui… De toute façon, après la trahison de Jared, il était douteux qu'elle puisse de nouveau se fier à quiconque. Il appuya sur la détente et l'on n'entendit que le faible bruit du silencieux, comme un bouchon que l'on ôte d'une bouteille. Mais la caméra qu'il venait de mettre en joue serait désormais aveugle et sourde.

Il reposa le fusil, ouvrit la porte arrière, puis descendit de la camionnette et traversa le parking à grandes enjambées, suivi de Rachel, en prenant bien soin de rester uniquement dans l'angle de vision de la caméra qu'il venait de détruire.

A l'entrée du bâtiment, il sortit de sa poche un badge d'accès qu'il avait subtilisé lors de sa dernière visite.

— Où as-tu eu ça ? lui demanda Rachel.

— Les gens ne sont pas sérieux, répondit-il. Ils les laissent traîner partout.

La porte s'ouvrit et Rachel entra la première. Il était presque 22 heures, seules les veilleuses étaient allumées dans le hall désert. Ils évitèrent l'ascenseur, qui aurait pu attirer l'attention d'un éventuel vigile, et montèrent silencieusement jusqu'à l'étage directorial. Plusieurs lumières éclairaient encore les locaux vides, mais le bureau de Jared était plongé dans l'obscurité. Ils s'immobilisèrent en entendant du bruit en provenance du bureau d'Eldon Sordi. Tandis qu'un agent d'entretien en sortait, poussant devant lui son chariot, Rachel tira Lucas par la manche et l'entraîna dans la pièce la plus proche. L'homme éteignit la lumière et referma la porte, puis s'éloigna dans le couloir.

Lucas regarda le visage de Rachel, à peine discernable dans la pénombre. Ce n'était pas le moment idéal pour penser à l'embrasser…

Le petit tintement de l'ascenseur leur indiqua que l'agent d'entretien quittait l'étage. Lucas prit la main de Rachel et se dirigea vers le bureau de Jared. Il sortit un outil de sa poche et, en quelques secondes, crocheta la serrure.

— Tu es drôlement efficace, avec ce truc-là, murmura Rachel.

— Je perdais souvent mes clés, quand j'étais étudiant, dit-il avec un petit sourire. Il a bien fallu que je m'entraîne…

Il referma la porte du bureau et, pour plus de sécurité, baissa le store de la vitre qui donnait sur l'aire de réception.

— Tu es entré dans la marine pour devenir une sorte de James Bond ?

— Non. Parce que j'aimais les explosions quand j'étais gamin.

Il s'assit au bureau et alluma l'ordinateur.

— Le goût des enquêtes policières est venu après… Mais les explosifs, c'était vraiment bien !

Il lui sourit et Rachel lui rendit son sourire.

— Tu vas rester chez Dark Alley, quand tu auras découvert qui a tué ta sœur ?

Elle parlait comme si elle était certaine qu'il allait y parvenir, et cela le toucha.

— Je n'y ai pas encore réfléchi, avoua-t-il. Je prendrai peut-être un peu de repos, pour essayer de penser à ce que je veux faire du reste de ma vie.

— Tu ne veux plus être policier ?

— Ce que je voulais vraiment, c'était devenir un SEAL. Le reste…

— Tu ne peux pas blâmer ta femme pour ça le reste de ta vie. Vous avez tous deux pris une décision. Et c'est toi qui as pris celle de quitter le stage.

— C'est vrai. Cependant, si elle m'avait dit la vérité, les choses auraient été différentes. Mais elle voulait que je l'épouse, et elle m'a menti pour ça.

— Est-ce que ça t'a rendu…

Elle chercha un instant le mot.

— … sceptique, envers les femmes en général ?

Il sortit une clé USB de sa poche.

— Sceptique ? Disons plutôt sage.

— Méfiant ?

— Prudent.

— D'accord, prudent. Mais tu sais, je pense, que toutes les femmes ne sont pas des menteuses.

Il connecta sa clé USB et commença sa recherche des fameux dossiers de Jared. L'idée que Rachel puisse faire des comparaisons entre elle et son ex-femme le mettait mal à l'aise. Elle était plus intègre, plus authentique… mais elle aussi avait menti ou, plus exactement, dissimulé la vérité. Quant à lui, il lui avait menti également, ce qui ne lui donnait guère le droit de s'ériger en juge.

Pendant qu'il s'activait sur l'ordinateur, Rachel feuilletait des classeurs de courrier papier et de notes diverses. Il la vit s'immobiliser tout à coup.

— Qu'y a-t-il ?

— Ce nom… Je l'ai déjà vu quelque part.

Il se pencha vers elle pour voir. Juste un feuillet, une note manuscrite avec le nom d'Angie Johnson, une heure et une date. Ceux d'un rendez-vous, très certainement.

— Qui est-ce ? demanda-t-il.

— Je ne sais pas du tout. Je me souviens seulement de l'avoir lu. Certainement sur des documents que Jared m'aura demandé de lui envoyer…

Lucas chercha dans la messagerie s'il y avait une adresse e-mail à ce nom, mais elle ne contenait aucun courrier vieux de plus de trois mois. Il venait de faire une copie des messages envoyés, lorsqu'une lumière s'alluma à l'étage.

Il récupéra sa clé USB et éteignit l'ordinateur.

Rachel remit silencieusement le classeur en place. Lucas lui prit la main et la fit s'accroupir contre le mur, sous la vitre donnant sur l'aire de réception. A travers deux lames du store, il vit un vigile s'approcher.

Jetant un coup d'œil autour de lui, Lucas aperçut, au-dessus d'une plinthe, un petit voyant rouge. Un détecteur de mouvements, certainement. Il n'y avait plus qu'à essayer de se cacher, mais le bureau de Jared n'offrait guère de possibilités. Pas question, bien sûr, de se dégager en faisant le coup de feu. Pas contre un vigile innocent.

L'homme arriva à la porte et essaya de jeter un coup d'œil à l'intérieur. Comme Lucas avait baissé le store, il ne put rien voir. Il prit alors son trousseau de clés pour ouvrir et découvrit que la porte n'était pas verrouillée. Immédiatement en alerte, il se saisit de son émetteur-récepteur en même temps que de son pistolet.

— Code 22 dans le bureau 1, annonça-t-il dans l'appareil, d'une voix étouffée, mais clairement audible dans le silence du bâtiment.

Cela devait signaler une intrusion. Tout alla ensuite très

vite. Le vigile poussa la porte, vit Lucas accroupi juste à côté de lui et braqua son arme dans sa direction. Mais, dans une détente fantastique, l'ancien aspirant SEAL immobilisa son bras, le força à lâcher son arme puis, par une impressionnante prise de combat rapproché, le fit basculer par-dessus son épaule et l'envoya voler au-dessus du bureau.

Rachel le précéda dans le couloir, mais la petite sonnette de l'ascenseur les stoppa. Lucas reprit sa main et l'entraîna vers la cage d'escalier. Ils l'atteignaient tout juste lorsque les portes de l'ascenseur s'ouvrirent.

— Ils sont là ! cria l'un des hommes qui en sortaient.

Lucas poussa Rachel vers la volée de marches. Derrière eux, les vigiles accouraient en leur ordonnant de s'arrêter. A l'étage en dessous, ils se ruèrent dans le couloir, puis dans un *open space* de bureaux. Un employé attardé, tout seul sous sa lampe de travail, se leva, un peu hébété, à leur passage. Ils traversèrent cette grande salle au pas de course, en espérant déboucher sur une autre cage d'escalier. Ce fut le cas.

Mais en atteignant le hall d'entrée, ils tombèrent sur un véritable cordon de vigiles déployés, qui leur faisaient face l'arme à la main.

— Là, je crois qu'il vaut mieux se rendre, chuchota Lucas à l'intention de Rachel.

— Q… quoi ? Mais…

— Ne t'inquiète pas. Je sais gérer ce genre de situation.

— Mais nous nous sommes introduits en fraude dans un lieu privé ! Nous allons être arrêtés…

— Il n'y aura pas de suites, j'en fais mon affaire. Viens.

Il reprit sa main. Elle résista.

— Lucas, je ne peux pas ! J'ai un casier !

Elle était si visiblement apeurée qu'il eut un instant d'hésitation. Il comprenait à quel point son passé pesait sur elle, conditionnant sa vie, son avenir, mais il n'y avait rien d'autre à faire.

— Fais-moi confiance, lui murmura-t-il.

Les vigiles s'approchaient, les encerclaient…

— Ne bougez plus ! Les mains en l'air !

Lucas leva lentement les mains.

Après un petit temps, Rachel fit de même.

Rachel ne comprenait pas pourquoi Lucas s'était rendu aussi vite et aussi docilement. Elle l'avait suivi dans les locaux de Jared de son plein gré, et ne pouvait le lui reprocher. Mais, à présent, elle avait l'impression de revivre un vieux cauchemar. Les menottes, la lecture de ses droits constitutionnels par un policier. Puis le fourgon, et maintenant l'attente dans un bureau sans fenêtres.

Finalement, un policier en civil entra, un dossier à la main.

— Mademoiselle Delany ? Je suis l'inspecteur Suarez et je vais vous poser quelques questions sur les faits qui se sont déroulés ce soir.

S'il croyait qu'elle allait parler, il perdait son temps.

Il ouvrit le dossier. Il y a là-dedans tout un passé ou, plus précisément, tout un passif…

L'inspecteur feuilleta ostensiblement les pages.

— Apparemment, vous ne vous êtes pas réellement assagie.

Furieuse, Rachel tapa du plat de la main sur le bureau.

— Je le suis parfaitement, au contraire, et je n'ai été arrêtée que deux fois. Et c'était durant mon adolescence !

— Et vous venez de l'être à nouveau, à l'âge adulte. Si nous en parlions ? Pour commencer, que faisiez-vous dans le bâtiment de la HealthFirst ?

— Je n'ai pas à répondre à ce genre de questions sans la présence d'un avocat.

— Tout pourrait être éclairci en quelques minutes, si vous vouliez coopérer.

Il montra à nouveau le dossier.

— Vous avez déjà accepté, dans le passé. Pourquoi ne pas continuer ?

— Je ne peux pas vous dire ce que je faisais dans ce bâtiment.

— Et pourquoi cela ?

— Parce que si je le fais, je serai tuée.

Après tout, quelqu'un avait bel et bien essayé. Bien sûr, elle pouvait dire à cet inspecteur tout ce qu'elle savait sur Jared, mais l'effraction resterait caractérisée, comme disaient les policiers, et tout ce qu'elle révélerait risquait aussi d'être retenu contre elle.

— Qui voudrait vous tuer ?

— Je ne vous dirai rien d'autre sans la présence d'un avocat, même si vous m'interrogez toute la journée.

Avec un soupir, l'inspecteur se cala contre le dossier de sa chaise.

— Très bien, fit-il. Nous allons en appeler un, mais je vous assure qu'il serait beaucoup plus simple de me raconter sans faire d'histoires ce qui s'est passé…

— Plus simple pour qui ?

Ils furent interrompus par des coups frappés à la porte. Un autre policier en civil, vêtu d'un strict costume cravate, entra dans la pièce.

— On la laisse partir, annonça-t-il d'un air blasé.

— Quoi ?

L'inspecteur Suarez n'en croyait visiblement pas ses oreilles.

— On a reçu un coup de fil du grand chef, expliqua l'autre policier. Elle est libre.

— Le grand chef ? Williams ? Mais en quoi cette histoire le concerne ?

A la fois abasourdi et incrédule, et doutant visiblement qu'elle puisse avoir d'aussi puissantes relations, il dévisagea Rachel.

— Tu la laisses partir, Suarez, et c'est tout, reprit l'autre policier sèchement. Arrête de me poser des questions dont je n'ai pas les réponses. Ton chef et le mien, le patron de la police de Bozeman, a appelé et a dit de la laisser partir. Alors tu fais comme il a dit.

Sur ces mots, il quitta le bureau et l'inspecteur Suarez continua de la fixer durant de longues secondes.

— Lequel de vos amis, à votre avis, demanda-t-il, a pu prendre son téléphone et obtenir votre libération, alors que vous avez été prise en flagrant délit ?

— Aucun !

Il continua à l'observer encore un instant, puis se leva.

— Eh bien, vous avez entendu. Vous êtes libre.

Rachel se leva et alla vers la porte dans une sorte de brouillard. En arrivant dans le hall d'entrée, elle vit Lucas qui l'attendait, l'air aussi frais et reposé que s'il sortait de sa douche.

Devant le poste de police stationnait l'une des Sedan de Tieber Air Transport, noire avec des vitres teintées.

Elle n'appréciait décidément pas la nonchalance que Lucas affectait.

— Comment tu as réussi ça ? demanda-t-elle, les sourcils froncés.

— Kadin a appelé le chef de la police et lui a expliqué ce que nous faisions là-bas. Le chef a alors téléphoné à Jared et à Sordi. Il leur a demandé s'ils voulaient porter plainte, et ils ont dit non.

— Et c'est tout ?

Elle s'arrêta près de la voiture. Lucas avait déjà la main sur la poignée de la portière.

— Il a peut-être aussi proposé de nous fournir un mandat officiel, pour terminer le travail, répondit-il en souriant de sa fine plaisanterie.

— Tu n'aurais pas dû appeler ton patron à l'aide, lui dit-elle. Je croyais que tu étais le roi des détectives !

Elle n'avait pu s'empêcher de lui lancer ce petit sarcasme parce qu'elle lui en voulait. Dans le bureau de ce policier, elle s'était sentie aussi menacée, aussi désespérément sans défense qu'à la mort de ses parents. Et coupable... Elle avait failli aller en prison et c'était Lucas qui l'avait mise dans cette situation. Même un diplôme universitaire ne contrebalançait pas un casier judiciaire.

— Je te remercie pour la haute opinion que tu sembles avoir de moi, mais je n'allais certainement pas tirer sur des innocents pour nous sortir de là. Ces vigiles nous prenaient pour des criminels, ils n'ont fait que leur travail. Et moi, je savais que je pouvais appeler Kadin.

— Sinon, tu aurais pu affronter seul tous ces vigiles ?

— Probablement, oui. J'aurais pu nous tirer de là, mais peut-être au prix de plusieurs vies.

Rachel devait bien convenir qu'il avait eu raison, étant donné les circonstances.

— Tu aurais pu me dire que ton patron allait intervenir auprès de la police. Cela m'aurait évité pas mal d'angoisse, lui reprocha-t-elle quand même.

— Et quand est-ce que je te l'aurais dit ? Au moment où on levait les bras en l'air ?

Il passa doucement sa main libre sur la joue de Rachel, en une caresse douce et tendre. Elle leva les yeux vers les siens.

— Je t'avais dit que tu pouvais me faire confiance, murmura-t-il.

Il lui ouvrit la portière et elle s'installa dans la voiture. Puis il en fit le tour pour prendre place à côté d'elle.

— Est-ce qu'ils t'ont pris la clé USB ? lui demanda-t-elle quand il fut assis.

— Pas de danger. Je l'ai toujours.

Elle en fut soulagée. Elle avait mis beaucoup d'énergie dans cette opération nocturne qui lui avait valu beaucoup de stress, mais au moins y avait-il un résultat.

Le chauffeur les ramena chez Lucas, et ils s'installèrent dans le bureau de celui-ci pour examiner les dossiers récupérés.

La plupart concernaient l'activité commerciale de Jared et ne contenaient à première vue rien d'illégal. Il y avait aussi des choses plus personnelles ; des e-mails à des femmes, des photos, dont quelques-unes représentant Jared à une fête quelconque, deux filles pendues à son bras.

— Je n'arrive pas à croire que j'ai pu m'intéresser à lui, marmonna Rachel en soupirant.

— C'est tu ne le connaissais pas sous son vrai jour…

Elle songea à la façon dont Jared l'avait bernée. Il s'était présenté comme un célibataire travailleur et couronné par le succès, mais sensible et charitable. Il disait qu'il aimerait fonder une famille, mais n'en avait pas eu vraiment l'occasion jusque-là. Entre eux, cela avait commencé de la façon la plus banale qui soit, par des dîners, des sorties… Un vrai rêve, que la réalité n'avait pas tardé à faire voler en éclats.

— Après la mort de ta sœur, j'ai voulu retourner discrètement à la HealthFirst, commença-t-elle avec un peu d'hésitation.

Lucas comprit instantanément que cette fois ça y était : elle allait lui dire toute la vérité. Il cessa de regarder l'écran d'ordinateur pour lui accorder toute son attention.

— … J'ai fait comme toi, j'ai volé un badge d'accès. Je suis montée dans mon bureau et n'ai rien pu faire parce que le code utilisateur de mon ordinateur avait déjà été changé. Alors je suis passée dans le bureau de Jared pour voir le sien, mais j'ai été dérangée. Un visiteur est arrivé et a demandé à le voir. Je lui ai dit que Jared était en réunion et il a répondu qu'il allait attendre. Il a bien fallu que je parte sans avoir pu faire ce que j'avais prévu…

Elle soupira.

— Quelque temps après, Jared est venu me voir. Il m'a demandé si j'étais venue à son bureau. J'ai nié, bien sûr… Un an a passé et j'ai commencé à me dire que je pouvais peut-être prendre le risque d'aller voir la police. En me rendant au poste, j'ai remarqué qu'une voiture me suivait ostensiblement. J'ai eu peur et je suis rentrée chez moi.

Quelques jours plus tard, il y avait un paquet devant ma porte. Il contenait mon pauvre chat, raide mort…

Elle chercha le regard de Lucas.

— Après cela, je n'ai plus cessé de regarder par-dessus mon épaule, à tout moment. J'aurais bien voulu aller voir la police, mais que m'arriverait-il si je le faisais ? Et si elle ne trouvait aucune preuve contre Jared ? Pire, si ce n'était pas lui qui avait tué Luella, et s'il n'était pas non plus celui qui me menaçait ?

— Tu n'as plus rien à craindre, lui dit doucement Lucas. Je suis là, maintenant.

Elle essaya de déchiffrer son regard bleu-gris. Oui, c'était vrai, il serait là pour elle, au moins le temps que durerait son enquête. Mais ensuite ?

— Je voulais que tu saches ce que j'ai essayé de faire, ajouta-t-elle. J'ai fait de mon mieux, Lucas.

— Je te crois.

— C'est vrai ?

— Bien sûr ! Tu étais effrayée, je peux le comprendre. Mais je veux que tu cesses d'avoir peur, Rachel. Tu n'as pas à te couper de tous et à craindre la loi. Tu es innocente.

Elle avait toutefois l'impression que des mots restaient en suspens.

« … jusqu'à ce que tu me prouves le contraire. »

— Est-ce que tu veux continuer à négliger tes amis ?

— Mais non !

Pourquoi lui demandait-il cela ?

— Tu n'as pas vu Nan depuis bien longtemps…

Elle détourna le regard. D'accord, elle avait eu tort ; elle se le reprochait déjà suffisamment.

— Tu n'as pas besoin de ne plus être pauvre pour être respectable. Tes amis s'en fichent. Nan aimerait bien avoir de tes nouvelles, mais toi tu te caches.

— J'étais occupée…

Il y avait une grande différence entre se battre pour

son avenir et se cacher peureusement pour ne pas avoir à affronter la vie.

— A passer un diplôme qui, crois-tu, t'apportera enfin la respectabilité dont tu rêves.

— Mais oui. Qu'y a-t-il de mal à ça ?

— Rien, si ça ne t'empêche pas de vivre, exactement comme tu t'en sens empêchée depuis quatre ans.

C'était vrai, et le fait que ce soit justement Lucas qui s'en soit aperçu la déconcertait. Etait-il sincère ?

— Je t'ai dit tout ce que je savais, fit-elle d'un ton las.

Il n'avait pas tort. Elle s'était sentie tellement bafouée et humiliée par Jared qu'elle avait eu envie de se cacher dans un trou. D'une certaine manière, elle l'avait fait…

— Moi, reprit-elle, je crois que le respect des autres se gagne.

— Parfois, oui.

— Est-ce que j'ai gagné le tien ?

Comme elle s'y attendait, il détourna les yeux.

Non, elle n'avait sans doute pas gagné son respect. Leurs parcours de vie avaient été bien différents. Il avait eu le privilège de grandir dans l'amour et le confort. Malgré la perte douloureuse de son père, il avait tout de même eu des parents qui l'aimaient et l'avaient aidé à devenir un homme fort et intègre.

Finalement, il la regarda de nouveau.

— Ce que je peux dire, c'est que tu as beaucoup souffert par la faute de Jared et que le poids de la culpabilité pèse toujours sur tes épaules.

— Est-ce que ce n'est pas humain ?

— Certains parviennent très bien à rejeter ce qui peut plomber leur existence. Ce n'est pas ton cas.

— Lucas…

— Je voulais… Je voulais te blâmer, te condamner, mais je ne le peux pas. Plus maintenant.

Disait-il la vérité ? Elle aurait tant voulu ressembler à toutes ces femmes pleines de confiance en elles, protégées et souriant à la vie ! Hélas ! elle n'avait jamais eu cette chance. Lucas, avec son regard si perçant, plein de force masculine et d'intégrité, avait su voir cela en elle.

C'est à cet instant précis qu'elle sut qu'il avait définitivement pris son cœur. Il se pencha vers elle, plongeant ses yeux dans les siens. Jamais elle n'avait connu d'homme plus attirant et mystérieux. Des mystères que l'on devait probablement mettre beaucoup de temps à explorer… Ils avaient néanmoins des choses en commun : ce besoin d'avoir confiance, qui paradoxalement les empêchait d'accorder rapidement la leur ; les deuils qui avaient marqué leur vie…

Il caressa lentement sa joue, faisant naître en elle de délicieux frissons, puis il posa tout doucement ses lèvres sur les siennes. Après tout ce qu'elle venait de traverser, elle eut l'impression que c'était comme une nouvelle naissance, ou l'arrivée du printemps après un hiver froid et maussade. Il l'attira contre lui et elle se pendit à son cou. Le bras de son fauteuil lui entrait dans les côtes, mais elle n'en avait cure. Leurs baisers se firent plus brûlants…

Lucas se leva et la souleva dans ses bras sans le moindre effort. Du pied, il poussa le fauteuil hors de leur chemin. Elle noua les bras autour du cou de son amant et il l'emmena dans le couloir, sans cesser de l'embrasser.

Arrivé dans le salon, il s'arrêta et la laissa glisser vers le sol, le long de son corps dur. Elle pouvait retirer immédiatement ses vêtements et s'offrir, ne plus penser à rien et se laisser envahir par la passion, mais il lui prit le visage entre ses mains et la fit le regarder droit dans les yeux.

— J'ai besoin de ton aide, Rachel.

L'atmosphère n'était soudain plus aussi brûlante qu'un instant auparavant.

— Mais il faut me faire confiance. D'accord ?

Encore excitée mais furieuse, Rachel le repoussa avec un soupir rageur en lui frappant la poitrine des deux mains.

— Oh ! s'exclama-t-elle. Comment peux-tu…

Et elle le frappa encore, de ses poings cette fois. Il les emprisonna dans ses mains.

— Mais qu'est-ce qui te prend ? lui demanda-t-il, abasourdi.

— Tu l'as fait exprès, hein ?

— Quoi ?

— De m'embrasser ! « J'ai besoin de ton aide, Rachel, fais-moi confiance… »

— Je ne t'ai pas du tout embrassée pour ça, mais j'ai vraiment besoin que tu me fasses confiance !

Décidée à quitter les lieux sur-le-champ, elle tourna vivement les talons. Après tout, elle s'était débrouillée toute seule durant quatre ans avec un tueur à ses trousses, elle pouvait bien continuer… Mais il y avait en plus maintenant cette fichue attirance et ce corps viril qui la mettait en transe. Comme si les hommes beaux et riches ne lui avaient pas déjà causé suffisamment d'ennuis !

Lucas la rattrapa à la porte, lui prit la main et la força à s'arrêter.

— Reste, lui dit-il doucement.

Elle se tourna vers lui.

— Pour quoi faire ?

— Je ne trichais pas. Je n'ai même pas fait exprès de t'embrasser. C'est arrivé comme ça…

C'était peut-être encore une meilleure raison de le planter là.

Il ne lâcha pas sa main.

— Allons, viens, reprit-il. Il faut qu'on trouve pourquoi Angie Johnson a contacté Jared.

Elle voulait le savoir, elle aussi, c'est vrai…

— Ensuite, il faudra lui parler. Elle sait peut-être quelque chose d'important que, comme toi, elle redoute de révéler.

Elle pointa un doigt rageur dans sa direction.

— Arrête ça ! lui intima-t-elle. Arrête ça tout de suite !

— Je ne manipule personne, se défendit-il. J'essaie de mener une enquête.

Rachel lui retira sa main, réfléchit une seconde et soupira :

— Bon, d'accord. Mais c'est bien parce que je veux savoir, autant que toi.

Ils retournèrent dans le bureau et, cette fois, c'est elle qui s'installa au clavier, Lucas se tenant derrière son fauteuil, plus dérangeant que jamais à force de la troubler sexuellement. Elle lut les deux initiales en même temps que lui. AJ.

— C'est celui-ci. Ouvre-le !

Ils parcoururent le dossier.

— Jared a fait débouter sa plainte, murmura Rachel, interloquée.

Angie avait subi une délicate opération chirurgicale que son assurance spécifique aurait normalement dû couvrir, mais HealthFirst niait lui en avoir établi une.

— C'était une fausse police d'assurance, dit Lucas.

— Pourquoi Jared l'a-t-il établie lui-même et avec sa signature ?

— Parce qu'impliquer quelqu'un d'autre aurait présenté trop de risques, j'imagine…

— Il m'a bien impliquée, moi !

— Indirectement, puisque tu n'avais aucune idée du contenu illégal des courriers qu'il te faisait envoyer.

Persuadée qu'elle était sur le chemin d'une nouvelle vie, elle avait fait tout ce que Jared lui demandait, sans savoir dans quel pétrin elle se fourrait.

— Regarde un peu ça.

Elle se concentra à nouveau sur l'écran. Le document que Lucas venait d'ouvrir était une sorte de fiche de renseignements.

— Mais… c'est de moi qu'il s'agit ! s'exclama-t-elle, tombant des nues.

Il n'y avait que quelques indications, mais tout était exact, et il y avait une dernière ligne particulièrement intéressante.

Rachel Delany : délinquante juvénile.

Elle recula vivement, comme frappée en plein visage

par cette nouvelle preuve de la duplicité de Jared. Elle avait décidément été bien naïve et trop confiante.

Il s'était servi de son passé contre elle. Il était temps de contre-attaquer.

— Et maintenant ? demanda-t-elle.

Lucas revint vers l'écran.

— Maintenant, on essaie de trouver Angie Johnson.

Il lança une recherche sur Internet.

Trouver son adresse ne leur aurait servi à rien car, tout de suite, ils tombèrent sur un article relatant la mort d'Angie. Son meurtre, en fait.

L'assassin courait toujours.

10

Lucas s'éveilla aux premiers rayons du soleil et eut l'impression de les voir à travers un épais rideau de cheveux châtains. Clignant les yeux, il s'aperçut qu'il ne se trompait pas. Rachel était à demi étendue sur lui, sa cuisse contre la sienne, son bras en travers de sa poitrine, et sa main juste sous le col déboutonné de sa chemise, à même sa peau. Tard dans la nuit, ils avaient enfin atterri sur le canapé où ils avaient continué à parler de Jared et du meurtre d'Angie. C'était ainsi que le sommeil les avait surpris.

— Rachel ?

Il la secoua légèrement. S'ils restaient ainsi, Lucas savait que son corps n'allait pas tarder à réagir, sans se soucier des messages négatifs que son cerveau pourrait lui envoyer.

Elle s'étira, en remuant sensuellement les hanches.

Il sentit son sexe durcir, et secoua à nouveau légèrement l'épaule de Rachel. Elle releva la tête et ouvrit un œil embrumé de sommeil.

— Oh…

Découvrant dans quelle position elle était, elle voulut se redresser. Pour se lever, elle devait enjamber Lucas et c'est ce qu'elle commença à faire, passant une jambe par-dessus lui. Elle se retrouva alors le bassin plaqué contre le sien et sentit son érection. Elle s'immobilisa, le regard déjà chaviré de désir. Malgré lui, il avança les mains vers ses seins. Tout en se frottant sur son sexe dressé, elle l'aida à la débarrasser de son chemisier.

Il le lui arracha avec tant de fièvre que des boutons sautèrent et roulèrent sur le plancher. Son soutien-gorge suivit bientôt le même chemin, et il eut les seins nus de Rachel dans ses mains.

Le souffle court, elle glissa les siennes sous sa chemise et se pencha pour l'embrasser. Il la fit rouler sous lui en prenant passionnément sa bouche, tandis qu'elle lui dégrafait son pantalon.

Le silence de Rachel avait peut-être permis à un assassin de rester en liberté. Il pouvait la comprendre, mais il n'en était pas moins vrai que le meurtre de sa sœur restait impuni. Cette pensée commença à refroidir ses ardeurs, mais ce n'en était pas la seule raison. Etrangement, l'incroyable violence même de son désir et les sentiments qu'il commençait à éprouver pour elle y prenaient part aussi. Il n'était pas prêt pour une relation sérieuse.

En premier lieu, c'était le meurtre de sa sœur qui comptait. Puis la confiance. Rachel en était-elle vraiment digne ou lui cachait-elle encore quelque chose ?

La tentation était grande de laisser libre cours à leur passion mutuelle… Il s'écarta néanmoins d'elle et se leva après un dernier regard sur les beaux seins exposés, les longues jambes…

— Il faut y aller, lui dit-il. Je t'attendrai dans la voiture, devant la maison.

Puis, il se rendit dans sa chambre pour prendre une douche. Sans un mot, Rachel se dirigea vers la sienne.

Il dut ouvrir le robinet d'eau froide à fond pour que s'apaise la fièvre qui le dévorait.

Le frère d'Angie était instituteur dans une école maternelle, à environ cinquante kilomètres de Bozeman. Rachel et Lucas s'arrêtèrent sur le seuil de la classe, où une vingtaine d'enfants faisaient des collages de sable coloré sur du papier. Clinton Johnson était accroupi à côté de l'un de ses élèves et l'aidait. Il se leva pour les accueillir.

— Bonjour ! Vous désirez me parler ?

Son regard perplexe indiquait qu'il ne se souvenait pas de les avoir vus dans les réunions de parents d'élèves.

— Je suis Lucas Curran et voici Rachel Delany. Vous êtes bien le frère d'Angie Johnson ?

Le sourire accueillant de l'instituteur disparut aussitôt.

— Vous êtes de la police ? Est-ce qu'il y a du nouveau dans cette affaire ? Le shérif ne m'a rien dit…

— Je suis enquêteur privé, répondit Lucas. Ma sœur a été assassinée à peu près à la même époque que la vôtre.

— Nous pensons qu'il y a peut-être un lien entre les deux affaires, expliqua Rachel. Angie avait souscrit une assurance auprès de la HealthFirst et avait rencontré son directeur, Jared Palmer, peu avant d'être tuée, n'est-ce pas ?

— Oui. Le shérif Bailey a interrogé Palmer. Angie a dû être opérée, et l'assurance ne couvrait pas les frais qui étaient importants. Comme Jared Palmer ne répondait ni à ses coups de fil ni à ses courriers, Angie l'a harcelé jusqu'à ce qu'il accepte de la recevoir. Il a nié catégoriquement lui avoir vendu une police d'assurance. Elle était sur le point de prendre un avocat, mais elle n'avait aucune preuve, parce que la HealthFirst ne lui avait même pas envoyé son contrat. Tout s'était passé par téléphone.

— Quand a-t-elle payé ?

— Palmer lui a donné un rendez-vous, lui a offert un café et des gâteaux, et a pris son argent. Il lui a dit qu'il lui enverrait le contrat par la poste. Mais les documents ne sont jamais arrivés, et le shérif n'a eu aucune preuve matérielle de l'escroquerie… J'avais dit à Angie que personne ne payait une police d'assurance en liquide, que c'était plus que louche, mais quand il était question d'argent, ma pauvre sœur était une véritable enfant.

— Donc, la police ne pense pas que Jared Palmer a pu l'avoir tuée.

— Oh ! que si ! Le chargé d'enquête en était tout à fait convaincu, au contraire. Malheureusement, il n'a jamais pu le prouver. Le procureur ne l'a pas suivi.

Lucas ne put s'empêcher de lancer un regard à Rachel qui en saisit parfaitement le sens. C'était une accusation muette. Jared avait pu s'en tirer parce qu'elle avait dissimulé des informations capitales. Et c'était pour cette même raison qu'il ne lui avait pas fait l'amour, ce matin. La flambée de passion était loin…

— Qui est la dernière personne à avoir vu votre sœur en vie ?

L'instituteur se frotta la nuque.

— Notre mère. Et c'est en train de la tuer. Elles ont déjeuné toutes les deux dans un restaurant, ce jour-là, puis elles se sont séparées. On a retrouvé le corps d'Angie peu de temps après.

— Est-ce que le shérif a interrogé beaucoup de monde, dans cette affaire ? demanda Lucas.

— Oui. Palmer, son associé, ses employés, et aussi des gens du groupement d'assureurs dont la HealthFirst fait partie. Apparemment, personne ne savait rien.

Un petit garçon à peine âgé de cinq ans vint tirer l'instituteur par la jambe de son pantalon.

— J'ai renversé ma peinture, m'sieur…

— Oui, une seconde, Kevin, lui dit-il avant de s'adresser de nouveau à Lucas : Vous allez faire arrêter Palmer ?

— Oui.

La façon très affirmative dont il avait répondu n'échappa pas à Rachel.

— J'ai encore une dernière question.

— Je vous en prie. Si je peux vous aider…

— Votre shérif est-il entré en contact avec la police de Bozeman ?

— Ça, je ne saurais vous le dire. Je ne crois pas…

*
* *

Le shérif Bailey retira ses pieds de son bureau et posa son journal lorsqu'ils entrèrent. Lucas lui exposa brièvement les raisons de leur visite.

— Luella Palmer ? répéta le policier. Ça ne me dit rien.

Ce manque de curiosité ne présageait rien de bon quant à ses qualités d'enquêteur. Le monde ne s'arrêtait pas aux limites de sa circonscription…

— Elle était l'épouse de Jared Palmer, insista Lucas. Elle a été assassinée ; on en a beaucoup parlé.

— Ah oui, pardonnez-moi, dit le shérif en soupirant. Cela fait longtemps, et ma pauvre tête n'est plus ce qu'elle était depuis que je suis veuf. C'est tout récent. Cancer…

— Je suis désolé…

— Et vous pensez que son meurtre a quelque chose à voir avec celui d'Angie Johnson ?

Rachel ne s'était pas assise avec eux. Elle regardait les titres des livres de droit rangés dans une bibliothèque.

— Oui, répondit Lucas. Luella avait peut-être découvert quelque chose en rapport avec cette affaire.

Le shérif se leva pour aller ouvrir un classeur métallique. Du coin de l'œil, Lucas voyait Rachel feuilleter les revues posées sur une table basse, devant un vieux canapé sur lequel elle avait fini par s'asseoir. Cherchait-elle quelque chose de précis ?

Le shérif alla s'asseoir à côté d'elle et ouvrit la chemise cartonnée qu'il avait tirée de son classeur. Lucas les rejoignit. Il prit la photo que le policier lui tendait. C'était un cliché du corps d'Angie, tel qu'on l'avait retrouvé. Elle avait reçu une balle dans la tête et on avait dissimulé le cadavre sous des branchages, mais le vent les avait dispersés. Cela rappelait étrangement le meurtre de Luella : un lieu retiré, une atteinte à la tête et puis les branches…

— Pas d'arme du crime, pas d'ADN, ajouta sobrement le shérif Bailey.

— Tout comme pour Luella.

Rachel regarda Lucas. Sa voix trahissait ce que les mots ne disaient pas.

Le policier lui tendit quelques feuillets.

— La déposition de Jared Palmer.

— Il avait un bon alibi, apparemment...

Jared avait affirmé ne pas avoir quitté son bureau avant une heure très tardive, ce jour-là. Un vigile de la société l'avait confirmé, ainsi que l'examen du disque dur de son ordinateur.

— On peut toujours acheter un témoignage et trafiquer une machine, fit remarquer Rachel.

— Avez-vous contacté la police de Bozeman ? demanda encore Lucas.

— Je dois avouer que non. Après la vérification de l'alibi de Palmer, je n'en ai pas vu la nécessité. Apparemment, je ne suis lourdement trompé... Y a-t-il quelque chose que je puisse faire pour vous aider ?

Lucas lui rendit les feuillets.

— Vérifier si personne d'autre n'a vu Angie le jour de sa mort ou entendu parler de cette histoire d'assurance et donc, peut-être, rouvrir le dossier. Pour ce qui est de Palmer, je m'en charge.

Lucas lui tendit sa carte.

— Appelez-moi si vous trouvez quelque chose. De jour comme de nuit.

Le shérif Bailey acquiesça.

Un peu plus tard, à Bozeman, Lucas et Rachel étaient assis en face d'Eldon Sordi, dans son bureau de la HealthFirst. Il n'avait pas refusé de les recevoir.

— Vous avez un certain culot pour vous montrer ici après ce que vous avez tenté de faire, leur dit-il calmement avant de se tourner vers Rachel : Mais je suis content de vous revoir, mademoiselle Delany. Cela me donne l'occasion de vous dire que je n'étais pas au courant de votre relation avec Jared, et que j'ai toujours pensé que vous étiez un excellent élément…

Il l'ignorait ? Bien qu'elle ait un peu de mal à le croire, elle n'en montra rien. L'homme portait beau, avec ses cheveux gris argent et son costume bien coupé, mais elle savait que c'était un coureur de jupons au moins aussi enragé que Jared.

— Merci, monsieur Sordi, répondit-elle poliment avec un petit regard en direction de Lucas.

— C'est pourquoi j'ai été plutôt déçu de vous voir associée à M. Curran ici présent, dans l'effraction de nos locaux…, continua le play-boy assureur d'un air compassé.

— Vous n'en avez aucune preuve, fit remarquer Lucas, impassible.

— Parce que la caméra de surveillance ne vous a pas enregistrés ? Evidemment, on l'avait détruite en tirant dessus. Vous ne savez pas qui, je suppose, comme vous ignorez comment on a pu dérober un badge d'accès appartenant à un membre de notre personnel ?

Lucas resta de marbre ; aucun muscle de son visage ne frémit.

— … C'est bien ce que je pensais, reprit Eldon Sordi.

Il s'adressa de nouveau à Rachel.

— Lors de votre entretien d'embauche, vous m'aviez dit vouloir tourner le dos à votre passé et vous tenir désormais éloignée des tribunaux et des postes de police.

— Je n'ai pas changé d'avis.

— Je ne suis pas sûr que participer à une effraction soit dans la droite ligne de ce que vous affirmez.

Il jeta un regard à Lucas :

— Vous devez avoir des amis qui ont le bras long. Je ne pense pas que ce soit le cas de Rachel…

Lucas ne releva pas l'insulte délibérée envers Rachel, mais celle-ci se sentit profondément blessée. Bien sûr, elle n'était qu'un « excellent élément » ; elle n'appartenait pas au cercle des gens qui ont de puissantes relations…

Sordi se leva.

— Et vous étiez venus chercher quoi, dans le bureau de mon associé ?

— Parlons plutôt de ce que nous y avons découvert, répondit toujours très tranquillement Lucas. Une femme à qui il a procuré une police d'assurance a été assassinée peu de temps après ma sœur...

Eldon Sordi fit le tour de son bureau et vint se camper devant lui.

— Qui ça ?

— Elle s'appelait Angie Johnson, dit Lucas. Elle a envoyé une lettre à Jared en l'accusant de lui avoir vendu une fausse police d'assurance, et elle l'a rencontré très peu de temps avant sa mort.

Rachel pouvait voir qu'il ne perdait absolument pas son calme. Il avait l'assurance qu'il fallait pour ce genre de confrontation.

— Et où est-elle, cette lettre ? fit Sordi d'un ton ironique.

— On peut supposer que la police l'a trouvée lorsqu'elle a perquisitionné ici.

Les sourcils froncés, l'associé de Jared réfléchit un petit moment.

— Ah oui, je me souviens, maintenant, dit-il finalement. Une lettre diffamatoire à laquelle il n'a même pas répondu. La police n'a pas retenu ces accusations, alors je ne vois pas où est le problème.

— Etant donné qu'elle a été assassinée peu après, ses accusations étaient peut-être fondées, intervint Rachel.

— Jared ne se lancerait pas dans des histoires de fausses polices d'assurance, ça n'a aucun sens ! Et puis la police l'a innocenté il y a des années de cela...

— Elle ne l'a pas innocenté. Elle n'a pas trouvé de preuve contre lui, ce n'est pas la même chose, fit remarquer Lucas.

— Est-ce qu'il vous a parlé de cette histoire avec Angie Johnson ? lui demanda Rachel.

— Il m'a dit que cette femme le harcelait.

— Et ça ne vous a pas surpris ?

Cette fois, c'était Lucas, qui avait parlé.

— Bien sûr que si, et j'en ai discuté avec Jared. Il m'a certifié que nous n'avions aucun contrat en cours avec cette femme. Ecoutez, depuis que nous travaillons ensemble, il ne m'a jamais déçu. Pas une fois. Vous imaginez un instant qu'il prendrait le risque de perdre tout ceci — il montra les luxueux locaux autour de lui — pour de sordides magouilles ? Et qu'il ait pu tuer cette femme, et son épouse par-dessus le marché ? Allons… De plus, je vérifie tous les comptes de cette maison. Si de l'argent douteux y entrait ou en sortait, je le saurais !

— Il semble que ce bon Jared soit au mieux avec Marcy Sanders, reprit Lucas. Vous le saviez, ça aussi ?

— Jared ?

Eldon Sordi paraissait réellement surpris.

— Oui. Je les ai vus sortir d'ici.

— Mais comment ça, « au mieux » ?

— Très, très proche, si vous voyez ce que je veux dire.

L'assureur paru un instant déstabilisé. Il se troubla visiblement, fronça les sourcils, puis se reprit.

— Oui… Vous savez, Jared est comme ça, il aime les femmes.

Il se tourna vers Rachel.

— Excusez-moi, mademoiselle…

Se partageaient-ils les faveurs de Marcy ? Ils étaient si semblables sur beaucoup de points que la chose n'aurait pas été impossible.

— Pas besoin de vous excuser, lui dit Rachel. Je suis bien heureuse d'avoir découvert ses mensonges à temps.

— Auriez-vous quelque chose d'autre à nous apprendre ? demanda Lucas.

— Non. Et si je savais quoi que ce soit, j'irais plutôt le dire à la police.

Lucas eut un sourire ironique et lui tendit néanmoins sa carte.

— Vous pouvez toujours m'appeler quand vous voulez, dit-il nonchalamment.

Ils prirent congé. En précédant Lucas vers la porte, Rachel se demanda si Eldon Sordi était sincère ou s'il protégeait son associé. Dans un cas comme dans l'autre, c'était de la fidélité, de la confiance… Elle aussi elle aurait bien aimé que quelqu'un ait foi en elle et la protège…

Elle sentit la main de Lucas au creux de ses reins.

— Je suis là, lui dit-il tout bas comme s'il avait lu dans ses pensées.

Bien sûr, il était là. Pour le temps que durerait son enquête, du moins. Elle aurait voulu tellement plus !

— Rachel ?

Tirée de ses pensées, elle tressaillit. Jared était dans le bureau de la secrétaire d'Eldon, les bras croisés.

— Qu'est-ce que vous faites là, tous les deux ? gronda-t-il en s'approchant, sous l'œil prodigieusement intéressé de l'employée. C'est Eldon qui a demandé à vous voir ?

— Non, répondit-elle. C'est nous qui sommes venus lui parler.

Surpris de sa réponse franche et directe, Jared eut une sorte de sursaut.

— Viens, Rachel, dit Lucas en lui passant le bras autour de la taille.

Mais elle se dégagea.

— Une seconde, s'il te plaît, lui dit-elle, la main sur son torse.

Elle était curieuse de voir comment Jared allait réagir, s'il allait oser reprendre ses menaces, maintenant que Lucas veillait sur elle. Elle pouvait voir que le geste de celui-ci ne lui avait pas échappé.

— Qu'est-ce que vous êtes venus faire ici ? reprit-il un ton plus bas.

— Nous sommes venus lui poser quelques questions à ton sujet, répliqua Rachel.

Jared lança un regard menaçant à Lucas puis revint à elle.

— Pourquoi avez-vous fracturé mon bureau ? Que cherchez-vous ?

— Angie Johnson, dit simplement Rachel.

— Elle n'a pas payé son contrat d'assurance, répondit-il sans ciller.

— A ce qu'il paraît…, fit Lucas, tellement impavide que son calme même était une accusation.

— C'est pour ça que vous êtes venus ? Vous perdez votre temps. Imagine ma surprise quand j'ai appris qu'on vous avait trouvés fouinant ici après les heures de bureau, lui et toi, continua-t-il en s'adressant à Rachel. Qu'est-ce que vous pouviez bien avoir dans la tête ?

Bien consciente qu'elle parlait peut-être à l'assassin de deux personnes, elle hésita.

— Qu'est-ce que vous cherchiez ? insista Jared.

— Est-ce que tu as tué Angie Johnson ? lança finalement Rachel.

Jared hocha plusieurs fois la tête d'un air entendu, comme pour dire : « Voilà, j'en étais sûr… »

— Inutile de chercher bien loin qui t'a mis ce genre d'idées dans le crâne ! Qu'est-ce que tu fais avec lui ?

Il avait eu un mouvement de menton dédaigneux en direction de Lucas.

— Il recherche l'assassin de sa sœur et il assure ma protection, répliqua Rachel d'un ton net. On a encore essayé de me tuer, ou de m'intimider, peut-être.

Elle observait attentivement le visage de Jared, pour essayer d'y déceler de la culpabilité, mais elle n'y lisait rien d'autre que de la jalousie, ce qu'elle trouvait plutôt étrange de la part d'un homme comme lui.

— Pourquoi est-ce que tu t'intéresses tant au meurtre de sa sœur ?

— Comme si tu ne le savais pas !

Il haussa les sourcils.

— Qu'est-ce que je suis supposé savoir ?

— Viens, allons-nous-en, dit Lucas en prenant la main de Rachel.

Il cherchait de toute évidence à montrer à son beau-frère qu'ils avaient couché ensemble et qu'elle était sa propriété. Cela commençait à agacer passablement Rachel, mais son énervement même se mêlait d'un trouble plaisir. Jared, lui, avait du mal à contenir sa fureur.

— Rachel, lui demanda-t-il, as-tu repensé à ce dont nous avons parlé ?

Ses protestations d'amour ? Il ne manquait pas de toupet, pour remettre cela sur le tapis !

— C'est tout réfléchi. Tu n'es pas le genre d'homme à te ranger, Jared.

— Je le pourrais, avec toi.

Et il espérait qu'elle allait le croire ?

— Je n'ai rien à ajouter. Je n'envisage pas le moindre avenir avec un homme de ta sorte.

Jared blêmit et regarda Lucas. Rachel ne put s'empêcher d'en faire autant. Son expression était absolument impénétrable. Il soutenait simplement le regard de Jared, sans émotion apparente, mais visiblement prêt à la protéger de toute réaction un peu trop vive de son ancien amant. Puis il se rapprocha encore d'elle et remit sa main au creux de ses reins, toujours sans quitter Jared des yeux. Manifestement, il cherchait à le pousser à bout.

Jared ne céda pas. Au lieu de cela, il tendit la main pour chercher celle de Rachel. Elle la retira avec dégoût. Décidément, elle n'aimait pas cet homme. Ne l'avait peut-être même jamais aimé...

— Je m'en veux de ne pas t'avoir dit que j'étais marié, dit-il, pressant. C'était une lourde erreur. Rachel, tu es différente des autres. Si j'étais marié avec toi, je n'aurais besoin de personne. Tu me compléterais...

— Je crois qu'il est vraiment temps de nous en aller, intervint Lucas, toujours calmement.

Mais Rachel n'en avait pas fini avec Jared. Pas encore.

— Jamais plus je ne pourrai te faire confiance, jamais !
lui assena-t-elle avec mépris.

— Rachel...

— Est-ce que tu as payé quelqu'un pour me suivre et
me menacer ?

— Mais non ! Bien sûr que non !

Cela paraissait presque sincère. Elle se pencha un peu
en avant, approchant son visage de celui de son ex-amant.

— J'ai été influençable et vulnérable, dans le passé,
mais c'est fini, maintenant. Et c'est à mon tour de t'avertir.
Laisse-moi tranquille, une bonne fois pour toutes.
Définitivement.

Elle se redressa et se tourna vers Lucas, son compagnon,
son beau partenaire et protecteur.

— Maintenant, nous pouvons nous en aller, lui dit-elle
fièrement.

Les belles lèvres de Lucas esquissèrent un sourire. Il lui
tendit son bras, elle glissa le sien dessous, et ils se dirigèrent
vers l'ascenseur.

— Rachel !

Elle ne se retourna même pas.

Lucas pressa le bouton d'appel. Elle n'avait rien à craindre,
auprès d'un homme comme lui. Mais serait-il toujours là
pour la protéger ? Elle savait bien qu'elle n'avait pas la force
physique de s'opposer à un homme prêt à tout et même à
lui envoyer un tueur, ou plusieurs.

Avec Lucas, elle se sentait invincible.

Et elle aimait beaucoup cela. Vraiment beaucoup...

11

Lorsqu'ils arrivèrent en vue de la maison de Lucas, Rachel reconnut tout de suite la vieille jeep Wrangler garée le long du trottoir.

— Tu as dit à Nan où je me trouvais ?

— Tu lui manques beaucoup, dit Lucas. Et tu n'aurais pas dû la chasser de ta vie comme ça.

A son volant, Nan leur fit de grands signes de la main quand ils entrèrent dans le garage. Rachel descendit de voiture et attendit son amie. Nan la rejoignit immédiatement, en passant sous le volet métallique relevé, et se précipita dans ses bras.

— Oh ! Rachel ! s'exclama-t-elle. Quand ton copain est venu me poser toutes ces questions, je me suis demandé si j'avais vraiment été une bonne amie pour toi. Il fallait que je vienne…

— Mais oui, tu l'as été, assura Rachel en reculant un peu pour mieux la voir, mais en laissant ses mains sur les épaules de Nan.

— Non, dit celle-ci en secouant vigoureusement la tête, ce qui eut pour effet de faire tintinnabuler ses boucles d'oreilles en argent. J'aurais dû comprendre ce qui arrivait.

Rachel n'était pas sûre de bien saisir à quoi son amie faisait allusion. Nan tira la fermeture Eclair de son manteau. En dessous, elle portait un pull au col en V de couleur turquoise sur une jupe noire, et de hautes bottes. Elle avait toujours pris très au sérieux les tendances de la mode, au contraire de Rachel pour qui cela n'avait jamais été le principal souci.

— Entrons, leur dit Lucas en montrant la porte qui faisait communiquer le garage et la maison.

Les deux femmes le suivirent.

— Après la mort de tes parents, les miens ne m'ont pas permis de rester en contact, mais alors, c'est toi qui es revenue me trouver, dit Nan.

— Bien sûr ! répondit Rachel. Tu étais ma meilleure amie, et tu l'es toujours.

Lucas les débarrassa toutes deux de leurs manteaux, mais avec des gestes plus intimes et plus tendres envers Rachel.

— Ensuite, tu m'as écartée de ta vie, reprit Nan en posant sa main sur l'épaule de son amie. Mais maintenant, je sais pourquoi. Tu n'avais pas seulement peur, n'est-ce pas ?

— Non, c'est vrai. Je voulais te protéger.

Lucas passa dans la cuisine pour leur préparer des boissons et Nan se pencha vers Rachel, changeant instantanément de ton.

— Dis donc, il est plutôt joli garçon, ton détective… Tu es avec lui depuis longtemps ?

— Je ne suis pas… vraiment avec lui, répondit prudemment Rachel.

— Oh ! A d'autres, ma petite ! Et il en pince pour toi, ça se voit. Quand je lui ai dit que tu avais peur, il est instantanément devenu protecteur à ton égard. Je ne sais pas s'il s'en rend compte lui-même… Moi, je n'y ai vraiment réfléchi qu'après notre conversation. Il m'a laissé sa carte…

Rachel sourit. Lucas ne ratait aucune occasion de recueillir des informations.

— Il fait ça avec tout le monde. Et, je te le répète, je ne suis pas vraiment avec lui.

— Très bien, très bien, si tu le dis… De toute façon, ce n'est pas pour ça que je suis venue. Je me demande pourquoi je ne l'ai pas fait plus tôt, d'ailleurs… Bon, tu as eu peur, mais tu n'étais pas seule. Tu n'étais pas obligée de te couper du monde, et de moi, pour commencer !

— Mais Jared aurait pu t'utiliser contre moi.

Lucas avait déposé deux thés glacés devant elles, puis s'était retiré dans la cuisine pour les laisser seules. Il pouvait toutefois toujours les entendre, et Rachel se rendit compte, un peu surprise, que cela ne la dérangeait pas.

— Je n'ai pas peur de Jared, répliqua Nan.

— Il a pourtant essayé de me tuer !

— Ah bon ?

Nan regarda dans la direction de la cuisine d'un air accusateur, comme si elle reprochait à Lucas de ne pas le lui avoir dit.

— Pas il y a quatre ans, mais maintenant, depuis que Lucas est à Bozeman. Il a envoyé un tueur après moi…

— Oh ! Je comprends que tu aies toutes les raisons d'avoir peur, tu sais, mais tu n'es plus une adolescente, Rachel. Tu n'as plus à fuir ceux qui t'aiment. Il faut te débarrasser de ton passé…

Elle lui posa doucement la main sur l'épaule.

— Je me fais beaucoup de soucis pour toi.

— Je vais bien, ne t'en fais pas.

— Quand tu m'as laissée tomber, j'en ai beaucoup souffert, reprit Nan. Je croyais que tu me blâmais, que tu m'en voulais personnellement parce que les services de Protection de l'Enfance t'avaient emmenée.

— Mais pas du tout !

C'était à son tour de tomber des nues. En ce temps-là, Nan n'était qu'une adolescente, tout comme elle. Qu'aurait-elle bien pu faire ?

— J'aurais dû demander à mes parents de te prendre avec nous, acheva Nan, comme si elle avait deviné sa pensée.

— Et tu crois qu'ils l'auraient fait ?

Le père et la mère de Nan formaient un couple plutôt… houleux. Ils avaient des difficultés financières et se disputaient très souvent. Ils auraient eu bien du mal à prendre en charge une ado traumatisée comme elle l'était alors.

Les deux amies se regardèrent en silence un moment, puis éclatèrent de rire.

— Jamais ! fit Nan entre deux joyeux hoquets.

Elle rit encore un instant, puis se calma.

— Non… Ils auraient probablement refusé, mais moi, j'aurais bien aimé être là pour toi.

— Tu étais là, dit doucement Rachel. Chaque fois que je pensais à toi, je me sentais mieux. Je t'imaginais en train de peigner et de coiffer tes poupées, et ça allait…

Emue, Nan était sur le point de passer du rire aux larmes. Elle lui demanda encore :

— Tu me promets que tu ne t'isoleras plus jamais de ceux qui t'aiment ?

Rachel hésita à répondre. Avoir perdu tout sentiment de sécurité à un âge aussi tendre l'avait amenée à s'endurcir, et elle n'était pas sûre de pouvoir abandonner toutes les défenses qu'elle s'était construites. Mais peut-être Lucas pourrait-il l'aider dans cette voie. Peut-être…

— Il y a des choses dans la vie qui valent la peine qu'on prenne des risques, Rachel, insista Nan. Et rien n'est vraiment facile.

Nan les quitta tard, ce soir-là, après avoir donné à Rachel beaucoup à réfléchir. Elles avaient parlé entre elles durant tout le dîner. Lucas les avait écoutées, en silence la plupart du temps. Nan avait bien ri, en entendant Rachel lui raconter ses déboires au travail et tous les petits boulots dont elle avait été virée.

— Tu vaux bien mieux que ça, lui avait-elle dit, redevenant sérieuse. Continue à croire en toi. Tu y as cru suffisamment pour reprendre des études. Ta vie commence maintenant…

Après son départ, Lucas avait laissé à regret Rachel rejoindre la chambre d'amis, avec sur les lèvres ce sourire rêveur et apaisé qui lui allait si bien, avec cette force nouvelle qu'il sentait en elle.

Allongé sur son lit dans sa grande chambre, il fixait le plafond, incapable de cesser de penser à elle. Au moins une heure s'écoula avant qu'il puisse fermer les yeux, et il eut l'impression de n'avoir dormi qu'un instant quand il fut éveillé en sursaut par un bruit de verre brisé.

Il se leva d'un bond et enfila vivement son pantalon. Puis, prenant son arme au passage, il se rua sur le palier. Penché sur la balustrade, il vit tout de suite la fumée et les flammes qui montaient à l'assaut des murs et des rideaux. Quelqu'un avait lancé une bombe incendiaire par la fenêtre.

— Oh ! Mon Dieu !

Rachel apparut à côté de lui. Vêtue d'un jean et d'un chemisier bleu et blanc à moitié boutonné, elle regardait avec horreur les flammes dévorer le salon.

— Sortons d'ici en vitesse ! dit Lucas.

Lui prenant la main, il l'attira vers l'escalier et s'aperçut alors que les flammes léchaient déjà les marches inférieures. Il était impossible de descendre.

— Viens !

Il l'entraîna dans la chambre d'amis. C'était haut, mais il y avait de grands arbres devant la maison, le long desquels ils pourraient se laisser glisser pour atteindre le sol.

Tandis que le feu rugissait de plus en plus fort au rez-de-chaussée, il ouvrit rapidement la fenêtre et sortit. Puis il tendit la main à Rachel pour l'aider à sortir à son tour. Quand elle l'eut rejoint sur le toit, ils longèrent précautionneusement la gouttière jusqu'aux arbres. C'est alors qu'une balle siffla aux oreilles de Lucas et alla fracasser une tuile. Il regarda dans la rue et vit une voiture dont le conducteur le visait par la vitre de sa portière. Il fit feu à son tour, en riposte. L'homme tira encore à plusieurs reprises, avant de se reculer dans l'habitacle, hors de vue. Rachel chancela tout à coup et Lucas vit avec horreur une tache de sang s'agrandir sur son chemisier.

— Rachel !

Avant qu'il ait pu la retenir, elle s'effondra et glissa le long du toit vers la gouttière. Il se jeta à plat ventre sur les tuiles pour la rattraper, mais c'était trop tard. Horrifié, il la vit basculer dans le vide, traverser un arbuste taillé et rouler sur le gazon. Les balles s'étaient remises à siffler autour de lui et les tuiles devenaient chaudes, signe que le feu avait atteint l'étage.

Lucas ne perdit pas une seconde. S'accrochant de sa main libre à la gouttière, il se laissa tomber au sol, roula comme lors d'une réception en parachute, et se releva en faisant feu sur leur agresseur, tout en se plaçant entre Rachel et lui.

Le tueur démarra en trombe et Lucas continua à tirer dans sa direction, vidant son chargeur, jusqu'à ce que la voiture ait disparu au bout de la rue. Puis il retourna en courant vers Rachel. Son chemisier était trempé de sang, à présent. Elle en avait perdu beaucoup.

— Lucas…, murmura-t-elle faiblement.

Il la souleva dans ses bras et l'emporta plus loin, à l'écart de la maison en flammes. Des voisins commençaient à accourir.

— Je viens d'appeler les secours ! lui cria une dame qui brandissait un téléphone.

En effet, on entendait des sirènes.

Il déposa doucement son précieux fardeau sur la pelouse, le plus loin possible de l'incendie, et pressa sa main sur la blessure pour stopper l'hémorragie. Le regard de Rachel devenait vague ; elle allait perdre connaissance.

— Reste avec moi ! la supplia-t-il.

Elle murmura son prénom, puis ferma les yeux. Une terrible angoisse s'empara de Lucas.

Non, pas ça ! Non !

Les sirènes hurlaient de plus en plus fort, pompiers en tête. Du coin de l'œil, Lucas vit qu'une voiture de police et une ambulance les suivaient.

Tout en gardant la main sur la blessure de Rachel, il

chercha son pouls. Dieu merci, il battait toujours. La femme qui avait donné l'alerte vint s'agenouiller auprès d'eux.

— Elle vit encore ? demanda-t-elle.

Déjà, les ambulanciers se précipitaient vers eux, tandis que les pompiers déroulaient les lances à incendie.

— Qu'est-il arrivé ? demanda l'un des ambulanciers à Lucas.

— Blessure par balle.

Il recula pour les laisser travailler. Sa voisine, qu'il rencontrait pour la première fois, lui tendit un post-it.

— Le numéro d'immatriculation de la voiture, dit-elle.

Surpris et reconnaissant, il prit le morceau de papier.

— Merci beaucoup ! Avez-vous pu voir le visage du conducteur ?

— Malheureusement non. Je ne dormais pas et j'étais dans ma cuisine. Quand j'ai vu les lueurs du feu, je suis allée à la fenêtre et j'ai remarqué cette voiture stationnée, avec quelqu'un à l'intérieur, qui regardait la maison brûler. J'ai trouvé ça bizarre. Alors j'ai noté le numéro de la plaque, avant d'appeler les secours.

— Il nous a tiré dessus. Vous avez eu un excellent réflexe, qui pourrait bien conduire à son arrestation.

Voyant que l'on embarquait Rachel dans l'ambulance, il abrégea :

— Merci encore, vraiment !

— De rien. J'espère qu'elle s'en tirera !

Lucas l'espérait vivement lui aussi, et bien au-delà de ce qu'il aurait cru. Rachel était devenue incroyablement importante pour lui, bien plus qu'un simple témoin, même clé, dans l'enquête sur le meurtre de sa sœur.

Assis sur une inconfortable chaise en acier, Lucas se tenait au chevet de Rachel, inconsciente. Des tubes la reliaient à toutes sortes de moniteurs, et un bandage lui entourait la poitrine. Le chirurgien lui avait dit que la balle n'avait manqué le cœur que de quelques centimètres, et qu'elle serait certainement morte si elle n'était pas arrivée au bloc opératoire à temps. Lucas imaginait, avec une terreur rétrospective, ce qu'il aurait ressenti alors. Une nouvelle perte. Un nouveau deuil dont il aurait été inconsolable. Peu importaient finalement ses doutes ; il tenait à elle. Pourquoi ne pas l'admettre ? Tout en elle le touchait, sa sensibilité et sa force morale. Bien sûr, elle avait dissimulé des informations importantes, mais pouvait-il vraiment le lui reprocher ? Elle vivait sous la menace depuis des années et, en l'espace de quelques jours, venait d'échapper à deux tentatives d'assassinat.

Il se retourna tout à coup vers la porte, certain que quelqu'un venait d'y passer la tête, mais il n'y avait personne. Qui avait pu jeter un coup d'œil et s'éloigner aussi vite ? Il se leva et alla regarder dans le couloir. Un homme en complet veston s'éloignait rapidement. C'était Jared.

Lucas courut derrière lui. En l'entendant, son ex-beau-frère se retourna pour lui faire face.

— Tu espérais pouvoir finir le travail ? lui demanda Lucas avec une ironie rageuse.

— J'ai appris ce qui était arrivé en écoutant la radio, répliqua Jared.

— Déçu qu'elle ne soit pas morte ?

Jared le dévisagea pendant quelques instants, puis poussa un lourd soupir.

— Je sais que tu ne me croiras pas, mais je n'ai rien à voir avec ça.

Puis il ajouta, avec un regard de défi :

— Si elle était restée avec moi, ça ne serait jamais arrivé.

Furieux, Lucas le saisit par les revers de son veston et le plaqua brutalement au mur.

— Si tu t'approches d'elle encore une fois, je te tue. C'est compris ?

Impressionné, les yeux écarquillés, Jared leva les mains.

— Holà ! Ho ! fit-il, nerveux. Je ne suis pas venu lui

faire du mal, mais voir comment elle allait et lui dire que je ne suis absolument pour rien dans tout ça… Je ne veux pas tuer Rachel ! Je veux l'épouser.

Lucas eut un rire bref et sans joie.

— Toi ? Mais quelle femme voudrait de toi comme mari ? Pourquoi donc ma sœur t'a-t-elle épousé ? Comment est-ce qu'une femme comme Rachel pourrait vouloir t'épouser ?

Il repoussa une dernière fois Jared contre le mur, puis le lâcha avec un air de profond dégoût.

— Ecoute, lui dit son ex-beau-frère d'un air contrit. Je ne suis peut-être pas le prince charmant, mais Rachel m'a fait prendre conscience de mes erreurs, et en particulier du fait que papillonner d'une femme à l'autre ne remplissait pas vraiment la vie d'un homme. J'ai eu des torts envers elle. J'aurais dû me montrer plus honnête.

— Pourquoi tu ne l'as pas fait quand il en était temps ?

Jared soupira de nouveau.

— Mon association avec Eldon m'avait changé. Il avait tellement de charisme, menait une vie si excitante… Il avait tout ce dont je rêvais.

— Les femmes ?

— Entre autres. De l'argent, aussi. Cela va avec… Mais je n'aurais pas dû l'imiter sur ce point, et c'est ce que je veux dire à Rachel. Quand j'ai su qu'on lui avait tiré dessus, qu'elle pourrait bien mourir, j'ai soudain compris toutes mes erreurs envers elle.

— Qu'est-ce que tu espères donc ?

— Regagner son cœur. Je veux l'épouser. Je quitterai HealthFirst, nous commencerons une nouvelle vie.

Jusqu'à ce qu'une nouvelle jolie fille passe par là ?

Lucas réprima la flambée de jalousie qui montait en lui. Il n'avait aucune raison d'être jaloux. Jamais Rachel ne retournerait avec cet homme-là.

— Et tu peux me dire comment tu vas faire, en étant en prison ? demanda-t-il avec un sourire ironique.

Une lueur de colère passa dans les yeux de Jared.

— Je lui en parlerai dès qu'elle se réveillera.

— Pas si je peux te faire arrêter avant.

Jared le dévisagea, les yeux étrécis.

— Toi aussi, tu l'aimes, lança-t-il, accusateur. Mais une femme comme Rachel, ça ne se capture pas au lasso, cow-boy ! Comment tu la garderas ? Toi, il n'y a que jouer au gendarme et aux voleurs, qui te plaît dans la vie… Elle a besoin d'autre chose, de luxe…

Lucas ne lui répondit que par un sourire méprisant.

— Et tu veux l'épouser, toi aussi ? reprit Jared, tout à trac.

Décontenancé, Lucas ne sut que dire. Le mariage ? Ce n'était pas quelque chose à laquelle il avait pensé. Il n'y était pas prêt.

Ce fut au tour de Jared d'arborer un sourire méprisant.

— Bonne chance, Lucas, lança-t-il avant de tourner les talons.

Lucas ne le retint pas. Y avait-il du vrai dans la surprenante conversion dont Jared se vantait ? Quoi qu'il en soit, cela ne changeait rien à ce qu'il avait fait. Regretter ses erreurs passées ne ferait que lui rendre la prison plus difficile à supporter…

12

Rachel revint lentement à la conscience en entendant la voix d'une femme qui parlait tout bas avec Lucas. Celui-ci lui répondait avec un agacement manifeste.

— Tu n'aurais pas dû venir ici, lui disait-il.

Encore engourdie et désorientée, elle lutta pour recouvrer ses esprits. Où était-elle ? Pourquoi tout son côté gauche, son flanc, sa poitrine, lui faisaient-ils aussi mal ? Elle tourna légèrement la tête et vit la chambre d'hôpital, la perfusion dans son bras, et tout lui revint d'un coup. L'incendie. Les coups de feu. La chute du toit…

La clé USB ! Ils n'avaient pas encore vérifié tous les fichiers de Jared et pas eu le temps de la prendre avant de fuir. Elle était tombée de là-haut, Lucas l'avait emportée dans ses bras, et c'était la dernière chose dont elle se souvenait.

— J'ai entendu ce qui s'était passé. Je ne pouvais pas rester tranquillement chez moi, indifférente, expliquait la femme. Et si c'était toi qui avais été blessé ? C'est à cause du meurtre de ta sœur ?

— C'est Rachel qui a été blessée.

Rachel se garda de bouger mais, entre ses paupières à demi fermées, elle vit que la femme lui lançait un regard rapide. Elle était blonde, avec des yeux bleus, très belle… Elle avança sa main pour une caresse furtive sur le bras de Lucas, mais il se déroba.

— Tu as de la chance de ne pas avoir été touché, lui dit-elle.

— Pourquoi es-tu venue ?

Son ton était clairement celui d'une rebuffade, et la visiteuse le prit comme tel. Visiblement déçue, elle murmura :

— J'essaie de te parler depuis des semaines et toi, tu m'évites.

— J'ai entendu tout ce que tu avais à me dire avant de te quitter, Tory.

Ainsi, elle était en présence de Tory Curran, l'ex-épouse de Lucas… Jamais elle n'aurait imaginé qu'elle pouvait être aussi belle. On aurait dit un top model, ou une vedette de cinéma. Rachel était bien persuadée qu'elle n'avait rien de comparable à cela.

— J'ai changé, Lucas, plaida Tory. Je ne te cache pas que je voudrais avoir une seconde chance avec toi, même si je n'ai pas vraiment d'espoir. Mais je veux d'abord m'excuser et te demander pardon. Je sais combien c'était important pour toi de fonder une famille. J'ai été stupide et cruelle de te mentir.

— Ce qui est fait est fait.

Les yeux toujours fermés, mais les oreilles grandes ouvertes, Rachel écoutait. Elle savait désormais entendre la douleur de Lucas derrière ses réponses laconiques. Ce qui la stupéfiait surtout, c'était d'apprendre, de la bouche de son ex-femme, à quel point « il était important pour lui de fonder une famille ». Elle commençait à comprendre que, pour cela, il aurait — il a*vait* — tout sacrifié : son rêve de devenir un SEAL, et puis son métier de policier. Tout.

C'était pour Rachel plus qu'une surprise : un véritable choc.

— Toi et moi, c'était bien, reprit Tory, et j'ai tout gâché. J'avais aussi peur de te perdre… je t'ai menti pour te garder.

— Tu devrais t'en aller, maintenant. Tout ça c'est du passé, et je ne vois pas l'intérêt d'y revenir.

— Tu m'as aimée ?

— S'il te plaît, Tory, va-t'en. Pour moi, il n'y a que Rachel qui compte, désormais.

En entendant cela, Rachel eut l'impression que son cœur bondissait de joie dans sa poitrine.

— Moi, je sais que tu m'as aimée. Je le sais !

Rachel éprouva presque de la pitié pour elle. Son désespoir faisait peine à entendre. Ses sentiments paraissaient plus sincères que ceux que prétendait avoir encore Jared. Elle chassa cependant cette pensée qui, par certains côtés, était plutôt dérangeante.

— Rachel !

Lucas s'était aperçu qu'elle avait ouvert les yeux. Il vint poser une main sur la sienne et, de l'autre, lui caressa doucement la joue.

— Comment te sens-tu ? lui demanda-t-il.

Tory la regardait aussi, avec une sorte d'envie. Il n'y avait plus d'espoir, dans ses beaux yeux.

— Ça va, fit Rachel d'une voix faible.

— Mais non, ça ne va pas, dit Lucas en souriant. Tu dois avoir très mal…

Il leva la main vers la sonnette d'appel de l'infirmière. Tory s'approcha du lit, comme pour mieux voir celle qui lui ravissait ses derniers espoirs.

— Est-ce que tu as mal ? insista Lucas.

Rachel leva les yeux vers les siens, y lut la tendre inquiétude qui l'habitait, et se sentit soudain mieux.

— Depuis combien de temps êtes-vous ensemble, tous les deux ? demanda tristement Tory.

— Nous ne le sommes pas, répondit Rachel, qui était malgré tout bien fatiguée. Je l'aide dans l'enquête sur le meurtre de sa sœur.

— Ce n'est pas vous qui avez eu une liaison avec le mari de Luella ?

— Tory, je te demande, aussi aimablement que possible, de bien vouloir t'en aller, la coupa Lucas.

Son ton était sans équivoque. La prochaine fois, il ne le lui demanderait plus aussi aimablement.

— Bien sûr… Ce n'est pas vraiment le moment…

Elle tourna les talons mais, avant de sortir, elle crut bon de dire à Rachel :

— Je suis son ex-femme, vous savez.

— Tory... Oui, je sais.

Tory lança à Lucas un regard qui trahissait ses pensées : Rachel devait vraiment compter beaucoup dans sa vie, pour qu'il ait pu lui confier cela. Elle se reprit et ajouta :

— Je suis seulement venue m'excuser. J'espère que tu pourras me pardonner un jour, et ne plus être en colère contre moi.

Puis elle se tourna vers Rachel.

— Je vous souhaite à tous les deux... tout ce qu'il y a de mieux.

— Je te remercie, Tory, dit Lucas. Faire cette démarche n'a pas dû être facile ; je t'en suis reconnaissant...

Rachel entendit parfaitement le « mais... » qu'il ne prononça pas. Nul doute que Tory l'entendit elle aussi.

Sur le seuil, elle se retourna, murmura un : « Au revoir, Lucas » qui sonnait comme un adieu, puis s'en alla.

A peine avait-elle refermé la porte qu'une infirmière entra. Elle vérifia rapidement les moniteurs, ajouta quelque chose dans la perfusion de Rachel, puis échangea quelques mots avec Lucas.

Dès qu'elle fut partie, il reporta toute son attention sur Rachel.

— Alors, comment te sens-tu ?

— Fatiguée et... oui, c'est vrai, j'ai mal.

Au moindre mouvement, elle avait l'impression qu'on lui donnait un coup de poignard dans la poitrine.

— Repose-toi. Je suis heureux de te voir réveillée. Les trois heures que tu as passées au bloc opératoire ont été les plus longues de ma vie.

— Oh ! Il en faut plus que ça pour m'abattre ! dit-elle bravement, s'essayant à l'humour.

Mais Lucas ne souriait pas. Il avait été très sérieusement inquiet pour elle.

— Attention ! plaisanta-t-elle, tout attendrie malgré sa douleur et son état d'épuisement. Je vais finir par croire que tu tiens à moi.

— Je tiens à toi.

Oui, sans doute, à sa manière. Comme à une bonne auxiliaire qu'elle était pour lui. Mais son cœur lui était verrouillé, elle le savait.

— Tu l'as aimée, alors ? ne put-elle s'empêcher de demander.

Sans cette blessure dans sa vie, qui semblait ineffaçable, pourrait-il lui accorder sa confiance ?

— Je l'ai cru, en tout cas.

— Et elle t'a brisé le cœur.

— Elle m'a volé mon avenir.

— Un avenir que tu prévoyais de passer auprès d'elle…

Il se redressa et lâcha sa main. Elle eut l'impression d'un grand froid, tout à coup.

— Tu devrais te reposer, à présent, dit-il.

— Tu veux toujours avoir une famille ?

— Le médicament qu'on vient de te donner est un anti-douleur… Tu vas dormir. Le chirurgien dit que tu pourras sortir dans quelques jours.

— C'est trop triste…, fit Rachel dans un murmure. Elle a pris tout ton amour et toutes les chances que tu puisses revivre un jour…

Et, sur ces mots, elle sombra dans un profond sommeil.

Bien qu'elle ait incliné son siège pour se reposer un peu durant le voyage à travers la montagne, au nord-ouest de Bozeman, Rachel était fatiguée et sa blessure lui faisait très mal, surtout depuis que Lucas avait quitté la route goudronnée pour s'engager sur une simple piste en terre. Il s'arrêta peu après pour ouvrir un portail métallique qu'il referma après leur passage. Tandis qu'ils traversaient un bosquet de grands sapins dont les branches ployaient sous une épaisse couche de neige, elle songea que dans cet isolement elle serait en sécurité. Celui qui la menaçait ne pourrait même plus la harceler au téléphone, son mobile ayant disparu dans l'incendie.

Posé au sommet d'une colline, dans un paysage d'une beauté à couper le souffle, le ranch apparut enfin à sa vue. C'était un magnifique bâtiment ancien, construit en gros rondins de bois, avec des fenêtres sur pignon. Une maison en pleine nature, brute et authentique comme son propriétaire.

Lucas s'arrêta devant, coupa le contact et descendit du SUV pour ouvrir la portière de Rachel qui remarqua que l'aire de stationnement avait été soigneusement déneigée. Quelqu'un entretenait manifestement les lieux en son absence.

Lorsqu'il la souleva dans ses bras, elle ne put s'empêcher de grimacer de douleur. Il s'excusa, et la cala contre lui en faisant de son mieux pour ne pas lui faire davantage de mal.

Une femme sortit alors de la maison et vint à leur rencontre.

— La chambre du bas est prête, monsieur Curran, lui annonça-t-elle.

— Merci, Beverly.

— Et il y aura un bon bouillon bien chaud au dîner.

— Parfait !

— Je peux manger quelque chose de plus consistant, protesta Rachel dans les bras de Lucas. Je ne suis pas malade, vous savez !

Pour tout dire, elle avait faim. La nourriture de l'hôpital était plutôt insipide, et elle avait été trop excitée à l'idée de ce voyage avec lui pour pouvoir avaler quoi que ce soit.

La femme qui les avait accueillis eut un rire joyeux.

— Il y aura aussi des steaks au fromage et une bonne salade, ne vous inquiétez pas ! Je suis bien contente de vous voir ici, poursuivit-elle en souriant à Lucas.

Puis elle ajouta pour Rachel :

— J'ai travaillé avec son père durant des années, avant de prendre ma retraite par ici, avec mon mari. Nous habitons à quelques kilomètres du ranch…

— Et moi, je suis bien content que vous soyez là pour nous accueillir, répondit Lucas avec un sourire chaleureux.

Rachel songea avec nostalgie à toute cette ambiance familiale que Joseph Tieber avait su recréer autour de Luella, de Lucas et de leur mère. Elle qui avait perdu ses parents tellement tôt se demandait à quoi pouvait ressembler le bonheur qu'ils avaient connu, à être ainsi choyés et protégés. Elle aurait tellement aimé connaître cela, elle aussi…

— Je vous laisse vous installer. Appelez-moi si vous avez besoin de quelque chose.

L'entrée s'ouvrait sur un vaste séjour aux énormes poutres apparentes, avec une immense cheminée faite de grosses pierres, et des meubles rustiques anciens, de toute beauté. Sur les larges rondins vernis était fixé un grand écran plat de téléviseur, d'une ligne si élégante et si sobre qu'il ne déparait aucunement l'ensemble. On devinait la cuisine au fond, et un comptoir de bois séparait la pièce de réception de l'espace repas, où se trouvait une table de belles proportions pouvant aisément accueillir une douzaine de convives.

Tandis qu'elle traversait cette belle pièce dans les bras de Lucas, Rachel découvrit qu'une grande baie vitrée panoramique offrait une vue extraordinaire sur la montagne environnante et qu'il y avait aussi, attenant, un plus petit et intime salon bibliothèque.

Du grand luxe, mais témoignant davantage d'un réel art de vivre que d'une quelconque ostentation.

— Il y a deux grandes chambres à ce niveau, avec chacune sa salle de bains, et quatre autres à l'étage, lui expliqua Lucas en poussant du pied une porte entrouverte.

Rachel trouva encore assez d'énergie pour lui sourire. Se sentait-il nerveux, maintenant qu'il l'avait amenée ici ? Elle-même était un peu intimidée à l'idée de passer autant de temps seule avec lui. La dénommée Beverly ne devait pas rester au ranch vingt-quatre heures sur vingt-quatre et sept jours sur sept…

— J'ai pris la liberté de faire garnir ta penderie, dit-il en la déposant sur un grand lit.

Ses vêtements avaient brûlé dans l'incendie, et elle n'en avait pas beaucoup d'autres dans son petit appartement. Elle ferma les yeux pendant qu'il l'installait, avec des gestes pleins de délicatesse, sur les oreillers.

Elle le regarda aller ouvrir la penderie et en revenir avec une chemise de nuit qu'il lui tendit.

— Tu te sentiras mieux avec ça.

Sans doute, mais comment allait-elle faire pour l'enfiler ? Le moindre mouvement lui était une souffrance.

— Je vais demander à Beverly de t'aider.

— Non, laisse… Pose-la là, je devrais y arriver.

Le geste qu'elle fit dans l'intention de retirer son blouson lui tira un cri de souffrance. Lucas vint à son secours.

— Je ne regarde pas, dit-il en souriant.

Elle portait dessous un polo à manches longues qu'il lui fit précautionneusement passer par-dessus la tête. Comme elle n'avait pas de soutien-gorge, elle sentit l'air frais caresser les pointes de ses seins.

Lucas avait dit qu'il ne regarderait pas, mais il ne put s'en empêcher. Quelques très troublantes secondes s'écoulèrent avant qu'il l'aide à enfiler la chemise de nuit. Puis il lui enleva ses bottes, et entreprit de lui ôter le pantalon de jogging qu'elle portait. Elle souleva un peu son bassin pour l'aider et l'entendit qui se mettait à respirer plus fort. Une fois le pantalon retiré, il resta un instant à regarder sa peau crémeuse avant de lui effleurer doucement la jambe. Fermant les yeux, elle imagina cette main glissant doucement sur elle ; elle n'aurait rien fait pour l'en empêcher. Le désir évident qu'il éprouvait pour elle était le meilleur des antidouleur.

Durant les trois premiers jours après leur arrivée au ranch, Rachel passa beaucoup de temps à somnoler dans sa chambre. Lucas en profita pour éplucher des dossiers, lire et regarder la télévision. Il fit aussi de fréquentes sorties autour de sa propriété, particulièrement attentif à tout véhicule suspect qui s'attarderait dans les environs. Mais il ne remarqua aucune trace, ce qui le conforta dans l'idée qu'ils étaient en sécurité au ranch.

De gros nuages annonciateurs de tempête roulaient sur la montagne depuis la veille, et il avait demandé à la gouvernante de ne plus venir chaque jour préparer leurs repas. Mieux valait qu'elle reste chez elle, sans quoi elle risquait tôt ou tard de se trouver bloquée dans le blizzard. Jusque-là, elle avait aidé Rachel à sa toilette. A présent qu'ils étaient seuls, au grand soulagement de Lucas, elle avait refusé son concours un peu plus tôt, au moment de prendre sa douche, et lui avait seulement demandé de lui préparer des serviettes et une chemise de nuit propre. Il n'avait pas vraiment insisté ; il avait pu remarquer comme le tissu arachnéen du léger vêtement de nuit devenait transparent à la lumière…

Incapable de dormir, il quitta sa chambre, qui se trouvait juste en face de celle de Rachel, et passa dans le petit salon bibliothèque pour regarder la télévision. Il alluma du feu dans la cheminée, en regrettant que celle qui occupait toutes ses pensées ne soit pas auprès de lui pour profiter de la belle flambée. Un film qu'il suivait d'un œil vague avait commencé depuis quelques minutes quand il vit entrer Rachel.

— Qu'est-ce que tu fais debout ? lui demanda-t-il en se levant pour la soutenir.

Au-dehors, il neigeait sans discontinuer depuis le début de la soirée.

— Je me sens bien mieux, dit-elle.

Son regard s'attardant un instant sur ses seins qui se devinaient sous la fine chemise de nuit, il la fit asseoir sur le canapé et veilla à ce qu'elle soit confortablement installée. Elle le remercia avec un beau sourire.

— Tu as faim ? reprit-il. L'heure du dîner est un peu passée, mais tu dormais…

— Pas vraiment. Un peu de thé, peut-être.

— Tout de suite !

Soulagé de cette diversion qui mettait un peu de distance entre eux, il se hâta d'aller à la cuisine et mit de l'eau à bouillir. Il revint un peu plus tard avec une tasse de thé qu'il déposa devant elle, sur la table basse. Elle leva les yeux vers lui. Devant ces prunelles d'or brun qu'il aimait tant voir ainsi, encadrées par ses cheveux châtains emmêlés, si brillants, qui lui tombaient sur les épaules, Lucas se demanda s'il avait vraiment renoncé à l'amour, comme elle l'en avait accusé à l'hôpital. C'était curieux… Il n'avait jamais pensé à lui-même de cette façon. Pas depuis que sa sœur avait été assassinée, en tout cas.

— Tu as eu des nouvelles de ton ex, depuis l'hôpital ? lui demanda-t-elle tout à coup.

— Non.

Pourquoi donc s'en inquiétait-elle ?

— Tu devrais lui pardonner.

Lucas s'assit sans répondre et étendit ses jambes devant lui. Rachel but une gorgée de thé et son doux regard revint se poser sur lui.

— Tu ne le peux vraiment pas ?

— Si tu regardais le film, plutôt…

— Si tu ne le fais pas, je crois que tu ne seras jamais heureux.

Lucas prit la télécommande et monta légèrement le son, mais Rachel semblait décidée à appuyer là où cela faisait mal.

— Je ne savais pas que tu voulais à toute force fonder une famille, lui dit-elle doucement.

— Rachel…

Il montra l'écran.

— Non, sérieux… Tu étais vraiment prêt à sacrifier ta carrière pour cela ?

— Oui.

— Tu y serais prêt, encore ?

C'était une question bien audacieuse, de la part d'une femme qui s'était éloignée de tous ses amis.

— Et toi ? lança-t-il. Tu serais prête à cesser de fuir ton passé ?

Elle laissa sa tête aller en arrière, contre le dossier du canapé, et regarda les poutres du plafond.

— J'ai eu le temps d'y penser beaucoup, ces derniers jours, en tout cas, répondit-elle avant de tourner les yeux vers le feu. Je crois que je vais donner une fête, quand tout ça sera terminé. Une grande soirée, pour tous ceux que j'ai laissés en plan après la mort de mes parents.

Elle sourit.

— … Avec de la musique, de la danse… Mon père et ma mère en donnaient de merveilleuses, lorsque j'étais petite…

— Que faisait-il, ton père ?

— Il tenait un garage. J'avais toujours l'impression que c'était l'antre d'un magicien et que ce magicien, c'était lui.

— Et ta maman ?

— Elle restait à la maison pour s'occuper de nous, mais elle était très active. Elle m'emmenait toujours partout, visiter des tas d'endroits intéressants.

— Je suis sûr que tu lui ressembles… Tu n'as plus qu'à la préparer, cette soirée.

Elle le regarda et lui sourit à nouveau, mais il eut l'impression que la joie qu'elle avait éprouvée à caresser ce projet se dissipait aussi vite qu'elle était venue. Il en soupçonnait un peu les raisons… Qu'avait-elle entendu exactement de sa conversation avec Tory ? Les circonstances faisaient qu'ils se trouvaient ensemble pour le moment, mais ensuite, quand l'assassin de Luella serait enfin sous les verrous ?

Rachel retournerait à son petit studio, à ses études, et lui… A quoi retournerait-il, lui, au fait ? Il avait quitté la police pour rejoindre une célèbre agence d'enquêteurs privés, mais ce n'était pas tant pour y faire une nouvelle carrière que pour rechercher la façon la plus efficace de faire rouvrir l'enquête. Ce qu'elle venait de lui dire à propos de son désir de fonder une famille avait remué quelque chose de très profond en lui. Lorsque Tory lui avait annoncé, naguère, qu'elle était enceinte, il s'était immédiatement senti à sa place dans son rôle de père. Il était prêt à vouer sa vie entière à sa femme et à son enfant ; même son grand projet d'intégrer les SEALs était passé au second plan. C'est pourquoi, lorsqu'il avait découvert le mensonge de son épouse il avait eu l'impression que sa vie entière s'écroulait. Puis, sa désillusion était passée au second plan, chassée par le meurtre de sa sœur et l'obsession qu'il avait de confondre son assassin. Il ne pouvait pas oublier que Rachel avait joué un rôle dans toute cette histoire. A son corps défendant, sans doute, et il voulait le croire, mais pouvait-il en être sûr à cent pour cent ?

De l'eau vive coulait en chantant d'une fontaine, au milieu de centaines de fleurs dont les parfums délicats et subtils excitaient tous ses sens. Il l'avait déposée sur une couche de verdure, à l'ombre de grands arbres. Torse nu, tout bronzé, il était une sorte de demi-dieu. Ses yeux bleu-gris la dévoraient tout entière. Elle était nue, et il laissait ses mains courir sur son corps. C'était doux et chaud. Mais il y avait quelque chose… Un avertissement… « On » la prévenait qu'elle commettait une lourde erreur, que, si elle continuait, elle en paierait le prix, et très cher… Mais il la tenait par le seul pouvoir de ses yeux et de ses mains. Elle se sentait liée à lui, incapable de lui échapper…

Rachel s'éveilla à demi en se sentant soulevée sans effort. Lucas l'emportait dans ses bras pour la ramener dans sa chambre. Il la déposa délicatement sur le lit et elle le retint par le col de sa chemise, au moment où il allait se redresser. Les mains sur le matelas, il se pencha vers elle et couvrit sa bouche de la sienne. Ce seul contact suffit à provoquer en elle une flambée de passion qui la réveilla tout à fait, une poussée de désir irrépressible, impossible à nier. Puis, il se souleva un peu et elle pensa à ce formidable besoin de fonder une famille qu'il avait eu en lui. Du bout des doigts, elle effleura la joue de Lucas en rêvant qu'elle aurait pu être cette femme pour laquelle il avait été prêt à tout sacrifier. Mais elle, elle se jurait bien que jamais elle ne lui aurait menti…

Il l'embrassa alors, doucement, profondément, sans la quitter des yeux, comme s'il voulait lire dans ses pensées. Avec délicatesse, il posa sa main sur son sein, du côté qui n'avait pas été blessé. Elle songea, amusée, qu'elle était en plein dans le rêve qu'elle venait de faire. Il l'embrassait, la caressait, en prenant bien soin de ne pas même effleurer sa blessure. Puis il souleva sa chemise de nuit, toujours en faisant très attention à ne pas lui faire le moindre mal. Il ôta ensuite le T-shirt qui moulait son torse musclé, et baisa sa bouche, ses seins l'un après l'autre, avec un mélange bouleversant de passion et d'infinie tendresse.

Très vite, il retira son jean ainsi que son caleçon, et elle put admirer son sexe dressé.

Une délicieuse fièvre monta en elle tandis qu'il se positionnait entre ses jambes. D'abord, appuyé sur ses mains, il frotta son bassin contre le sien, puis il la pénétra. Elle se sentit transportée dans un autre monde, fait d'incandescence et de joie. Emportée par des vagues de plaisir, elle gémit tandis qu'il allait et venait lentement, prenant tout son temps avec une merveilleuse douceur. Arquée sous lui, elle ne percevait plus la douleur de sa blessure, mais seulement l'exquise sensation qu'il lui procurait. Il semblait faire reculer les limites de la jouissance, qu'ils atteignirent ensemble. Ce n'est qu'alors, quand tout fut terminé, qu'elle sentit sa poitrine meurtrie protester contre ce surcroît d'activité inattendu.

Lucas s'étendit auprès d'elle, tirant les couvertures pour qu'elle n'ait pas froid.

— Ça va ? lui demanda-t-il très doucement.

— Oui, répondit-elle bravement.

Elle ne put cependant s'empêcher de grimacer. La douleur se rappelait avec force à son bon souvenir. Le reste de la nuit risquait bien d'être difficile. Lucas se leva, magnifique dans sa nudité, et passa dans la salle de bains. Il en revint avec ses médicaments contre la douleur et un verre d'eau. S'asseyant sur le bord du lit, il lui donna les comprimés, puis le verre, sans cesser de la regarder, attentif à sa moindre réaction.

— On aurait peut-être dû attendre un peu, dit-il, l'air de s'excuser.

— Je suis heureuse qu'on ne l'ait pas fait…

Bien sûr, à présent, elle avait bien besoin de repos, mais s'ils avaient attendu, qui pouvait dire que ce serait arrivé, qu'ils auraient refait l'amour comme ce premier soir, chez elle ?

Non, ils n'auraient peut-être pas dû… Elle retourna cette pensée dans sa tête.

Dehors, les flocons tourbillonnaient sans relâche. Rachel ne voulait pas penser aux conséquences, mais seulement à la magie du moment qu'ils venaient de vivre.

La sonnerie étouffée de son téléphone portable réveilla Lucas. Il comprit alors que l'appareil était resté dans la poche de son jean, quelque part sur le sol, et qu'il était au lit avec Rachel. A la troisième sonnerie, il la vit se retourner sur l'oreiller et ouvrir ses beaux yeux. Il s'empressa alors de se pencher pour attraper l'appareil. Le portant à son oreille, il marmonna :

— Allô !

— Désolé, je vous réveille, et pardon de ne pas vous avoir rappelé plus tôt… C'est le shérif Bailey.

Quand Rachel était à l'hôpital, Lucas avait transmis à l'officier de police, à toutes fins utiles, le numéro de la plaque minéralogique de l'homme qui avait tiré sur eux et probablement aussi incendié sa maison.

— La plaque mène tout droit à Jared Palmer.

Lucas s'en doutait. Mais pourquoi le shérif avait-il attendu pour l'en informer ?

— Depuis que je le sais, reprit le policier, j'ai passé l'essentiel de mon temps à essayer de le localiser.

— Il s'est enfui ?

— Son associé m'a dit que la dernière fois qu'il l'avait vu, c'était au moment de quitter le travail, le soir de l'incendie. Un voisin l'a vu ressortir de chez lui à 19 heures, ce même soir. J'ai vérifié ses appels. Il en a reçu un d'un mobile équipé d'une carte prépayée, achetée sous une fausse identité, et payée en liquide. On a tout de même pu remonter jusqu'au centre commercial où a été faite la transaction. Un de mes adjoints est en train de travailler dessus. La police de Bozeman a lancé un avis de recherche. On est en relation avec eux, et on partage les infos…

— Vous avez vu Marcy Sanders ?

— Elle non plus, pas moyen de la localiser pour l'instant. Mais elle a été vue dans un restaurant en compagnie de Palmer à 19 h 30, et sa colocataire dit qu'elle n'est pas rentrée depuis.

A côté de Lucas, Rachel quitta le lit toute nue pour se rendre à la salle de bains.

Tout cela s'était déroulé avant la visite de Jared à l'hôpital… Où avait-il pu passer, depuis ? Et Marcy ? Eldon Sordi était-il impliqué, lui aussi ? Quel genre de relation triangulaire avaient-ils, tous les trois ? Jared avait paru sincèrement navré de la blessure de Rachel, il ne paraissait pas avoir voulu lui faire du mal. Et Marcy, dans tout cela ? Qu'aurait-elle à gagner dans les petites affaires frauduleuses de Jared ? Et à l'aider à s'enfuir ?

13

Après une semaine de repos, Rachel commença la rééducation des muscles de son épaule et de son bras. Elle venait de terminer ses exercices, qui augmentaient progressivement en durée comme en intensité, et se concluaient par un bain chaud. Ses cheveux retenus par une pince, elle enfila sa chemise de nuit.

N'étant pas décidée à aller déjà se coucher, elle se rendit à la cuisine avec l'intention de se faire du thé.

Comme elle n'avait allumé que le spot placé au-dessus de l'évier, elle ne vit pas Lucas se lever silencieusement de la massive table de ferme, sur laquelle il avait ouvert son ordinateur portable. Il vint se placer juste derrière elle.

Depuis la nuit qu'ils avaient passée ensemble, il n'avait plus essayé de lui faire l'amour mais, à présent, elle pouvait sentir ses mains sur elle, sa joue contre la sienne.

— Je peux te voir toute nue sous ta chemise de nuit, lui murmura-t-il à l'oreille.

Vraiment ? Rachel baissa les yeux sur le fin vêtement. Elle ne voyait rien, mais sans doute le tissu devenait-il transparent sous certains éclairages…

Lorsqu'il lui déposa un baiser dans le cou, elle se retourna et passa son bras valide autour du sien. Ils s'embrassèrent, les belles et fortes mains brunes s'aventurant partout sur la chemise de nuit. La passion flamba à nouveau entre eux, chacun demandant davantage et chacun répondant, baiser pour baiser, fièvre pour fièvre.

— Tu me ferais presque croire que certaines choses sont possibles, murmura Rachel.

Immédiatement, elle regretta ses paroles et sut qu'elle en avait trop dit. Lucas se redressa, s'écartant d'elle dans le même mouvement. Et ce qu'elle put lire sur son visage la glaça.

Ces « choses », pour elle, c'était l'amour, une famille… Tout ce qu'elle se souvenait d'avoir connu avec ses parents, tout ce qui lui avait été enlevé bien trop tôt.

— Peut-être devrions-nous… calmer un peu le jeu, laissa-t-il tomber.

— Oui, peut-être…

Elle était folle d'avoir espéré !

Il fallut encore trois semaines à Rachel pour récupérer et ne plus souffrir… sauf de la tension qui résultait de devoir vivre tous les jours avec Lucas, et du fait que ses règles étaient en retard. Le traumatisme de sa blessure pouvait en être la cause, mais il pouvait y avoir aussi, bien sûr, une autre raison.

Bien qu'attendre un enfant eût été pour elle source de bonheur et d'émerveillement, cela n'aurait pu plus mal tomber…

Depuis « l'incident » dans la cuisine, ils avaient gardé leurs distances et vivaient ensemble comme des sortes de colocataires, à ceci près qu'il y avait des effleurements et de lourds regards. Parfois, Rachel était à deux doigts de se jeter sur lui, pour revivre leur nuit magique, mais le souvenir de la déception qui avait suivi la retenait. Les conversations qu'ils avaient tournaient généralement autour de Jared et de Luella, à moins qu'ils ne se mettent à bavarder gaiement de choses sans importance. On avait complètement perdu la trace de Jared et Marcy, aussi n'avaient-ils pas grand-chose à échanger sur l'enquête.

L'art qu'avait Lucas de la tenir à distance désespérait

Rachel, mais elle essayait de se persuader que c'était mieux ainsi.

De l'une des fenêtres du salon, elle regardait le mari de Beverly dégager le chemin d'accès au volant d'une déneigeuse. Lucas commençait à avoir beaucoup de mal à supporter leur isolement. Ils avaient subi trois tempêtes de neige successives, et les congères atteignaient une hauteur record. N'eussent été ces mauvaises conditions météorologiques, ils auraient pu rentrer à Bozeman depuis au moins une semaine, mais Lucas ne badinait pas avec la sécurité de Rachel. Elle aurait bien aimé qu'il montre le même intérêt pour certains de ses besoins — ses désirs sexuels, par exemple. S'il n'avait tenu qu'à elle, ils auraient fait l'amour tous les jours, toutes les nuits, tout le temps…

Souvent, elle se prenait à rêver qu'elle vivait pour toujours auprès de lui, qu'ils fondaient une famille, et ces rêveries s'étaient intensifiées depuis qu'elle avait du retard dans ses règles. Elle pensait aussi très souvent au temps où elle n'était encore qu'une enfant, avant de perdre ses parents. Cependant, étrangement, il n'y avait plus en elle ni amertume ni ressentiment. Seuls les bons souvenirs lui revenaient, désormais.

— Tu es sûre que tu es assez bien pour faire le voyage ?

Tirée de ses pensées, Rachel se détourna de la fenêtre pour regarder Lucas. Il devait bien le savoir…

— Bien sûr !

— Tu devrais peut-être rester ici.

Elle chercha à lire sur son visage pourquoi il voulait la laisser en arrière. Pour sa sécurité, ou pour une autre raison ? Le désir de s'éloigner d'elle, par exemple…

— Pourquoi donc ?

— Parce que tu y es plus en sécurité.

— Peut-être bien que c'est toi qui te sentirais plus en sécurité si je restais ici et si tu t'éloignais. Il te serait plus facile de nier ce qui est arrivé entre nous !

— Et qu'est-il arrivé entre nous ?

Il était insupportable de l'entendre dire cela. Comme s'il l'ignorait ! Il n'était peut-être pas tombé follement amoureux d'elle, mais il y avait bel et bien un lien entre eux. Il ne s'en était donc pas rendu compte ?

— Rien, apparemment, dit-elle en soupirant.

Comme il ne répliquait pas, elle murmura :

— Ce n'est décidément pas le moment d'annoncer que je crois bien être enceinte.

Lucas, qui allait quitter la pièce, s'arrêta net.

— Que dis-tu ?

— Rien, rien…

Il la regarda encore un instant, mais comme elle gardait le silence, il s'éloigna. Elle se retourna vers la fenêtre. La déneigeuse regagnait son hangar où elle attendrait la prochaine tempête.

Dans la pièce voisine, le téléphone de Lucas se mit à sonner et il prit aussitôt la communication. Elle n'entendait pas distinctement ses paroles, mais les accents graves de sa voix étaient pour elle comme une caresse. Elle en ferma les yeux de plaisir. Mais, très vite, un bruit de pas résonna sur le plancher de sapin. Il revenait dans le salon.

— On a retrouvé le corps de Jared, annonça-t-il gravement.

Elle eut un sursaut de surprise. Jared était mort ?

— Sa voiture est tombée dans un ravin, dans un endroit très reculé au nord de Big Sky. Avec ce froid, son corps s'est très bien conservé. Il a été étranglé.

— Dans sa voiture ?

— Non. Il a probablement été tué ailleurs et placé à son volant ensuite.

Il avait donc fallu que l'assassin conduise le véhicule au bord du ravin, puis qu'il installe le cadavre sur le siège du conducteur.

— Et Marcy ?

— Toujours portée disparue.

Etait-ce elle qui avait amené la voiture au bord du vide ?

— Je me suis fait indiquer la localisation. Si on part maintenant, on peut y être à temps.

A temps pour quoi ? Avant que les enquêteurs aient retrouvé des indices ?

Elle ne posa pas de questions, et le suivit.

Lucas laissa Rachel dans le SUV bien chauffé, tandis qu'il descendait le raidillon difficile par où la voiture de Jared avait basculé au fond du ravin. L'épave était profondément enfoncée dans la neige et bien cachée par les buissons et les branches des grands sapins, au bord d'un torrent partiellement gelé que l'on pouvait entendre chanter entre les rochers. On était en fin d'après-midi, et l'air glacial mais revigorant du Montana lui emplissait les poumons.

Plusieurs techniciens en investigation criminelle étaient à l'œuvre sur la scène de crime, passant le site au peigne fin et examinant chaque centimètre carré de l'habitacle. Le corps de Jared reposait, retenu par l'airbag qui s'était déclenché. Son corps montrait toutefois des traces de chocs, reçus sans nul doute lors de la descente vers le fond du ravin. La ceinture de sécurité n'était pas attachée. Côté passager, la vitre était baissée. Son assassin l'avait-il menacé d'une arme, par cette portière ? Etait-ce Marcy ? Elle fumait, elle pouvait bien avoir baissé la vitre pour évacuer la fumée.

— Par ici ! cria un technicien.

Dans la neige profonde, Lucas se fraya un chemin vers un amas de branchages. Deux enquêteurs dégageaient une mallette avec soin, tandis qu'une femme prenait des photos. Dûment ganté de latex, l'un des deux techniciens ouvrit la mallette, avec des gestes précis d'horloger. A l'intérieur, divers papiers et chemises cartonnées surmontés d'une carte dessinée à la main.

Lucas observa attentivement les environs, mais il ne trouva aucun signe indiquant que la mallette ait pu être projetée hors de la voiture. Si tel avait été le cas, elle aurait dû dégringoler plus bas et, depuis le temps que l'épave était là, être profondément enfouie sous la neige.

Quelqu'un, plus que probablement, l'avait déposée là pour qu'on la retrouve, et ce récemment.

— Je voudrais voir cette carte, dit-il à la technicienne.

Celle-ci lui tendit une paire de gants de latex. Il les enfila et déplia le papier. C'était le plan d'un lieu qu'il reconnut immédiatement : un chalet dont Luella avait fait l'acquisition, peu de temps avant d'épouser Jared. Une petite maison isolée au fond des bois, tout ce qu'elle aimait.

Une croix marquait un emplacement derrière le chalet, dans la forêt.

Il rendit la carte et demanda qu'on lui fournisse une copie du rapport d'enquête, quand il serait disponible.

Après avoir repris la route en sens inverse, ils arrivèrent au chalet de Luella.

Rachel n'était pas tellement surprise de ce goût commun du frère et de la sœur pour les solitudes pleines de beauté du Montana. Ils avaient tous deux le sens de l'authentique, de la nature. Cela faisait peut-être partie des bons principes que Joseph leur avait inculqués. Sans hésitation, Lucas la guida vers l'arrière du chalet. Il n'avait pas encore de copie de la carte, mais n'en avait en fait nul besoin ; il connaissait les lieux.

Pour sa part, Rachel leur trouvait quelque chose d'étrangement familier.

Lucas s'arrêta net et Rachel, distraite, buta contre lui. Elle leva les yeux. Quelque chose pendait à une branche d'arbre et se balançait doucement dans le vent. Quelque chose de banal, mais complètement incongru à cet endroit. C'était une taie d'oreiller, qui lui appartenait à elle, Rachel. Une enveloppe de coton, bourrée de quelque chose, et que de dégoûtantes taches de sang maculaient.

Lucas la reconnut lui aussi ; il l'avait vue sur le lit de Rachel. Même si elle était sale et tachée de sang, la broderie mauve qui l'ornait était parfaitement reconnaissable.

Il lança à sa compagne un regard surpris. Pas réellement accusateur, mais une interrogation qui faisait mal.

Il ne croyait tout de même pas…

Rachel leva le bras pour attraper la taie d'oreiller. Celle-ci avait été solidement fixée à l'arbre par une cordelette passée dans une déchirure du tissu. Tous ses efforts ne servirent qu'à faire ployer la branche, jusqu'à ce que l'étoffe cède et laisse échapper son contenu qui se répandit au sol. Des vêtements…

— Ce sont ceux de Luella, dit Lucas sans faire un geste.

Rachel ne répondit pas qu'elle le savait. Cela aurait pu la désigner comme coupable. Elle lâcha seulement :

— Quelqu'un a mis tout ça dans ma taie d'oreiller.

Elle se tourna vers Lucas et vit son trouble. Trouver les vêtements de sa sœur dans une taie d'oreiller lui appartenant avait sur lui l'effet escompté par le tueur.

— On essaie de me faire accuser, ajouta-t-elle.

Si Jared vivait encore, elle aurait immédiatement fait porter ses soupçons sur lui. Or, Jared était mort…

Lucas ne répondit rien. Il prit son téléphone et appela d'abord la police locale, puis le shérif Bailey, à qui il exposa brièvement la situation. Il ne lui cacha pas que la taie d'oreiller appartenait à Rachel qui se sentit trahie. Ainsi, il la désignait lui aussi comme coupable ? Elle eut l'impression que son cœur se brisait.

Allait-il tranquillement laisser les policiers l'arrêter pour un crime qu'elle n'avait pas commis ? Se ranger à leur côté ? Elle ne pouvait pas le croire, mais cela en avait tout l'air. Peut-être pensait-il que lui faire peur l'amènerait à avouer ? Il n'était plus question qu'elle se laisse manipuler ou intimider par qui que ce soit. Cet homme avait besoin d'un choc salutaire, d'une vraie gifle, et elle allait s'y employer.

Elle le laissa terminer son coup de fil puis lança :

— Je suis enceinte.

Il se figea et la regarda, tétanisé.

Elle le laissa digérer la nouvelle, avant d'ajouter :

— Je n'en suis pas absolument certaine, mais tous les signes sont là.

Il s'assombrit.

— Et tu me dis ça comme ça ?

— Pas vraiment, non.

— Bien sûr que si ! Tu sais que je suis vulnérable, et tu en profites.

— Non, c'est faux.

Elle croisa les bras. Il n'avait aucune preuve contre elle, seulement cette taie d'oreiller qui avait pu très facilement lui être dérobée dans son minable petit studio, dont il était si facile de forcer la porte et les fenêtres.

— Je n'ai tué personne, et je n'ai rien à voir avec ce truc-là, dit-elle en montrant le bout de tissu maculé de sang. C'est un peu trop facile de me soupçonner, tout ça parce que tu n'as pas confiance en moi.

Il cilla.

— Je te ferai remarquer que tu n'as pas vraiment été honnête avec moi, depuis le début, répliqua-t-il. Il y a peut-être d'autres choses que tu me caches encore…

Il poussa un soupir et acheva :

— J'espérais que toi, au moins, tu serais différente…

Différente de qui ? De sa menteuse d'ex-femme ?

— Je suis bel et bien différente, mais tu es trop borné pour t'en rendre compte. La vérité, c'est que tu as peur. Tu as eu peur de ce que cela signifiait, faire l'amour avec moi. Et maintenant, tu es plus terrifié encore !

— Je n'ai peur de rien du tout, rétorqua-t-il en tournant les talons pour repasser devant le chalet.

Elle le suivit.

— Ah oui ? Alors, ça change quoi que je sois enceinte ?

Pour tout dire, elle n'avait pas vraiment envie de continuer dans cette voie agressive. Si Lucas croyait réellement qu'elle avait quelque chose à voir avec le meurtre de sa sœur, elle ne pouvait guère espérer le faire changer d'avis. Il fallait qu'il se détrompe tout seul. Mais, si elle était bel et bien enceinte, qu'allait-il faire ? N'allait-il donc pas se conduire comme le héros qu'elle savait qu'il était ?

14

Deux jours plus tard, longtemps après que Lucas était parti se coucher, Rachel ne parvenait toujours pas à trouver le sommeil. Elle se leva sans faire de bruit et alla s'habiller dans la salle de bains de la suite à deux chambres qu'il avait louée pour eux. Elle ne décolérait pas, à cause de son attitude. Le fait d'avoir eu une mauvaise expérience avec une femme ne lui donnait pas le droit de la traiter comme il le faisait, et elle avait finalement décidé de suivre son intuition. Lucas ne l'y encourageait-il pas lui-même, par tout son comportement et même ses paroles ? C'était peut-être une folie de reprendre sa route toute seule, mais elle ne pouvait pas non plus rester avec lui. Après tout, elle était capable de se débrouiller et de se défendre seule. Jared mort, elle n'avait plus rien ni personne à craindre.

La porte de la chambre de Lucas était close. Il l'avait soigneusement refermée la veille, pour mieux lui battre froid et s'isoler d'elle. Eh bien, il allait être servi…

Elle sortit, prit l'ascenseur, et quitta l'hôtel au milieu de la nuit.

Un taxi la ramena à son appartement.

— Attendez-moi, dit-elle au chauffeur. Je ne serai pas longue.

Après avoir scruté la rue déserte, elle entra dans le bâtiment, très calme à cette heure tardive. La machinerie de l'ascenseur lui parut faire un vacarme épouvantable. Sur son palier, elle examina attentivement le couloir et les dégagements. De l'étage supérieur lui parvenait la vague rumeur d'un poste de télévision. Ses clés à la main, elle se dirigea vers sa porte, plongée dans la pénombre, déverrouilla doucement, et ouvrit avec précaution. Elle se pétrifia à la vue du désordre ; le studio avait été fouillé, et tout était sens dessus dessous. Il lui fallut quelques instants pour se reprendre. Son appartement avait sans doute été visité des semaines plus tôt, au moment où elle avait été blessée. Elle entra et referma silencieusement la porte. Enjambant les vêtements répandus sur le sol, elle alla vers l'armoire, dont les portes béaient. Ses visiteurs avaient ouvert deux de ses boîtes à chaussures, mais apparemment pas la troisième, où se trouvait ce qu'elle cherchait ; sa main se referma sur la crosse d'un pistolet automatique. Sur une étagère, sous des chemisiers, elle prit les deux chargeurs supplémentaires et les fourra dans son sac, ainsi qu'une lampe de poche. Après avoir glissé le pistolet sous sa ceinture, elle ressortit.

Dans l'entrée, un ivrogne lui lança une proposition salace qu'elle fit mine de ne pas entendre. Elle se hâta vers son taxi qui l'attendait et donna au chauffeur l'adresse de Jared.

Dix minutes plus tard, la voiture s'arrêtait devant la grande maison, entourée de la bande jaune délimitant les scènes de crime.

— Vous êtes sûre que c'est là ? lui demanda le chauffeur, surpris.

Elle acquiesça en cherchant de l'argent dans la poche de son jean. Lucas lui en avait donné un peu lorsqu'ils avaient quitté son ranch, au cas où ils viendraient à être séparés.

— Inutile de m'attendre, cette fois, dit-elle en tendant à l'homme le prix de la course, augmenté d'un confortable pourboire.

En descendant du taxi, elle examina attentivement les alentours. Aucune lumière ne brillait dans les maisons voisines, dont tous les occupants devaient dormir. Comme tout semblait parfaitement calme, elle se dirigea vers la maison.

Elle ne l'avait dit à personne, mais elle en avait conservé une clé, celle de la porte du garage qui se trouvait à l'arrière de la grande bâtisse.

Elle se sentait en faute, et pas seulement parce qu'elle entrait frauduleusement dans cette maison où elle n'aurait jamais dû mettre les pieds. La dernière fois qu'elle était venue ici, elle croyait encore que Jared y vivait seul. Tout aurait été différent, et elle ne serait certainement pas dans cette situation si elle avait su, quand elle l'avait rencontré, qu'il était marié.

Passant dans son bureau, qu'il appelait sa « tanière », elle s'approcha de la bibliothèque et plus précisément de l'étagère sur laquelle ne se trouvaient que six photos, alors que toutes les autres n'étaient couvertes que de livres. Pourquoi cela ? Elle l'ignorait.

Elle les examina l'une après l'autre à la lueur de sa lampe de poche. Toutes montraient le couple Palmer, en différentes occasions. Rachel estimait qu'elles devaient avoir été prises environ deux ou trois ans avant sa propre rencontre avec Jared.

Un détail attira son attention. Eldon Sordi figurait lui aussi sur les six clichés et, chaque fois, Luella le regardait. De côté sur l'une, par-dessus son épaule sur une autre, à travers une pièce ou alors directement, bien en face, alors qu'Eldon était au bras d'une brune spectaculaire et que Jared paraissait rire et plaisanter avec lui, sans remarquer le regard brûlant de sa femme sur son associé. Sur la plupart des photos, Eldon souriait à Luella, comme s'ils partageaient un secret particulièrement intime.

La police n'avait apparemment pas prêté grande attention à ces photos : de simples clichés de famille. Et pourtant…

Si Luella avait découvert les pratiques frauduleuses de Jared, se pouvait-il qu'elle en ait parlé à Eldon Sordi ? Les deux hommes étaient-ils complices ? Et qu'y avait-il exactement entre la belle Luella et lui ?

Rachel prit les six photos encadrées et les disposa sur

le sol en arc de cercle, de façon que quiconque entrerait dans la pièce ne puisse manquer de les remarquer. Puis, après un rapide tour de la maison qui ne lui fournit aucun indice supplémentaire, elle quitta les lieux sans se faire davantage repérer que lors de son arrivée.

Rachel retourna à pied au centre-ville et s'arrêta dans un centre commercial ouvert non-stop pour y acheter un petit magnétophone. Elle erra ensuite un peu dans la galerie marchande pour tuer le temps avant de prendre la direction de l'immeuble de la HealthFirst.

Attablée près de la vitrine d'un café voisin d'où elle pouvait voir l'entrée du bâtiment, elle attendit l'heure d'ouverture des bureaux avec l'espoir d'intercepter Eldon Sordi dès qu'il apparaîtrait. Les employés commencèrent bientôt à arriver, mais Sordi ne se montra pas.

A 10 heures du matin, elle comprit qu'il ne viendrait pas et décida d'aller le demander à la réception.

— Il est en congé, aujourd'hui, lui répondit la réceptionniste.

Il s'absentait alors que son associé avait été retrouvé mort ? C'était pour le moins curieux.

— Où est-il allé ? demanda Rachel.

La réceptionniste eut un sourire amusé.

— Ça, il ne me l'a pas dit.

— Puis-je parler à son assistante ?

— Bien sûr !

La réceptionniste pianota un numéro sur son téléphone et dit :

— Rachel Delany voudrait vous voir…

Elle écouta un instant puis raccrocha le combiné.

— Elle descend tout de suite.

— Merci !

Rachel s'éloigna du comptoir et fit quelques pas en direction d'un mur d'écrans qui diffusaient en boucle des publicités pour des contrats d'assurance, chacun correspondant à une certaine fourchette de revenus — argent, or, diamant, ou bien encore saphir et rubis, saphir étant étudié pour les catégories les plus modestes. Elle se souvenait d'en avoir envoyé, de la part de Jared, le détail à plusieurs clients potentiels. C'était sans aucun doute ce type de contrats qu'il transformait en propositions frauduleuses.

— Bonjour, Rachel. C'est gentil de revenir nous voir. Je peux faire quelque chose pour toi ?

C'était l'assistante d'Eldon Sordi, qui s'approchait.

— Bonjour, Nancy. Tu sais où est M. Sordi ? Je voudrais lui parler de Jared.

Le sourire de Nancy s'effaça instantanément.

— Il a été effondré quand il a appris… tout le monde est sous le choc. Tu… tu le voyais toujours ?

Rachel ne s'offusqua pas de la question.

— Non, pas du tout. Mais il faut vraiment que je parle de lui avec M. Sordi.

— Il est à sa maison du lac…

L'assistante lui expliqua comment s'y rendre, et Rachel nota ses indications sur un bout de papier.

— Il reste en rapport avec moi pour le travail, ajouta Nancy. Tu sais comment sont les chefs d'entreprise, ils n'ont pas vraiment de vie privée, ils n'arrêtent jamais.

Sauf ceux qui ont des zones d'ombre, comme Jared, pensa Rachel. Mais, heureusement, tous ne lui ressemblaient pas.

— De quoi veux-tu lui parler ?

— C'est personnel.

En fait, elle aurait voulu pouvoir se glisser dans le bureau d'Eldon Sordi pour fouiller dans son ordinateur, mais c'était plutôt du ressort de Lucas.

— Si Lucas Curran me cherche, dis-lui d'aller faire un tour chez Jared…

Il saurait quoi faire, alors.

En quittant l'immeuble de la HealthFirst, elle se dirigea vers l'arrêt de bus voisin. Quelques instants plus tard, elle s'aperçut que quelqu'un la suivait. Jetant un coup d'œil par-dessus son épaule, elle vit une grande blonde élancée, lunettes de soleil sur le front et sac à main bariolé à l'épaule. Elle n'avait pas l'air particulièrement menaçant. A l'arrêt, la blonde attendit à côté d'elle d'un air nonchalant puis, quand le bus arriva, elle s'assit sur le siège à côté du sien.

— Vous êtes bien Rachel Delany ?

— Oui, dit Rachel, surprise. Qui êtes-vous ?

— Vous avez travaillé pour Jared Palmer, il y a quelques années ?

— Vous voulez bien me dire qui vous êtes ?

— Oh ! Pardon ! Chloe Chesterfield.

La blonde lui tendit la main.

Rachel la lui serra en se demandant pourquoi la jeune femme lançait tout à coup tant de regards inquiets autour d'elle.

— Vous travaillez avec ce détective, n'est-ce pas ? Celui de la fameuse agence…

— Eh bien, je ne travaille pas exactement avec lui. Il recherche l'assassin de sa sœur…

— Et maintenant, Palmer est mort, ce qui veut dire que ce n'était probablement pas lui… J'ai appris qu'il a été tué…

Chloe lança un nouveau regard autour d'elle, puis se pencha vers Rachel.

— J'avais trop peur pour en parler, mais je crois qu'il le faut…

Elle baissa la voix.

— Ma mère a pris un contrat d'assurance à Palmer.

— Un « Saphir » ?

— Oui. Elle devait passer un check-up médical de routine, et l'hôpital lui a annoncé qu'elle devait régler 80 %… Oui, vous avez bien entendu, 80 % ! Sa police d'assurance ne mentionnait pas le pourcentage de frais remboursés, et Palmer lui avait annoncé qu'elle était couverte à 80 %, justement. Mais quand elle l'a rappelé, il s'est dédit ; son assurance ne couvrait plus que 20 %. Ce n'était pas ce qu'il avait promis...

Chloe Chesterfield mit brièvement sa main sur le bras de Rachel.

— Je suis mariée, ajouta-t-elle, mon nom est différent de celui de ma mère. J'ai appelé Palmer à mon tour et je lui ai dit que je cherchais une assurance bon marché. Il m'a vendu la même police qu'à elle. Mais moi, j'ai enregistré toute notre conversation...

Elle fit une pause dans son récit et Rachel comprit qu'elle attendait des félicitations.

— Bravo, lui dit-elle, vous avez été très courageuse !

Visiblement fière d'elle-même, Chloe se rengorgea.

— J'ai rappelé Jared Palmer, ensuite, et je lui ai dit que s'il ne remboursait pas ma mère immédiatement, je donnerais l'enregistrement à la police.

Une nouvelle fois, elle jeta un coup d'œil inquiet par-dessus son épaule. Rachel ne put s'empêcher de faire de même.

— Eh bien, figurez-vous, reprit Chloe, que quelqu'un s'est introduit par effraction chez moi le soir même. J'avais mis l'enregistrement dans notre coffre-fort, mais ce n'était pas du très haut de gamme. Il a été forcé et on a dérobé la carte-son. Et ce n'est pas tout ! L'homme qui s'était introduit chez moi m'a attaquée et frappée. Il m'a dit que si je ne laissais pas Jared Palmer tranquille, je serais tuée...

Ce n'était pas très différent de ce qui était arrivé à Rachel qui demanda :

— Alors, vous avez eu peur d'aller voir la police ?

Chloe acquiesça.

— Les menaces ne se sont pas arrêtées là. En rentrant de l'hôpital j'ai trouvé mon pauvre chat raide mort sur mon paillasson. Puis il y a eu des coups de fil en pleine nuit. Et un soir que je revenais de dîner chez des amis, le même homme m'attendait devant ma porte. Cette fois, il ne m'a pas frappée, mais il m'a avertie qu'il me surveillait, que Jared Palmer l'employait pour s'occuper des gens comme moi. Il semblait prendre pas mal de plaisir à me menacer, et je me doutais qu'il en aurait autant à me torturer ou à me tuer...

Rachel le croyait sans peine. Elle remarqua cependant :

— Mais maintenant, Jared Palmer est mort.

— Oui. Et vous, vous avez ce détective avec vous...

Chloe regarda une nouvelle fois autour d'elle, puis plongea la main dans son sac.

— J'ai conservé une copie de la police d'assurance de ma mère. Et, récemment, j'ai fait en sorte de me lier d'amitié avec l'assistante d'Eldon Sordi. C'est elle qui m'a appelée tout à l'heure pour me dire que vous veniez d'essayer de le voir.

Elle lui tendit une clé USB.

— J'ai trop peur pour aller jusqu'au bout. Mais vous pouvez donner ceci à votre ami détective...

— Qu'est-ce que c'est ?

— La copie de tous les fichiers de l'ordinateur de Jared Palmer.

Stupéfaite de la chance qui s'offrait à elle d'obtenir enfin des preuves, Rachel ne se fit pas prier pour prendre l'objet. Mais, malheureusement, cela ne suffirait peut-être pas pour faire inculper Eldon Sordi, probablement l'instigateur de toute l'affaire, des menaces et aussi des crimes.

— L'assistante de Sordi n'a jamais beaucoup aimé Jared, fit-elle remarquer.

— Vous croyez qu'elle a pu avoir une histoire avec lui ? demanda Chloe.

Rachel fit une moue signifiant qu'elle n'en savait rien. Le bus arrivait à son arrêt.

— C'est là que je descends.

— Je vais rester dans le bus jusqu'à ce qu'il retourne en ville, dit Chloe, c'est une ligne en boucle...

— Merci de tout cœur, lui dit Rachel. Vous avez été d'une aide précieuse.

— Ne me remerciez pas, répondit Chloe en se levant

pour la laisser descendre. J'ai besoin de retrouver ma vie d'avant, de ne plus avoir constamment peur, de cesser de regarder partout si on ne me suit pas… J'attends cela comme une véritable délivrance.

Rachel ne le comprenait que trop bien.

— Oui, moi aussi !

C'était de cela qu'il s'agissait : retrouver le cours de sa vie. Elle dit au revoir à Chloe Chesterfield et descendit du bus. Une marche de huit bons kilomètres l'attendait, maintenant. La pensée l'effleura qu'il aurait sans doute mieux valu que Lucas l'accompagne, mais elle se dit qu'après tout, s'il n'était jamais entré dans sa vie, il aurait bien fallu qu'elle se débrouille seule. Elle devait effacer définitivement Jared Palmer et Eldon Sordi du livre de sa vie. Ce n'était pas la première fois qu'elle affrontait des voyous ; elle avait eu, toute jeune, l'expérience de la rue. Elle savait se battre et utiliser une arme. Ce qu'il lui fallait, c'étaient des aveux, une bonne fois pour toutes. Ensuite, elle irait tout droit à la police.

Elle marchait depuis peut-être un quart d'heure lorsqu'elle entendit une voiture ralentir derrière elle. Son cœur se mit à battre plus vite ; elle n'avait pas pensé au risque d'être interceptée en chemin. Son intention était de surprendre Eldon Sordi dans sa maison isolée, et de le forcer à parler. Elle regarda derrière elle et vit une BMW blanche conduite par une femme. En reconnaissant Marcy, elle sentit un frisson glacé la parcourir. La petite route de montagne était déserte. Que faisait-elle ici, et comment l'avait-elle trouvée ?

Marcy s'arrêta à sa hauteur et baissa la vitre côté passager.

— Bonjour, Rachel.

— Marcy ? Tout le monde te cherche partout ! Où étais-tu passée ?

Marcy fit une grimace qui pouvait à la rigueur passer pour un signe de repentir.

— Je sais, dit-elle. J'étais avec Eldon, alors tu comprends, je préférais être discrète… ces choses-là n'ont pas vraiment besoin de publicité. Je vais le rejoindre à son chalet... Tu veux que je te dépose quelque part ?

Redouter les indiscrétions ne parut pas une excuse bien probante à Rachel. Les petites histoires de Marcy n'avaient rien de vraiment secret et, d'ordinaire, elle s'en cachait à peine.

Rachel jeta un coup d'œil sur la route, où le bus avait disparu depuis longtemps. Elle aurait dû se douter que Marcy était la maîtresse d'Eldon ! Ils étaient probablement impliqués tous les deux dans toute cette histoire. Marcy avait été vue pour la dernière fois avec Jared, puis portée disparue. Et maintenant, elle était en route pour le chalet d'Eldon Sordi...

Il avait paru déboussolé d'apprendre qu'elle avait une liaison avec Jared, mais peut-être jouait-il la comédie. Peut-être Marcy et lui étaient-ils complices depuis longtemps, peut-être Eldon avait-il eu une liaison avec Luella. Peut-être... peut-être...

Mais pourquoi Marcy et lui auraient-ils voulu tuer Jared ?

Parce qu'il ne voulait plus participer à leurs trafics, bien sûr ! Eldon Sordi ne pouvait laisser passer ça, Jared en savait bien trop... Et Marcy était leur complice. Elle aimait l'argent et les hommes qui avaient du pouvoir...

— Alors, tu viens ?

Rachel se tourna vers la BMW. Que ferait Marcy si elle déclinait son invitation à monter dans la voiture ? La laisserait-elle retourner en ville ? Mais alors, elle perdrait toute chance de se libérer des menaces qui pesaient sur elle...

— C'est bien lui que tu vas voir, non ? Eldon ? insista Marcy. Il n'y a pas tant de raisons que cela de te retrouver sur cette route...

— En effet, fit Rachel avec un entrain forcé.

Elle ouvrit la portière mais, tout en montant à bord, tira son pistolet de son sac à main.

— Très bien. Emmène-moi voir Eldon.

— Mais qu'est-ce qui te prend ? s'exclama Marcy, effarée, en voyant l'arme.

— Ne te fatigue pas, Marcy. J'ai bien compris que tu es sa complice.

Le véritable visage de Marcy apparut alors, rusé et dépourvu de la moindre trace de culpabilité.

— Tu commets une lourde erreur, dit-elle.

— Démarre !

Marcy obtempéra avec un petit rire ironique.

— Pourquoi tu as fait ça ? reprit Rachel.

— Fait quoi ?

— Eldon t'a fait du charme ? Il t'a dit qu'il avait besoin de ton aide ?

Probablement les choses s'étaient-elles passées ainsi. Il l'avait utilisée, c'était certain, et personne jusque-là n'avait soupçonné Eldon Sordi. Elle, la première, s'était focalisée sur Jared. Marcy avait été la dernière personne à voir celui-ci en vie ; elle avait probablement participé à son assassinat...

— Il se sert de toi ! lui assena-t-elle.

Marcy eut une moue de mépris.

— Tu ne sais rien de moi et tu ne sais rien non plus de ma relation avec Eldon, répliqua-t-elle sèchement.

— Est-ce que tu l'as aidé à tuer Luella ?

— Il n'a pas eu besoin de moi pour ça, et j'étais heureuse de ne plus avoir cette femme sur mon chemin. C'est depuis lors que nous sommes ensemble, Eldon et moi.

— Entre toutes ses autres femmes ?

Le canon du pistolet reposant sur son avant-bras, Rachel affectait une assurance qu'elle était loin d'éprouver.

— Et alors ? fit Marcy. Moi aussi, je vois d'autres hommes, la belle affaire ! Nous ne sommes pas mono-games, lui et moi.

— Si ça vous chante...

— Il me donne tout ce que je veux.

— Il va surtout te donner l'occasion de passer du temps en prison.

— Pourquoi donc ? Je n'ai rien fait.

— On t'a vue avec Jared, peu avant qu'il ait été tué. La police ne manquera pas de trouver étrange que tu sois en vie alors qu'il est mort. Il ne t'est pas venu à l'idée que c'est peut-être précisément ce que cherche Eldon ? Lui n'était pas dans les parages, quand Jared a disparu… Tandis que toi, oui.

Le regard que Marcy lui lança était cette fois beaucoup plus affolé que provocant.

— C'est Eldon qui t'a convaincue de ne pas réapparaître en ville, n'est-ce pas ? ajouta Rachel pour faire bon poids.

Nouveau regard, plus sombre encore.

— Eldon est un malin, il a pensé à tout. Mais maintenant que Lucas le talonne de près, il s'inquiète. Si j'étais toi, je ferais faire demi-tour à cette voiture et j'irais dire tout ce que je sais à la police.

Marcy eut un rire cynique.

— Les choses ne sont pas tout à fait aussi simples, dit-elle.

— Ah non ?

— Non.

Tandis que la BMW s'engageait sur une route gravillonnée et étroite, Rachel sentit son cœur se mettre à battre à tout rompre. Elle s'efforça de se reprendre. Il ne fallait pas céder à l'angoisse, mais rester calme, et réfléchir posément.

— Tu ne t'en tireras pas comme ça, lui dit Marcy. Qu'est-ce que tu crois ?

— En attendant, gare-toi et sors de la voiture, répliqua Rachel comme elles arrivaient devant un spacieux chalet en rondins. Lentement…

Marcy obtempéra sous la menace de l'arme de Rachel qui, dès qu'elle fut sortie à son tour, lui tordit le bras derrière le dos et lui braqua le canon du pistolet sur la tempe.

— Avance et va ouvrir la porte, reprit-elle en la poussant vers les marches du porche.

Marcy s'exécuta. Rachel s'attendait à trouver Eldon Sordi à l'intérieur, mais il n'y avait nulle trace de lui. Tout était silencieux et tranquille. Bien trop tranquille... Une seule lampe éclairait le vaste salon, la grande cheminée en pierre, et les poutres massives au plafond.

— Décroche le téléphone, ordonna Rachel en poussant Marcy vers la table où était posé l'appareil, et appelle Police Secours.

Marcy porta le combiné à son oreille, puis l'en écarta.

— Il est coupé.

Rachel lui prit l'appareil et essaya à son tour, sans cesser de tenir Marcy en joue. Il n'y avait pas de tonalité. Il semblait qu'Eldon les ait vues arriver et ait pris ses précautions. Mais où était-il ?

Au moment précis où elle allait tourner la tête, elle sentit le froid contact de l'acier d'un canon de revolver sur sa tempe.

— Salut, Rachel !

Lucas s'était précipité à la HealthFirst, tant pour parler à Eldon Sordi que parce qu'il supposait que c'était là que Rachel s'était rendue après avoir quitté l'hôtel au beau milieu de la nuit.

L'assistante de Sordi lui avait appris que Rachel avait demandé à voir Eldon et que, celui-ci étant absent, elle lui avait donné l'adresse de son chalet. Elle lui avait aussi délivré le message de Rachel : « Si Lucas Curran me cherche, dis-lui d'aller faire un tour chez Jared... » N'ayant pas de voiture, elle avait donc certainement pris le bus, et il n'était pas difficile de deviner où elle était allée ensuite.

Bon sang ! Pourquoi avait-il fallu qu'elle y aille toute seule ? Heureusement, la maison de Jared et le chalet de Sordi se trouvaient du même côté de la ville !

Il n'eut qu'un saut à faire chez Jared pour trouver ce qu'elle y avait laissé à son intention, et il comprit tout de suite. Luella, Eldon...

Eldon Sordi !

Pour la dixième fois peut-être, Lucas saisit son téléphone, puis le reposa sur le siège passager. Rachel avait laissé à l'hôtel celui qu'il lui avait donné. Si elle se trouvait en difficulté, il ne lui était pas possible d'appeler à l'aide. En fait, il n'y avait à peu près rien qu'elle pourrait faire, dans ces montagnes. Avec une inquiétude grandissante, il accéléra, aiguillonné par l'urgence de la retrouver. Il devait avant tout rester calme et réfléchir en bon enquêteur qu'il était. L'une des pièces du puzzle lui posait problème : Marcy.

Le soleil brillait dans un ciel parfaitement bleu, mais l'air n'en était pas moins glacé. Lucas remarqua une vieille Volkswagen arrêtée au bord de la route déserte et, à l'intérieur, une jeune femme engoncée dans une épaisse parka, avec un bonnet et des gants. Elle paraissait en panne, le chauffage de sa voiture apparemment hors d'usage lui aussi. Malgré l'urgence, Lucas se rangea derrière elle. Il ne pouvait pas la laisser seule ici. La conductrice le regarda s'approcher avec une évidente méfiance.

— Je n'ai plus d'essence, dit-elle en entrouvrant sa vitre.

Lucas s'approcha et vit un bébé à l'arrière de la voiture. Il pensa à Rachel. Etait-elle vraiment enceinte ? Il l'imagina dans la même situation que cette femme et, immédiatement, se sentit coupable. Il avait très mal réagi à l'annonce de sa grossesse ; il aurait dû la croire sur parole.

— Il y a une station-service un peu plus loin, sur la route. Je vais vous y déposer…

Toujours méfiante, la femme le dévisagea, puis elle se tourna vers son bébé.

Lucas sortit son permis de conduire et une carte de visite professionnelle. Il les lui montra pour qu'elle voie bien que le nom était le même sur les deux documents.

— Je suis enquêteur privé, et j'ai été policier.

La jeune femme lui sourit.

— Merci, dit-elle. On n'est jamais trop prudent, de nos jours.

Il remarqua qu'elle ne portait pas d'alliance. Ce devait être une mère célibataire. Elle ne paraissait pas très fortunée ; le père du petit ne devait pas l'aider beaucoup...

Il la laissa prendre l'enfant et rassembler quelques affaires, puis la conduisit à la station-service, qui n'était distante que de quelques kilomètres. Durant tout le trajet, il ne cessa de penser à Rachel.

En arrivant, sa passagère descendit de voiture et ouvrit la portière arrière pour reprendre son bébé. Lucas se sentit profondément ému. Il n'allait pas laisser cette femme comme cela, sans l'aider davantage...

— Juste une minute, fit-il.

Surprise, elle interrompit son geste et l'interrogea du regard.

— Je n'ai pas pu m'empêcher de remarquer l'état de votre voiture, reprit-il.

— Qu'est-ce qu'elle a, ma voiture ? demanda-t-elle en fronçant les sourcils.

Il sourit.

— Rien... si du moins vous comptez retourner vivre en Floride.

Il avait lu sa provenance sur sa plaque d'immatriculation.

Il fit le tour de son SUV. Au fond de son sac de couchage, rangé dans le coffre, il gardait une grosse liasse de billets, une somme importante, destinée à l'aider dans son enquête. En toute discrétion, il avait l'habitude de faire des dons à diverses associations caritatives. Cette fois, l'occasion lui était donnée de faire le bien en direct... Il préleva dans la liasse une somme suffisante pour faire l'acquisition d'un bon véhicule d'occasion et refit le tour du véhicule, puis tendit l'argent à la jeune femme.

— Pour vous acheter une voiture où vous aurez chaud, lui dit-il. Et qui vous ramènera à la maison sans encombre, vous et le bébé...

Stupéfaite, elle prit les billets avec des gestes d'automate.

Lucas regarda l'enfant qui, se dit-il, devait être une petite fille. Elle s'étira et ouvrit sur lui de grands yeux bleus, en babillant. Il se sentit remué par une vague d'affection. Le bébé se mit à gazouiller de plus belle, et lui dédia un beau sourire édenté en agitant ses petites mains.

— Quel âge a-t-elle ? demanda-t-il.

Toujours sous l'effet de la surprise, mais avec un sourire illuminé d'amour maternel, elle répondit :

— Dix mois.

Les pensées de Lucas retournèrent vers Rachel. Elle aussi allait avoir un bébé… Il ferait bien de se remettre en route au plus vite, s'il y avait à les sauver d'un danger.

— Je ne sais pas comment vous remercier, monsieur Curran.

Il sourit.

— Votre bébé vient de le faire !

C'était comme si le sourire de la petite et son gazouillis le ramenaient à la vie, le tirant du long sommeil dans lequel il était plongé depuis que Tory lui avait révélé son mensonge.

La jeune femme sourit de nouveau.

— C'est vrai, dit-elle, ils ont une façon bien à eux de faire ça. C'est une pure merveille…

Elle regarda Lucas droit dans les yeux, un long moment, puis lui dit :

— Je vous souhaite d'avoir une vie remplie de joie…

Sur ce, elle se dirigea vers le petit bâtiment de la station-service.

Comme Lucas la regardait s'éloigner, son téléphone se mit à sonner. Il se rapprocha de la portière du SUV et pressa le bouton du kit mains libres.

— Curran…

— Lucas Curran, fit une voix d'homme. De la fameuse agence Dark Alley Investigations…

— Qui est à l'appareil ?

La voix lui semblait familière.

— On ne devrait jamais laisser seuls ceux que l'on veut protéger, quand on traque un criminel.

— Sordi !

— Il y a ici quelqu'un qui veut vous parler.

On ne percevait aucune hésitation dans la voix. Sordi se moquait apparemment d'avoir été reconnu. Peut-être même le souhaitait-il.

Lucas se sentit glacé. Les tueurs de sang-froid agissaient ainsi. Ils avaient un temps d'avance sur les enquêteurs, les défiaient, jouaient avec eux. Mais ils commettaient souvent aussi la même erreur : ils sous-estimaient la ténacité et l'intelligence de l'adversaire, ainsi que le pouvoir de la loi.

Une voix féminine, haletante, se fit entendre.

— Je suis désolée, Lucas…

L'estomac de Lucas se noua.

Rachel…

— Tout va bien pour moi, ne t'inquiète pas. Je peux m'…

Le téléphone venait de lui être arraché.

— Il faut qu'on se voie, reprit Sordi. Et vite.

Lucas garda le silence une seconde. Rachel avait été capturée par l'assassin de Luella. Sordi avait bien mené son jeu !

— Je présume que vous savez où me trouver, à l'heure qu'il est ? reprit placidement le tueur.

— Oui. Je suis en route.

Cette fois, Lucas sentit chez son interlocuteur comme une hésitation. Peut-être Sordi ne s'attendait-il pas à ce qu'il soit aussi près. A ce que cela aille aussi vite…

Voulant profiter de ce moment de flottement, il enchaîna rapidement, d'un ton pressant :

— Il n'est pas trop tard pour nous entendre. Rendez-vous, et je m'arrangerai pour que la sentence ne soit pas trop sévère.

Eldon rit, mais d'un rire nerveux, un peu forcé.

— Si vous voulez revoir votre amie, répliqua-t-il, faites en sorte d'être là dans une heure.

— Je peux être chez vous dans dix minutes.

— Non. J'ai dit une heure. Pas avant.

— Eldon ? dit Lucas avant que l'autre ne raccroche.

— Oui, cher Lucas ? répondit le tueur, sarcastique.

— Faites bien attention ! Vous n'êtes pas aussi malin que vous le croyez...

Il fallait à tout prix déstabiliser Eldon Sordi, lui faire perdre un peu de son assurance et profiter de son trouble.

Les choses ne se présentaient pas au mieux. Le tueur avait une heure devant lui, bien plus qu'il n'en fallait pour faire beaucoup de mal à Rachel. Ou pour la tuer...

Lucas n'allait pas lui laisser tout ce temps.

Il monta en voiture et démarra aussitôt. Toutes sortes d'images de Rachel, entrecoupées de celles du bébé qu'il venait de rencontrer, se bousculaient dans sa tête, tant était grande sa crainte de ne jamais revoir Rachel en vie.

S'y mêlait la peur. L'horrible, la sordide peur...

15

— Tu aurais dû rester bien tranquille…

Marcy déposa une assiette et un verre d'eau sur le lit où Rachel était assise.

Sordi avait transformé une des chambres de son chalet en cellule. La fenêtre avait été obturée par des planches clouées, et le verrou de la porte était à l'extérieur. A part les deux lits jumeaux, il n'y avait aucun meuble.

Afin de la dissuader de s'enfuir dans la neige, Sordi lui avait fait retirer ses chaussures. Il lui avait toutefois laissé ses chaussettes, ainsi, assez étrangement, que son sac à main, qu'il n'avait même pas fouillé, puisqu'il lui avait pris son pistolet. Rachel l'avait simplement déposé sous le lit, avant de faire le tour de la pièce à la recherche de quelque chose susceptible de lui servir d'arme. La barre de la penderie était le seul choix possible ; elle ne paraissait pas très bien fixée à la cloison. Dès qu'elle se serait débarrassée de Marcy, elle se mettrait au travail pour tenter de la desceller.

— Tu as l'air d'en savoir long sur ce qu'Eldon a fait, dit-elle à sa geôlière après un vague regard à la platée de viande-purée qui venait de lui être servie.

— On s'aime, répliqua Marcy. Une fois débarrassés de toi et de ton chéri détective, on pourra mener la grande vie.

Elle souriait, apparemment sûre d'elle, et pourtant quelque chose dans sa voix sonnait faux. Ce n'était pas exactement le ton d'une femme amoureuse.

— Et tu crois vraiment que ça va être aussi simple que

ça ? Que la justice va vous laisser tranquilles, une fois que vous nous aurez supprimés, Lucas et moi ?

Pas question de toucher à cette nourriture. A aucun prix.

Mais Marcy restait dans son monde d'illusions, avec une naïveté que les jurés d'une cour d'assises ne risqueraient cependant pas de confondre avec de l'innocence…

— Eldon dit que les flics ne nous auront jamais, dit-elle avec fierté et confiance.

— Lucas vous coincera, rétorqua Rachel.

La certitude qu'elle exprimait résonnait profondément en elle. Il était son héros, et le père de son enfant.

Elle sentait qu'il pouvait être utile d'entamer l'absurde confiance de Marcy.

— Il est tout seul, fit remarquer celle-ci.

— Mais il est dangereux, répliqua Rachel du tac au tac. Il a suivi l'entraînement des Navy SEALs, a été enquêteur à la Criminelle, à Los Angeles. Et il est détective à Dark Alley Investigations. Adoubé par Kadin Tandy en personne…

Les bras croisés, Marcy la regardait avec l'air de se demander quelle serait la meilleure punition à lui infliger. Des pas rapides résonnèrent soudain dans le couloir, ruinant les espoirs de Rachel de pouvoir s'évader immédiatement.

Sordi entra.

— Va attendre notre prochaine visite, ordonna-t-il à sa complice.

Puis, peut-être pour atténuer la sécheresse de cet ordre, il lui prit le menton et l'embrassa sur la bouche.

Marcy se rengorgea de cette marque d'attention et s'éclipsa.

Il se tourna alors vers sa prisonnière, le visage soudain menaçant, et lui prit aussi le menton, comme il l'avait fait avec Marcy. Rachel essaya tant bien que mal de dissimuler sa répulsion.

— Je me suis toujours demandé ce que tu pouvais bien trouver à Jared, lui dit-il avec une ironie glaçante. Ce n'était qu'un suiveur. Il me suffisait de lui suggérer quelque chose pour qu'il le fasse, tellement il voulait désespérément me ressembler. Avoir du succès, être riche… Il était si facile à manipuler !

En l'entendant, Rachel se souvint des menaces qu'elle avait reçues par téléphone. C'était bien lui qui appelait. Il étouffait un peu sa voix pour qu'elle ne le reconnaisse pas, et il la menaçait, quitte à payer ensuite des voyous pour faire le reste du travail et ne pas avoir à se salir les mains.

— Vous l'avez manipulé ?

— Disons plutôt que je l'ai incité à faire ce que je voulais…

— Vous l'avez incité à commettre des escroqueries à votre place ? insista Rachel. De sorte qu'on ne trouve aucune preuve contre vous ?

Pour toute réponse, il se contenta d'un sourire qui se voulait énigmatique.

— Et avec Marcy ? C'est la même chose ?

Elle avait une bonne raison de l'interroger ainsi. Dès qu'on l'avait laissée seule dans la chambre-prison, elle avait ouvert son sac et discrètement déclenché son magnétophone.

Il poussa un grognement.

— Ton petit copain et toi, vous m'avez révélé quelque chose de plutôt désagréable… Que Marcy avait eu une histoire avec Jared. Il s'était bien gardé de me le dire. Jusqu'à ce que je l'apprenne, il n'était pas nécessaire qu'il meure…

— Vous espérez faire accuser Marcy de son assassinat, c'est ça ?

— Je fais plus que l'espérer.

— Et quand vous vous serez débarrassé de Lucas et de moi, vous ferez quoi ?

Il haussa les épaules d'un air philosophe.

— Je retournerai à mes petites affaires…

Et Marcy irait en prison à sa place.

— Bon, fit-il. Assez discuté, je n'ai pas beaucoup de temps. Déshabille-toi !

Rachel recula. Pas question de faire ça ! Elle jeta un coup d'œil sur la barre de la penderie et décida de jouer le tout pour le tout. Elle se rua sur Sordi et le repoussa vigoureusement contre le mur, puis courut vers la penderie pour tenter d'arracher la barre. Malheureusement, celle-ci ne céda que d'un seul côté. Elle se cramponna à la barre lorsque Sordi la saisit par les épaules, mais dut lâcher prise quand il la tira violemment en arrière. Au moment où il la poussait sur le lit, elle entendit la barre tomber sur le parquet.

— Oh oui ! Défends-toi, ma belle, lui dit-il. J'adore ça ! Ça fait un moment que j'en rêve…

La tenant par les poignets, il se coucha sur elle et lui embrassa la joue. Cette simple caresse terrifia Rachel, qui se débattit pour se libérer. Il lui prit le menton et essaya de couvrir sa bouche de la sienne mais, ce faisant, il dut lâcher l'un de ses poignets. Elle le frappa au visage et chercha à lui enfoncer ses doigts dans les yeux. Il la gifla à toute volée et, saisissant son chemisier, le déchira jusqu'à la ceinture. Elle le frappa de nouveau au visage de son poing.

Il la gifla encore de toutes ses forces et, comme il avait commencé à lui défaire sa ceinture, Rachel sentit son jean lui glisser sur les cuisses. Elle s'efforça fébrilement de le remonter, tant pour rester vêtue pour qu'il ne puisse pas s'emparer de la clé USB qu'elle avait dans la poche.

Lui tordant douloureusement les bras au-dessus de la tête, il lui emprisonna les poignets d'une seule main et se servit de l'autre pour lui baisser davantage son jean. Elle put se libérer suffisamment pour lui arracher une bonne poignée de cheveux, et il dut renoncer momentanément à l'idée de la déshabiller pour se défendre de ses mains virevoltantes. Il finit par lui envoyer son poing en plein visage, la faisant retomber sur le matelas. Il en profita pour lui retirer son jean. Dans un sursaut désespéré, elle l'envoya voler contre le mur, sauta du lit, et courut ramasser la barre de la penderie. La tenant comme une massue, elle l'abattit de toutes ses forces sur la tête de Sordi qui revenait à la charge. Il s'effondra sur le parquet et ne bougea plus.

Elle ne perdit pas une seconde. Passant à la hâte la

bandoulière de son sac sur son épaule, elle se rua hors de la chambre. Dans le couloir, elle entra presque en collision avec Marcy qui brandissait une arme. Sans hésiter, elle lui saisit le poignet, lui tordit le bras et la plaqua contre le mur. Marcy n'était pas bien forte ; elle lâcha tout de suite le pistolet, qui tomba au sol, hors de sa portée. Elle essaya bien de frapper Rachel, mais celle-ci n'eut aucun mal à parer le coup plutôt faible et imprécis, et à la repousser dans la direction opposée à celle de l'arme. Alors qu'elle se penchait pour la ramasser, elle constata avec effroi que, dans la chambre, Sordi commençait à reprendre connaissance. Marcy esquissa un mouvement, mais Rachel braqua tout de suite le pistolet sur elle.

— Hors de mon chemin ! l'avertit-elle.

Marcy recula lentement jusqu'à la salle de bains. Rachel courut alors vers le bout du couloir, vers la cuisine et le salon. Elle chercha ses chaussures, ou n'importe lesquelles, mais Eldon avait dû les cacher. Elle renonça et se mit en quête de clés de voiture.

— Tu ne pourras aller nulle part !

Elle se retourna, l'arme prête. Sordi venait sur elle en vacillant et en se tenant la tête, mais pistolet au poing, lui aussi. Elle recula vers la porte.

Dans l'œil furieux d'Eldon Sordi, elle pouvait clairement voir qu'il l'avait sous-estimée et le regrettait. Oh oui, il l'avait sous-estimée ! Elle avait vécu dans la rue et rencontré des personnages peu recommandables. Beaucoup de gens ne soupçonnaient pas toute la force et la volonté qu'elle recelait en elle. Personne ne se mettrait en travers de son chemin. Elle se ferait tuer, plutôt.

Elle fit feu, en visant la main de Sordi, puis elle déverrouilla la porte d'entrée et se rua au-dehors, sans se préoccuper de la morsure froide de la neige sur ses pieds. Elle trouverait bien le moyen de les réchauffer…

En courant vers les bois, elle s'enfonça dans un épais

fourré. Les branches l'égratignaient bien un peu mais, au moins, elle y était à l'abri de la neige.

Elle s'accroupit et, par une trouée dans les branches, observa le chalet. Sordi, qui venait d'apparaître à la porte, regarda en tous sens pour la chercher, puis vint droit dans sa direction, comme s'il l'avait vue. Mais elle savait que ce n'était pas possible. Pas dans la nuit qui était tombée depuis qu'elle avait été enfermée dans cette chambre.

En baissant les yeux sur ses pieds glacés, elle dut combattre la terreur qui l'envahissait. Ils allaient geler et elle serait alors sans défense. Sordi la trouverait et, après avoir pris son plaisir, il la tuerait. Cela ne faisait aucun doute.

Oh ! Lucas… Où es-tu ?

Des nuages avaient obscurci le ciel, masquant la lune, et Lucas marchait entre les arbres, environné par les ombres. Il avait appelé le shérif Bailey, lequel s'était chargé d'amener le ban et l'arrière-ban à la rescousse. Comme Lucas s'approchait enfin de la lisière des bois, il vit les lumières, notamment les feux allumés de la voiture de Marcy. Pas trace de Rachel. Où était-elle donc ?

La porte d'entrée était entrouverte. Il dégaina son arme et se faufila à l'intérieur. Pas un bruit…

Se plaquant au mur de rondins, il écouta attentivement. Quelqu'un bougeait, se déplaçait derrière une cloison. Il y avait quelqu'un, là, à l'affût.

Il poussa une porte et braqua son arme.

Marcy retint un cri de terreur et regarda fixement le canon du pistolet. Sans cesser de la tenir en respect, Lucas passa dans la cuisine, derrière elle.

— Où est Sordi ? demanda-t-il.

Elle se borna à le toiser d'un air de défi sans répondre, mais leva toutefois les mains en signe de reddition.

Lucas n'avait jamais eu beaucoup de considération pour elle, et ce qu'il pouvait voir à présent confirmait son impression première. Certaine que Sordi gagnerait la partie, elle refusait de révéler où il se trouvait. Cette attitude lui vaudrait d'être en fâcheuse posture lorsque viendrait l'heure de passer devant un tribunal.

Il jeta un regard autour de lui, et ce qu'il vit ne lui plut pas beaucoup. De la corde, de la bande adhésive forte, un jerrycan d'essence… et aussi une ligne de poudre blanche sur le plateau de verre d'une table basse. La cuisine avait tout d'une porcherie et sentait le renfermé. Après s'être enfuie avec Jared, Marcy avait dû vivre quelque temps ici.

Il s'approcha d'elle pour la fouiller et elle lui lança un petit sourire engageant pendant la palpation. Il soutint tranquillement son regard ; il n'avait d'autre but que retrouver Rachel.

— Votre père parle tout le temps de vous, dit-elle. Le policier, le héros…

Elle n'avait pas d'arme. Il attendit qu'elle ait fini de parler.

— Il vous met tellement sur un piédestal, continua-t-elle, que j'ai fini par rêver un peu de vous. Une fois, il a dit que vous viendriez à Noël, et je me suis dit que ça me donnerait l'occasion de vous rencontrer. Je me suis débrouillée pour travailler le 24 décembre, mais vous ne vous êtes pas montré au bureau. Votre père a dit que vous ne veniez que pour une brève visite…

Elle fit glisser ses doigts sur les revers de la veste de Lucas, son regard suivant ses gestes.

— Votre père ne parlait que de ça… Comme il aurait voulu que vous restiez plus longtemps, mais comme il comprenait votre dévotion à votre métier…

Lucas n'avait pas de temps à perdre à écouter ces sornettes. La prenant sèchement par le bras, il l'emmena dans le couloir. S'il avait été là, Sordi se serait déjà montré. Alors où était-il, et ou était Rachel ?

— Bien, bien, bien…

Il jeta un coup d'œil dans la salle de bains.

— Bon, dites-moi où est Sordi…

— Il en vaut deux comme vous. Rien ne lui fait peur.

Lucas poussa une porte entrouverte, celle d'une chambre à la fenêtre obturée par des planches. Sur le sol, il vit le jean de Rachel. Sans trop de douceur, il expédia Marcy à travers la pièce, et elle tomba assise sur l'un des lits jumeaux.

— Où est Rachel ? gronda-t-il en la menaçant de son pistolet.

Appuyée au matelas sur un coude, elle lui répondit par un sourire sensuel. Il n'en avait que faire. Tout ce manège destiné à le séduire était parfaitement répugnant.

L'angoisse le rongeait. Il ramassa le jean de Rachel, espérant vaguement découvrir, dans une poche peut-être, un indice indiquant l'endroit où elle pourrait se trouver. Soudain, il sentit quelque chose sous ses doigts et le sortit. C'était une clé USB. Il regarda Marcy.

— C'est quoi, ce truc ? demanda-t-elle d'un air revêche.

Probablement quelque chose qui aurait valu à Rachel de se faire tuer si Sordi avait su qu'elle l'avait en sa possession. Il fourra la clé dans sa propre poche.

— Vous ne vous en tirerez pas vivant, dit Marcy, d'un ton inquiet qui contrastait quelque peu avec ses paroles.

Sans doute commençait-elle à se dire que sa position de complice d'un criminel risquait de lui valoir de gros ennuis... Lucas la saisit vivement par le bras et la ramena dans le salon. A l'aide de la bande adhésive qu'il y avait trouvée, il la ficela soigneusement dans un fauteuil.

— Eldon ne renonce jamais, lui dit-elle, retrouvant un peu de sa morgue.

— Il vaudrait pourtant mieux pour lui...

Comme il arrivait au bout de la bande adhésive, il vit quelque chose de familier sur le comptoir très encombré de la cuisine : les chaussures de tennis de Rachel. Eldon les lui avait certainement fait retirer pour une bonne raison. Il se tourna à nouveau vers Marcy.

— Où l'a-t-il emmenée ?

Marcy comprit que l'heure n'était plus aux minauderies. Elle redevint méprisante et haineuse.

— Il est plus malin que vous le serez jamais !

Lucas commençait à perdre patience.

— Sa chance est en train de tourner, répliqua-t-il froidement.

— Ce n'est pas une question de chance, et vous allez payer pour ça, vous et votre petite copine !

Lucas ne perdit pas une seconde de plus en discussions stériles. Il sortit du chalet, alluma sa torche et examina les traces dans la neige. Elles lui confirmèrent que Rachel n'avait pas de chaussures. Vite… il fallait faire vite.

Tremblant de peur et de froid, Rachel entendit Sordi approcher, bien avant de discerner sa silhouette dans l'obscurité. Le froid mordait cruellement ses pieds, que ses chaussettes trempées ne protégeaient plus. La végétation lui avait procuré un abri précaire mais, à présent, elle n'avait plus le choix ; elle devait fuir avant qu'il ne la trouve. Peut-être que si elle arrivait jusqu'à la route… A moins qu'elle ne prenne la voiture de Marcy… En décrivant un grand arc de cercle dans la forêt, elle pouvait peut-être revenir en arrière et y parvenir.

Retourner aux abords du chalet était dangereux, mais elle n'avait pas vraiment le choix, sinon le froid allait la tuer.

Elle se mit à courir sous la neige à travers les arbres, ses pieds meurtris par les branches mortes et les cailloux. Un morceau de bois plus gros que les autres craqua bruyamment, et elle se retourna, aux aguets.

Sordi l'avait certainement entendu et, de toute façon, elle laissait forcément des traces au sol. Elle se remit à courir en s'efforçant de ne poser ses pieds que sur les endroits épargnés par la neige ou couverts d'aiguilles de pins. Elle les sentait avec terreur s'engourdir de plus en plus et, soudain, elle tressaillit ; elle venait de se couper sur une pierre plus tranchante que les autres. En se mordant la lèvre pour ne pas crier, elle reprit sa course et s'arrêta un peu plus loin, contre le tronc d'un grand sapin. Une tache rouge s'élargissait déjà sur sa chaussette. A présent, elle ne sentait plus ses pieds et n'était pas bien sûre de pouvoir courir encore. Apercevant Sordi qui progressait dans sa direction, penché sur ses traces, elle brandit son pistolet, attendit qu'il s'approche encore un peu puis fit feu.

Aussitôt, il plongea derrière un tronc d'arbre abattu.

Rachel appuya son dos contre le sapin et ferma les yeux une seconde, tentant de rassembler ses forces et d'oublier ses pieds. Il fallait qu'elle rejoigne une voiture, qu'elle se mette au chaud. Elle se remit à courir, en tirant plusieurs coups de pistolet pour tenir Sordi en respect. Maintenant, elle n'avait plus à se soucier des traces qu'elle pouvait laisser dans la neige. Peut-être que le froid arrêterait le saignement de ses pieds... De toute façon, ils étaient devenus insensibles.

En voulant enjamber un tronc, elle trébucha et tomba face contre terre. Le souffle coupé, elle ne put se redresser tout de suite. Comme Sordi approchait, elle roula sur elle-même et fit feu dans sa direction. Il se jeta au sol. Lorsqu'elle voulut tirer encore, elle faillit crier d'horreur en découvrant que son chargeur était vide. Elle rampa dans la neige, tandis que Sordi se redressait, un mauvais sourire aux lèvres.

— Je te tiens, à présent !

Alors qu'elle essayait frénétiquement de se remettre sur ses pieds, Eldon la saisit par les jambes et, tendant la main, lui arracha brutalement son arme, la faisant hurler de douleur.

Au même instant, une haute silhouette apparut. D'un mouvement sec, l'homme abattit violemment la crosse de son pistolet sur la tête de Sordi.

Lucas !

Rachel se redressa à demi, tandis qu'Eldon Sordi s'effondrait à genoux. Lucas aurait pu le tuer, mais il le voulait vivant. Elle imaginait sans peine qu'il tenait à ce qu'il paie longtemps pour le meurtre de sa sœur. Rachel le vit s'avancer, prêt à anticiper le moindre mouvement du criminel. D'un coup de pied, il fit voler l'arme de Sordi au loin dans la neige, puis il lui assena un formidable coup de poing qui l'étendit pour le compte.

Il n'était pas homme à laisser quiconque le vaincre. Rien ne l'empêcherait de venger sa sœur. Et de la sauver, elle…

Il s'approcha d'elle et s'accroupit.

— Tu es blessée ? lui demanda-t-il doucement.

Tout en parlant, il avait baissé les yeux vers sa chaussette ensanglantée ; elle n'eut pas besoin de répondre.

Il retira sa parka et lui en enveloppa les pieds. L'épais vêtement avait la chaleur de son corps, et Rachel sentit celle-ci se diffuser à travers sa peau glacée.

Puis il la souleva dans ses bras et il emporta, à travers les arbres, vers le chalet.

— Tu as vu les photos ? lui demanda-t-elle.

— Oui.

Elle sourit.

— Je savais que tu les trouverais. Et Marcy ?

— Elle est probablement entre les mains de la police, à l'heure qu'il est.

— Tu es sûr que Sordi ne va pas s'échapper ?

— Certain.

Il savait où frapper et avec quelle force, pour obtenir tel ou tel résultat. On le lui avait appris.

Dans la clairière où se trouvait le chalet, il y avait plusieurs voitures de police, banalisées ou non, ainsi qu'une ambulance dont l'éclat de la rampe lumineuse balayait la nuit. Le shérif Bailey vint à leur rencontre. Plusieurs autres policiers avaient, eux aussi, remarqué leur présence.

— Sordi est dans les bois, lui dit Lucas.

Il lui expliqua comment le trouver et, Rachel toujours

dans ses bras, accrochée à son cou, plongea la main dans sa poche. Il en sortit une clé USB qu'il lui tendit.

— Elle était dans ton jean…

Elle la prit et la remit au shérif Bailey.

— Cela vous donnera toutes les preuves nécessaires contre Sordi et Jared, expliqua-t-elle.

— Beau travail ! fit le shérif en prenant le petit objet.

— Je n'ai rien fait que vouloir retrouver le cours normal de ma vie, répondit Rachel, assez fièrement toutefois.

Puis elle regarda Lucas, et celui-ci se sentit de plus en plus amoureux d'elle. Elle était forte et brave. Et belle !

Un policier reçut un appel d'un de ses collègues partis dans les bois et, après avoir échangé quelques mots avec lui, annonça :

— Ils l'ont !

Eldon Sordi n'échapperait pas plus longtemps à la justice. Il allait enfin payer pour ses crimes. Lucas sentit une vague de sérénité l'envahir.

— On n'y serait jamais arrivés sans vous, reprit le shérif Bailey. La police de Bozeman peut toujours arrêter des criminels, mais elle n'est pas préparée à déjouer les plans des individus de ce calibre-là !

— Je suis content de m'être fait un ami, dit Lucas en souriant.

Le shérif sourit à son tour parce qu'il comprenait ce qu'il voulait dire : qu'un jour, peut-être, ils travailleraient ensemble.

Après lui avoir dit au revoir, Lucas porta Rachel jusqu'à l'ambulance. Par-dessus son épaule, elle vit Marcy que l'on emmenait, menottes aux poignets. Celle-ci leur lança un regard chargé de haine.

Rachel sourit et posa la tête sur l'épaule de Lucas. Il était un véritable héros. Son héros.

— Lucas ?

— Oui ?

Ils venaient de monter dans l'ambulance. Il la déposa sur le brancard.

— Maintenant que c'est fini, je prendrais bien des vacances…

Il sourit.

— Dès que possible, je te ramène à mon ranch et on en parle.

— C'est toutes les vacances dont j'ai besoin.

Elle se sentait légère et comme absente.

— Reste éveillée, lui dit-il. Tu es en hypothermie.

Puis il s'écarta pour laisser travailler les infirmiers, en lui disant qu'il la reverrait à l'hôpital.

Il n'était pas parti que déjà il lui manquait. Tout à coup, elle se souvint de l'état dans lequel elle avait laissé les choses, entre eux. Il l'avait retrouvée et l'avait sauvée, mais obtiendrait-elle autre chose de lui ?

16

Quelques journalistes, postés devant l'entrée des urgences, attendaient l'arrivée de l'ambulance. Lucas l'avait suivie à bord de son SUV.

Ne perdant pas une seconde, il monta avant les brancardiers dans le véhicule de secours et souleva à nouveau Rachel dans ses bras pour la porter à l'intérieur de l'hôpital. Elle le regardait avec amour et gratitude. Il n'était pas obligé de faire cela, mais peut-être était-ce son instinct de guerrier qui dictait sa conduite, ce même instinct qui lui avait ordonné non seulement de traquer Eldon sans pitié, mais aussi de la sauver.

Il l'emporta aux urgences et la déposa sur un lit disponible. Son pied blessé, qui saignait à présent à travers un bandage, nécessitait des soins rapides.

Un cameraman filmait et une journaliste, une blonde osseuse, leur demanda :

— Est-il vrai que vous avez arrêté seuls l'assassin de Luella Palmer ?

Lucas ne répondit pas.

— Est-ce bien Eldon Sordi qui a tué Jared Palmer ? Et celui-ci a-t-il bien été accusé de se livrer à des escroqueries à l'assurance ? Est-ce qu'il est coupable, à votre avis ?

Lucas ne répondit à aucune question. Il resta auprès de Rachel, tandis que la police refoulait l'équipe de télévision.

— On n'est pas à Los Angeles, ici ! grogna l'un des policiers.

**
* *

Le lendemain, Rachel fut autorisée à quitter l'hôpital. Elle se laissa tranquillement pousser par une infirmière dans un fauteuil roulant jusqu'à la sortie, puis Lucas lui tendit la main et l'infirmière, une paire de béquilles. Rachel les prit et refusa d'un geste l'aide de Lucas. Elle montrait l'énergie d'une femme qui venait de prendre une décision. Lucas fut étonné et se sentit rejeté.

La Sedan de son père les attendait pour les conduire au ranch. Pour des vacances ? Oui, sans doute, il partirait volontiers en vacances avec Rachel. Cependant, incapable de fixer ses idées, il n'avait pas vraiment réfléchi plus avant. Les médecins avaient-ils pratiqué un test de grossesse ? Il ne savait trop comment se conduire par rapport à cela. Pourtant, il était conscient qu'il allait devoir y faire face…

Les avant-bras fermement posés sur ses béquilles, elle le regarda droit dans les yeux. Cette femme, on le sentait bien, savait prendre ses propres décisions et, si l'on n'avait pas les mêmes vues qu'elle, elle faisait son chemin toute seule.

— Je rentre chez moi, dit-elle nettement.

Elle voulait dire, dans son petit appartement.

— Je peux te…

— Non, le coupa-t-elle.

— Tu me laisseras peut-être t'aider à payer ton loyer, au moins ?

Elle secoua la tête.

— Non. Je trouverai un travail.

Il n'avait aucune raison d'en douter. Elle passerait ses examens, trouverait un bon job… tout irait bien pour elle. L'expérience qu'elle venait de vivre la rendrait plus forte encore qu'elle ne l'était déjà…

— Le chauffeur va te ramener, dit doucement Lucas.

Il montra les béquilles.

— Dans le bus, tu aurais quelques problèmes, avec ça…

Elle acquiesça et esquissa un sourire.

— C'est vrai, admit-elle. Je pourrais me débrouiller, mais ça sera beaucoup plus facile en voiture. Je te remercie.

Il la regarda intensément. Tout en lui lui criait de ne pas la laisser partir, chaque fibre de son être, mais son cerveau ne suivait pas. Il fallait d'abord qu'il sache comment il allait devoir se conduire. Malgré tout, quand elle tourna les talons pour se diriger vers la voiture, il l'arrêta.

— Je voudrais te dire… Je suis désolé de t'avoir mal jugée, lors de notre première rencontre.

— Tu m'avais mal jugée avant même notre rencontre…

— C'est vrai, et j'en suis désolé. Je n'ai jamais rencontré de femme plus forte que toi. Ni de plus honnête.

Rachel baissa brièvement les yeux.

— Moi aussi, j'aurais pu me conduire autrement, dans certaines circonstances, murmura-t-elle. Mais je suis bien contente que ce soit terminé.

Quelles circonstances ? Et était-ce parce que bientôt elle ne le verrait plus, qu'elle était contente ? Il n'osa pas le lui demander.

— Au revoir, Lucas…

Après un dernier de ses si tendres et si jolis sourires, elle se dirigea vers la Sedan, dans laquelle le chauffeur l'aida à monter.

Une semaine s'écoula pendant laquelle Lucas ne cessa de penser à Rachel. Cet après-midi-là, il était dans le bureau de son père, regardant par la fenêtre.

Il avait passé tout son temps chez ses parents, à parler avec eux et à couvrir sa mère d'attentions, ce qui la mettait aux anges. Il avait plaisir à le faire, sauf lorsqu'elle lui montrait une photo qu'un reporter avait prise, où on le voyait porter Rachel dans ses bras, la lumière rouge de l'ambulance au-dessus de leur tête. Au-delà de l'atmosphère romantique qui se dégageait de ce cliché, la façon dont ils se regardaient, chacun perdu au fond des yeux de l'autre, lui serrait le cœur.

Apparemment, cette photo et l'histoire qui l'accompagnait avaient eu les honneurs de la presse nationale. Une nouvelle affaire criminelle, finalement et heureusement résolue par un agent de la Dark Alley Investigations…

— Lucas ?

Surpris, il se retourna et découvrit Tory sur le seuil du bureau.

— Avant que tu me dises de m'en aller, je te demande de m'écouter, d'accord ? J'ai demandé la permission à ton père.

Elle entra et referma la porte derrière elle.

Joseph l'avait aidée à lui tendre un piège en se servant de son bureau ? Une petite conversation avec lui devenait nécessaire…

Tory s'approcha, mais à une distance respectueuse, avec plus de réserve qu'il ne lui en connaissait.

— J'ai vu cette photo de Rachel et toi…

Il soupira. Il y avait peu de choses qui le mettaient vraiment mal à l'aise, mais ce cliché était certainement du nombre.

— Je me suis demandé si je devais venir te parler, mais lorsque j'ai compris que Rachel et toi, vous n'étiez pas ensemble, j'ai compris qu'il le fallait.

Lucas fronça les sourcils. Que voulait-elle dire avec cette histoire de « pas ensemble » ? Allait-elle lui proposer de revenir vivre avec elle ? Non, vraisemblablement pas. Rien dans son attitude ne l'indiquait.

— Tu n'es plus obligée de te sentir coupable de ce qui s'est passé autrefois, lui dit-il.

— Je sais. Ce n'est pas cela…

Et elle lui sourit, sincèrement, sans amertume ni moquerie.

— Il ne s'agit pas de moi, mais de toi. Tu fais fausse route.

Bien que d'une certaine façon il le prenait pour une critique à son endroit, il voyait par ailleurs très bien ce qu'elle voulait dire. Il n'était plus temps de s'interroger sur ce qu'elle lui avait fait, mais plutôt sur le tort qu'il se faisait à lui-même.

— Lucas, tu es un homme merveilleux. Je l'ai su dès que je t'ai rencontré. Mais j'ai mûri, depuis. Et tout ce que je veux, aujourd'hui, c'est ton pardon. Et aussi être sûre que ce qui s'est passé autrefois entre toi et moi ne t'empêche pas d'être heureux avec Rachel.

— Qu'est-ce que ça peut bien te faire que je sois avec elle ou pas ?

— J'ai vu cette photo, comme à peu près tout le monde dans le pays. Il est clair que tu es amoureux d'elle, et elle de toi. Si vous n'êtes pas encore ensemble, vous devriez l'être…

Tory s'approcha et lui posa la main sur le bras.

— Cette fois, c'est la bonne, lui dit-elle. Ça ne l'était pas pour toi et moi… Ne passe pas à côté du bonheur à cause de quelque chose de stupide que je t'ai fait il y a longtemps.

C'était formulé avec si peu de précautions oratoires que Lucas n'aurait su dire ce qui prédominait en lui : la joie et l'excitation à l'idée d'aller bientôt retrouver Rachel pour de bon, ou alors le soulagement de pouvoir enfin pardonner à Tory.

Mais peut-être au fond lui avait-il pardonné depuis déjà longtemps et peut-être était-ce à lui-même qu'il devait maintenant accorder son pardon.

— Pendant des années, je t'ai reproché de m'avoir empêché d'entrer dans les SEALs…

— Tu avais le droit d'en être furieux. Si j'avais le pouvoir de revenir en arrière, je…

Il la coupa.

— Non. C'est moi, en fait, qui avais pris la décision. Je désirais une famille, bien plus que devenir un SEAL. C'est pourquoi j'ai été tellement furieux quand j'ai su que tu n'étais pas enceinte…

Et Rachel ? L'était-elle vraiment ? Il ne le lui avait pas

demandé et, par fierté sans doute, elle n'avait pas cherché à lui en apporter la preuve. Il la respectait infiniment pour cela.

Et si elle était réellement enceinte de lui ? Il aurait enfin une famille, à fonder avec elle.

Il se sentit déborder d'un enthousiasme que tout de suite, instinctivement, il voulut brider, avant de comprendre que c'était inutile et ne lui apporterait rien. Il se pencha et embrassa son ex-femme sur la joue.

Elle eut un rire léger.

— Est-ce que cela veut dire que je suis pardonnée ? demanda-t-elle.

— Tu l'es depuis longtemps, en fait, je crois. Tu as raison, c'est à moi-même que je dois pardonner, à présent.

— Tu vas avoir la femme dont tu rêvais. J'en suis sincèrement heureuse pour toi.

— Et toi ? fit-il, un peu embarrassé.

— Ne t'inquiète pas. J'ai rendez-vous ce soir avec quelqu'un de très bien. Et maintenant, je peux y aller le cœur en paix. Va, Lucas, va vite la chercher…

Alors qu'il sortait en hâte du bureau, il faillit renverser son père.

— Oui, fils, lui dit celui-ci en lui cédant le passage. Va chercher Rachel.

Ah ! Parce qu'il écoutait aux portes, aussi !

— Et ramène-la à la maison, à ta mère et à moi !

17

Rachel rentrait chez elle, après son troisième entretien d'embauche de la semaine. Elle avait entamé aussi son dernier semestre à l'université et dépensé le peu d'argent qu'il lui restait à acheter des livres. Elle se jeta sur son lit et regarda le plafond. Dans ce petit studio, plus rien ne lui paraissait comme avant. Elle ne reconnaissait plus cet endroit. Qu'avait-il donc de si différent, tout à coup ? C'était toujours un taudis minuscule, mais ce n'était plus son repaire. Qu'est-ce qui pouvait bien lui manquer autant ?

Lucas, bien sûr... Elle se sentait tellement seule, sans lui ! Cela n'avait pas de sens. Jamais elle n'avait souffert de la solitude, auparavant. Alors pourquoi maintenant ?

On sonna à sa porte et elle se leva, désespérée à l'idée que c'était sans doute son propriétaire qui venait lui réclamer le montant du loyer — qu'elle n'avait pas.

Elle alla ouvrir en se demandant quels arguments elle pourrait employer pour le faire patienter une fois de plus, et fut soulagée de se trouver face à un livreur.

— Oui ?

— Un paquet pour vous...

Qui pouvait lui avoir envoyé quelque chose ? Lucas lui avait fait parvenir les vêtements qu'il avait achetés pour elle, mais cela avait été son seul contact avec elle. Nan, peut-être ?

Elle remercia le livreur et se dirigea vers sa minuscule cuisine. A l'aide d'un couteau, elle coupa la bande adhésive qui le scellait et ouvrit le paquet. Sous du papier à bulles, elle trouva…

Un téléphone portable. Comme elle le regardait sans comprendre, un SMS apparut sur l'écran.

Bonjour, Rachel.

L'expéditeur était identifié : Lucas Curran.

Plus émue et intriguée qu'elle ne l'aurait voulu, elle pianota :

Qu'est-ce que tu veux ?

Je passe te prendre dans une heure. Pour dîner. Mets une robe.

Presque malgré elle, elle sourit largement.

A quoi tu joues ?

Je t'expliquerai tout pendant le dîner. Dans une heure. Je t'attendrai devant chez toi.

Elle trouva son contact et essaya de l'appeler directement, mais il ne répondit pas.

Elle reposa le téléphone et regarda autour d'elle.

J'y vais, Je n'y vais pas, J'y vais, Je n'y vais pas…
J'y vais !

Elle fonça vers son armoire et y fourragea jusqu'à ce qu'elle trouve une robe bleu nuit pas trop courte et raisonnablement habillée, un peu fendue aussi, ce qui lui avait fait se demander si Lucas n'avait pas une idée derrière la tête en la lui faisant parvenir…

Dix minutes après l'heure convenue, elle sortit de son immeuble, en se sentant un peu dans la peau d'une nouvelle Cendrillon.

Lucas descendit de l'arrière d'une longue limousine qui

ne passait pas inaperçue dans le quartier. Il y avait déjà un petit attroupement sur le trottoir.

Mais tout cela s'évanouit pour Rachel quand elle vit le regard appréciateur dont Lucas l'enveloppait.

Elle avait sa vieille veste sur le bras, pour que ce vieux machin ne ruine pas l'effet de la robe. De toute façon, elle n'avait pas vraiment froid...

Lucas se pencha dans l'habitacle et en sortit un épais manteau de fourrure, qu'il vint déposer délicatement sur ses épaules. Tandis qu'elle glissait ses bras dans les manches, il lui murmura à l'oreille :

— Aucun animal n'a été tué pour le faire.

Elle lui sourit et vit ses yeux bleu-gris pétiller de plaisir et de désir en réponse.

Lorsqu'elle fut assise à côté de lui à l'arrière de la limousine, elle demanda :

— Si tu m'expliquais, maintenant, Lucas ?

— Tory est passée me voir, hier soir...

Son ex-femme ? Est-ce que c'était supposé lui faire plaisir ?

— Elle m'a fait comprendre que je devais laisser derrière moi certaines choses du passé.

Ça, elle aurait pu le lui dire elle aussi. Ne l'avait-elle pas fait, d'ailleurs ?

— Et elle m'a demandé sincèrement pardon. Alors, j'ai compris que ce n'était pas à elle que je devais pardonner, mais bien plutôt à moi.

— Tous mes compliments !

Elle n'était pas encore satisfaite.

— Elle m'a fait comprendre aussi qu'avoir une famille était plus important pour moi que n'importe quoi d'autre...

— C'est mieux, dit-elle avec un petit sourire presque encourageant.

Lucas sourit à son tour et, passant son bras derrière le siège de Rachel, se rapprocha d'elle.

— Tory a peut-être déclenché quelque chose, continua-t-il. Mais c'est toi qui m'as fait changer, et personne d'autre.

Je veux passer le reste de ma vie à te rendre heureuse. A élever nos enfants et à leur apprendre les vraies valeurs… Tout cela, je sais que j'aurais pu te le dire avant, et ce n'est pas le fait que tu sois enceinte qui m'y pousse. Peu importe que tu le sois ou non, en fait, parce que nous aurons des enfants. Maintenant ou plus tard.

— Eh bien, répondit-elle malicieusement, il se trouve que cela va être maintenant…

Lucas eut un sourire triomphant et adorable. Il se pencha pour l'embrasser et c'était exactement ce qu'elle voulait. Elle lui rendit son baiser avec passion.

— Oublions le dîner et passons la nuit et toute la journée de demain à faire l'amour, lui murmura-t-il à l'oreille.

— Pas question ! Je ne me suis pas habillée comme ça pour que tu m'enlèves tout, tout de suite !

— Tu pourras t'habiller demain soir. Je t'emmènerai dîner quelque part. Ce soir, faisons-nous plutôt livrer quelque chose…

Mais elle secoua la tête, toujours malicieuse.

— Non, monsieur. On va dîner ce soir et, après, tu pourras me faire l'amour tant que tu le voudras. Et demain aussi. Demain soir, on pourra se faire livrer quelque chose et manger au lit…

— Si c'est ce que veut Madame…

— Je te veux, toi !

— Bien !

Il l'embrassa à nouveau.

— Alors, c'est à mon tour de te dire ce que je veux…

— Ah ?

— D'abord, tu vas passer tes derniers examens.

— Ça, c'est facile à accorder. C'était même prévu.

Il déposa de petits baisers sur ses joues.

— … Ensuite, je vais t'acheter un local commercial ou une boutique, pour que tu puisses monter l'affaire que tu veux.

— Et toi, dans tout ça ? Tu auras quoi en échange ?

— Moi, je t'aurai, toi.

Elle le regarda droit dans les yeux, pour qu'il soit bien sûr que ce qu'elle allait dire était la pure vérité.

— Alors, je n'aurai pas assez de toute ma vie pour te rendre heureux !

— Tu n'auras pas à faire beaucoup d'efforts pour cela. Reste avec moi, et je serai l'homme le plus heureux du monde.

— Et moi, la femme la plus heureuse du monde, aussi.

Ils s'embrassèrent pour sceller cette promesse.

PATRICIA ROSEMOOR

Double jeu amoureux

Traduction française de
CAROLE PAUWELS

BLACK ROSE

HARLEQUIN

Titre original :
RED CARPET CHRISTMAS

Ce roman a déjà été publié en 2011.

Prologue

La pluie et le brouillard avaient marqué le début du printemps à Chicago et les conditions de circulation sur Lake Shore Drive étaient particulièrement délicates ce soir-là.

Surpris par la brume qui montait du lac, David Burke alluma ses phares.

Le milieu de la nuit n'était peut-être pas le meilleur moment pour une confrontation, mais il n'avait pas eu le choix.

Jamais il n'aurait dû écouter cette cassette ! Malheureusement, il s'était un peu laissé dépasser par les événements et n'avait pas su comment réagir.

En tout cas, ce qu'il avait appris lui avait fait un choc. D'ailleurs, cette révélation le rongeait encore.

La pluie crépitait avec violence sur le pare-brise, et il augmenta la vitesse des essuie-glaces.

Il était impatient de rentrer chez lui et de retrouver Simone, même s'il ne pouvait pas lui confier ce qui s'était passé. Sa présence sereine et apaisante et son bon sens suffisaient généralement à lui faire oublier la dureté de son métier, mais la situation était cette fois très différente.

En tant qu'avocat, il avait l'habitude que ses clients lui mentent, et il parvenait généralement à démêler sans trop de mal le vrai du faux. Mais il était loin de s'attendre à une telle révélation.

Et il n'avait pas la moindre idée de ce qu'il devait faire.

Il aurait voulu oublier ce qui c'était passé, faire comme

si de rien n'était, mais cela lui posait un véritable cas de conscience.

Peu après Grand Park, il remarqua des phares dans son rétroviseur intérieur. Un autre véhicule le suivait de près.

De beaucoup trop près compte tenu des conditions climatiques.

La pluie rendait la route glissante et la brume limitait la visibilité, rendant ce genre de comportement particulièrement dangereux.

— Encore un inconscient, marmonna-t-il entre ses dents.

A cette heure de la nuit, la route était déserte. Le chauffard avait une autre voie pour le doubler sans danger, mais il restait derrière lui, en pleins phares.

Jurant entre ses dents, David accéléra.

L'autre voiture l'imita, et il comprit que ce n'était pas une coïncidence.

La prochaine sortie se trouvait à moins d'un kilomètre. En prenant suffisamment de vitesse, il pouvait peut-être semer son poursuivant après le prochain virage et prendre la direction de Lincoln Park…

Il venait à peine d'envisager cette possibilité, reprenant déjà courage, que l'autre voiture le percuta violemment.

David bondit sur son siège mais s'accrocha au volant, tandis que ses pneus dérapaient sur la chaussée mouillée.

Il redressa sa voiture et continua à rouler, les mains crispées sur le volant, les yeux rivés sur la route.

Il n'était pas un as du pilotage en conditions extrêmes, mais il n'y avait aucune raison qu'il ne s'en sorte pas. Il suffisait qu'il garde son sang-froid.

Encore quelques centaines de mètres, et il tenterait d'échapper à son poursuivant en prenant à la dernière minute la bande de sortie.

Il y eut un nouveau choc.

Paniqué, David écrasa l'accélérateur et pria pour pouvoir rejoindre sa famille en un seul morceau.

Son poursuivant le heurta pour la troisième fois, si violemment qu'il perdit le contrôle.

Sa voiture dérapa vers le bas-côté, déchirant le rail de sécurité comme s'il s'agissait d'une simple bande de papier.

La voiture plana pendant quelques secondes, avant de plonger vers le lac.

David ferma les yeux et pensa à Simone et à Drew.

1

Huit mois plus tard.

— Le Club philanthropique de Chicago ne ressemble pas aux autres organisations caritatives, expliqua Simone Burke à la journaliste venue l'interviewer à l'occasion de « Noël sur tapis rouge », le gala de charité annuel de son association.

— Toutes les dames patronnesses disent la même chose.

Le terme évoquait pour elle une femme d'un certain âge, et Simone se sentit quelque peu vexée.

Grimaçant un sourire, elle adressa la journaliste à la présidente du club, Lili Hutton, et fit le tour de la pièce pour s'assurer que tout était prêt pour la vente.

Cette année, le mot d'ordre était : « Faites une bonne action en donnant quelque chose que vous aimez. » L'ouverture du gala n'aurait lieu que dans quelques minutes, mais tout ce que Chicago comptait de « riches et célèbres » se pressait déjà à l'entrée du club *Classé Confidentiel*, entièrement mis à leur disposition pour l'occasion.

Se remettre sur les rails huit mois après la mort de son mari était plus difficile encore qu'elle ne l'avait imaginé, et seul un surcroît d'occupations lui permettait d'échapper aux questions, aux inquiétudes et aux doutes qui la taraudaient chaque fois qu'elle se retrouvait seule.

David avait dit qu'il serait en retard à cause d'une affaire qui réclamait son attention. En tant qu'avocat, son emploi du temps était chargé, et Simone avait l'habitude d'aller se coucher sans l'attendre.

Cette nuit-là, elle avait été réveillée par un de ces appels téléphoniques qui changent à jamais une vie.

Quelqu'un avait remarqué l'arrière de la voiture de David qui dépassait de la surface du lac. Coincé par sa ceinture de sécurité et par sa portière enfoncée, son mari s'était noyé.

D'après les autorités, le temps était mauvais, et David roulait vite. Apparemment, il avait perdu le contrôle de son véhicule. Des traces de collision étaient visibles — la police avait relevé des fragments de peinture noire sur la voiture de David — mais l'incident aurait tout aussi bien pu se produire dans un parking.

Sans témoin, ni preuve de la présence d'un autre véhicule, la police avait écarté la thèse de la course-poursuite, et avait conclu à un accident. La compagnie d'assurances se montrait plus circonspecte, et une enquête était toujours en cours.

Comment le destin avait-il pu être assez cruel pour lui prendre son meilleur ami et le meilleur père dont elle aurait pu rêver pour son fils ?

Peut-être était-ce sa punition pour ne l'avoir pas assez aimé. Pas comme il l'aurait voulu, en tout cas, ni de la façon romantique dont lui l'aimait.

Elle avait connu cela autrefois, cet amour unique et passionné. Il lui semblait que c'était dans une autre vie, tant elle avait changé.

— Vous avez l'air triste. Je peux faire quelque chose pour vous ?

Simone se tourna vers l'époustouflante jeune femme qui semblait être sortie de nulle part.

Grande et mince, avec de longs cheveux blond vénitien qui lui frôlaient la taille, elle était moulée dans une courte robe rouge qui dévoilait de longues jambes fuselées, mises en valeur par des escarpins à talons aiguilles.

— Ça va, répondit Simone. J'étais simplement plongée dans mes pensées.

— Oui… C'est ce que j'ai vu.

Elle tendit à Simone une main aux longs ongles laqués de rouge.

— Cassandra Freed. Je m'occupe de la communication du club.

— Simone Burke.

— Je sais.

Tandis qu'elle échangeait une poignée de main avec Cassandra, Simone fut envahie par une sensation étrange. Quelque chose dans la façon dont la jeune femme la regardait la mettait mal à l'aise, et elle retira prestement sa main.

— Si je peux faire quelque chose pour vous…, insista Cassandra.

— C'est très aimable, répondit mécaniquement Simone. En cas de besoin, je ne manquerai pas de faire appel à vous.

Soudain, le nom de l'employée du club prit pour elle toute sa signification.

— Cassandra… c'est bien vous qui avez fait en sorte que notre gala de charité puisse se dérouler dans ce club ? Je crois que le propriétaire n'était pas emballé par cette idée.

La jeune femme esquissa un sourire.

— J'ai dû insister, mais Gideon a fini par accepter quand il a appris que vous aviez l'intention de soutenir « Le Parasol ».

« Le Parasol » était un foyer pour les femmes battues et leurs enfants, et l'association figurait en tête de liste des bénéficiaires de la collecte de fonds.

— J'ai l'impression que votre patron est un homme de cœur, commenta Simone.

— En effet, c'est quelqu'un d'extrêmement généreux, qui se montre sensible à de nombreuses causes humanitaires et caritatives.

Cassandra changea brusquement de sujet.

— Vous n'êtes pas venue faire une reconnaissance des

lieux avec les autres membres du comité, remarqua-t-elle innocemment.

— J'ai eu un problème de dernière minute avec mon fils Drew.

Simone soupira.

— Les adolescents ont le don de nous en faire voir de toutes les couleurs.

Il s'agissait d'un mensonge, mais pour rien au monde elle n'aurait avoué qu'elle passait ce jour-là un entretien d'embauche pour un emploi qu'elle n'avait finalement pas obtenu.

— Drew…, répéta Cassandra d'un ton songeur.

Elle eut de nouveau cette étrange expression, comme si elle avait envie d'ajouter quelque chose.

Mal à l'aise, Simone saisit le premier prétexte venu pour s'esquiver.

— J'ai appris qu'il y avait eu quelques donations de dernière minute, je crois que je ferais bien de vérifier de quoi il s'agit.

Elle adressa un sourire à l'employée, en pensant que la conversation en resterait là, mais Cassandra lui emboîta le pas.

— Certaines personnes se sont montrées particulièrement généreuses.

Elles passèrent devant une table sur laquelle étaient posées plusieurs bouteilles d'un grand cru français, provenant de la cave personnelle d'un donateur ; des perles noires de Tahiti montées en boucles d'oreilles et joliment présentées dans un écrin en forme de coquillage, appartenant à la collection de bijoux qu'une femme avait reçue en héritage ; la brochure d'un luxueux club de vacances situé à Paradise Island, où un couple avait prévu de se rendre lui-même.

Tous les articles étaient supposés avoir une signification personnelle pour le donateur, qui exprimait ainsi par son geste le véritable esprit de Noël.

La plupart des objets étaient de petite taille, mais certains ne pouvaient être présentés sur table, tel ce lampadaire Tiffany qui diffusait une douce lueur orangée sur la mezzanine...

Ou ce charmant bureau ancien qui attira l'œil de Simone et qu'elle eut aussitôt envie d'examiner de plus près.

— Oh, voilà quelque chose que j'aimerais bien acheter, remarqua Cassandra, en désignant un très original collier en platine et diamants, dont la pierre centrale était amovible et pouvait se porter en broche.

Elle prit la carte qui l'accompagnait et soupira.

— La mise à prix est à deux mille dollars. C'est un peu au-dessus de mes moyens.

Ignorant la remarque, Simone s'approcha de l'étroit secrétaire victorien en acajou, qu'elle imagina aussitôt dans un coin de son salon.

Elle ouvrit l'abattant, découvrant un plateau gainé de cuir rouge, et une série de tiroirs encadrant une niche. Ce genre de bureau comportait souvent un compartiment secret, mais elle ne parvint pas à le localiser.

Vérifiant le descriptif qui l'accompagnait, elle réalisa que les enchères commençaient à trois mille cinq cents dollars, et vit que Nikki Albright, une récente divorcée visiblement dotée d'une substantielle pension alimentaire, avait déjà fait une offre.

Compte tenu de sa situation financière, cela aurait été une folie de surenchérir.

Avec un soupir, Simone referma l'abattant et constata que le bureau avait été offert par Teresa Cecchi, la femme de l'ancien associé de David.

Un certain ressentiment l'envahit, mais penser à Albert Cecchi ne servirait qu'à lui gâcher la journée, et elle s'efforça de le chasser de son esprit. Avec un peu de chance, elle parviendrait même à ne pas le croiser aujourd'hui.

Par-dessus son épaule, elle jeta un coup d'œil à Cassandra, qui l'observait toujours avec insistance, jusqu'à ce que quelque chose en contrebas attire l'attention de la jeune femme.

— Oh, mon patron a besoin de moi. Ravie de vous avoir rencontrée, Simone.

Tout en se dirigeant vers l'escalier, elle ajouta :

— N'hésitez pas à faire appel à moi si vous avez besoin de quoi que ce soit.

— Je m'en souviendrai. Merci.

— Où diable est passée Galen ?

Reconnaissant la voix d'Albert Cecchi, Simone pesta en son for intérieur.

Formidable ! Elle qui voulait justement l'éviter.

Galen O'Neill, qui faisait office de commissaire-priseur, se figea au milieu de la pièce. Agée d'une quarantaine d'années, Galen était une ravissante rousse aux yeux verts, d'un caractère toujours enjoué.

En voyant Albert fondre sur elle tel un aigle sur sa proie, elle blêmit.

— Que se passe-t-il, Al ?

Avec ses traits comme taillés à coups de serpe et son front dégarni, Albert n'avait déjà rien de séduisant en temps ordinaire, mais la colère qui déformait son visage à la peau mate le rendait aussi laid qu'effrayant.

— Le bureau ! aboya-t-il. Il est à moi.

— Hum… Oui, balbutia Galen, c'est l'esprit de cette vente. Merci de votre générosité.

— Je veux le reprendre.

— Il va falloir régler ça avec votre femme, puisque c'est elle qui nous en a fait don.

Tournant la tête en tous sens d'un air désespéré, elle ajouta :

— Je viens de voir Teresa il y a quelques minutes à peine. Je suis sûre qu'elle…

— Otez cette fichue étiquette de mon bureau ! s'époumona Albert. Il n'est pas à vendre.

— Mais Teresa nous l'a donné, insista Galen.

— Parce qu'elle était en colère contre moi. Ce bureau

appartenait à ma mère. Teresa essaie de se venger en me le prenant.

— Je vous en prie, Al, ne faites pas de scène.

Comme il fallait s'y attendre, aucune des personnes présentes ne perdait une miette de la dispute.

— Je me moque de qui m'entend. Je vous tiendrai pour personnellement responsable si je ne récupère pas le bureau de ma mère.

Un tremblement nerveux agitait Galen.

— Je crains qu'il ne vous faille surenchérir.

— Très bien !

Albert se rua vers le bureau, en manquant renverser Simone.

Tandis qu'elle s'écartait, avec un petit hoquet de surprise, il prit le stylo et inscrivit rapidement son offre. S'agissant d'enchères silencieuses, chaque acquéreur potentiel devait faire une offre par écrit, jusqu'à ce que les jeux soient faits et l'objet attribué au plus offrant.

— Cela devrait faire l'affaire, en attendant que je trouve Teresa et que j'éclaircisse la situation.

— Le seul moyen d'avoir ce bureau est de remporter les enchères, insista Galen.

— C'est ce que nous verrons, lança Albert, en faisant demi-tour.

Simone savait qu'il ferait tout pour éviter d'avoir à payer le bureau. Il était la personne la moins généreuse au monde, et elle était bien placée pour le savoir.

Ne refusait-il pas de lui restituer la petite fortune que David avait investie dans leur cabinet d'avocats, ainsi que ses dividendes de l'année ?

La situation semblait inextricable au point qu'elle songeait de plus en plus à prendre un avocat pour défendre ses droits. Mais, dans sa situation…

Si elle avait été un tout autre genre de personne, elle en aurait parlé à son frère. Redoutable homme d'affaires,

Michael savait se faire respecter, au besoin en employant la manière forte.

La rumeur prétendait qu'il faisait partie de la mafia, tout comme leur père avant lui, mais Simone s'était toujours refusée à y croire, même si certaines de ses activités étaient sujettes à caution.

Quoi qu'il en soit, elle était, pour la première fois de sa vie, tentée de faire jouer les relations de sa famille.

Avant qu'elle ait eu le temps de battre en retraite, un autre membre du Club philanthropique se précipita vers le bureau et inscrivit son offre.

Copie conforme de Marilyn Monroe, avec ses cheveux blond platine et son fourreau en lamé or épousant ses courbes de sirène, Nikki Albright parla suffisamment fort pour être entendue à la cantonade.

— S'il croit qu'il va récupérer ce bureau, il se met le doigt dans l'œil. J'y mettrai le prix qu'il faudra, mais il ne l'aura pas.

Le ton amer de Nikki incita Simone à se demander ce qu'Albert lui avait fait.

— Tu devrais mesurer tes paroles, ma chère, dit un homme, d'une voix posée aux inflexions aristocratiques.

Simone reconnut la voix de l'ex-mari de Nikki, avant même de tourner la tête de son côté.

Avec sa silhouette haute et élancée soulignée par un coûteux costume gris anthracite, ses cheveux blonds parfaitement coupés, son teint soigneusement hâlé, Sam Albright était incontestablement l'homme le plus élégant de l'assemblée, mais quelque chose en lui la dérangeait. L'arrogance de ses manières, peut-être, l'ironie condescendante de son regard…

— Et alors, quoi ? protesta Nikki. Tu vas m'empêcher de parler, peut-être ?

— J'ai les moyens de régler les situations déplaisantes, susurra Sam. Il me semble que tu en sais quelque chose.

Il la toisa durement de ses yeux bleu pâle et s'en alla, laissant une Nikki visiblement effrayée.

Simone se frotta les bras pour dissiper la chair de poule et descendit l'escalier, cherchant à repérer les journalistes afin de les éviter.

Dans la salle principale, les invités s'étaient rassemblés en petits groupes. Certains étaient déjà assis, d'autres s'agitaient sur la piste de danse. La majorité d'entre eux avait plus de cinquante ans, et le DJ faisait passer de vieux rocks des années 1970.

A tout prendre, Simone aimait mieux cette musique que la techno écoutée en boucle par Drew. Son fils la rendait folle avec ce vacarme, mais elle avait heureusement fini par obtenir qu'il porte des écouteurs quand elle était à la maison.

A mi-hauteur de l'escalier, elle s'arrêta en repérant Cassandra qui parlait à un homme dont l'allure lui semblait étrangement familière.

Ce devait être le propriétaire du club, dont elle avait parlé. Il était grand, musclé… et incroyablement séduisant. Même à cette distance, Simone pouvait distinguer ses traits ciselés encadrés par d'épais cheveux d'un noir bleuté.

Son estomac se noua et sa gorge se serra.

Il ressemblait tellement à…

S'exhortant à la raison, elle s'obligea à descendre les dernières marches, sans toutefois parvenir à détacher les yeux de cet homme.

Soudain, comme s'il avait conscience d'être observé, il releva la tête et planta son regard dans le sien.

Un brusque vertige s'empara d'elle, et elle faillit perdre l'équilibre, se rattrapant de justesse à la rampe.

Dans une sorte de brouillard, elle vit Cassandra entraîner l'homme dans sa direction.

Les lèvres de la jeune femme bougeaient, mais Simone était incapable de comprendre ce qu'elle lui disait.

Elle ne saisit qu'un seul mot : Gideon.

Gideon était totalement abasourdi.

L'agitation autour de lui s'était fondue dans une lointaine rumeur qui palpitait au rythme de la course du sang dans ses veines, tandis qu'il faisait face à la femme qu'il croyait ne plus jamais revoir.

Il n'avait pas fait le rapprochement entre elle et la femme dont Cassandra lui avait parlé lors de l'organisation du gala de charité.

Il ne pouvait s'empêcher de dévorer Simone des yeux. Elle était plus belle que dans son souvenir, avec ses pommettes hautes et ses yeux en amande d'un étonnant vert émeraude. La maturité lui allait bien.

— Madame Burke, dit-il, s'efforçant de garder un ton neutre tandis qu'il jetait un coup d'œil à sa main gauche crispée sur la rampe.

— Il y a quelque chose que je devrais savoir ? demanda Cassandra, dont le regard étonné passait de l'un à l'autre.

— Je suppose que si c'était le cas, tu le saurais déjà, répliqua Gideon d'un ton agacé.

Cassandra soupira.

— Combien de fois devrai-je te répéter que ça ne fonctionne pas comme ça ?

Simone cilla, visiblement un peu perdue.

— De quoi parlez-vous ?

— Du don de Cassandra.

— C'est-à-dire ?

— Oh, ce n'est rien du tout, répliqua la jeune femme. J'ai parfois des intuitions. Simone s'occupe des relations publiques du Club philanthropique de Chicago, s'empressa-t-elle d'ajouter.

— Et je suis sûr qu'elle fait un excellent travail, répondit plaisamment Gideon.

Mais Simone semblait pressée d'écourter cet échange.

— Ravie de vous avoir rencontré. Si vous voulez bien m'excuser, il faut que je m'occupe des invités.

Gideon la suivit des yeux.

— Je sens quelque chose de spécial entre vous, dit Cassandra. Ce n'est pas la première fois que vous vous rencontrez.

— Si tu n'as rien à faire, je pense pouvoir trouver de quoi t'occuper.

— D'accord, j'ai compris l'allusion. Mais si tu as envie de parler d'elle…

Gideon ne répondit pas, et Cassandra n'attendit pas le second avertissement pour s'esquiver.

Dès qu'il fut seul, Gideon essaya de repérer Simone dans la foule, mais elle semblait avoir disparu.

Encore.

Elle pouvait détruire tout ce pour quoi il avait travaillé.

Elle pouvait le détruire.

Il lui suffisait pour cela de prévenir son frère, Michael DeNali, qu'il était de retour à Chicago.

2

Simone écumait la salle à la recherche de son frère, afin de l'intercepter avant qu'il se retrouve face au propriétaire du club *Classé Confidentiel*.

Joey Ruscetti avait beau se faire appeler Gideon Maddox, cela n'empêcherait pas Michael de le reconnaître.

Son cœur battait à tout rompre. Elle espérait que Gideon ne l'avait pas suivie. Elle risqua un coup d'œil par-dessus son épaule, mais ne le vit pas.

— Simone, te voilà !

Michael passa un bras autour de sa taille et l'embrassa sur la joue.

Avec son costume de grand couturier et sa coupe de cheveux à la mode, il pouvait presque se fondre dans la foule. Mais il y avait quelque chose en lui, une attitude particulière, une façon de scruter en permanence la salle comme s'il cherchait à repérer un ennemi embusqué, qui en faisait un être à part.

Sans parler du garde du corps qui se tenait deux pas en arrière !

Avec sa silhouette de lutteur et ses cheveux blonds coupés en brosse, Ulf Nachtmann était le centre d'attention de nombreuses femmes, mais ses yeux d'un bleu translucide ne quittaient pas l'homme qu'il était payé pour protéger.

— Tu n'as rien à boire, dit Michael d'un ton de reproche.

— Je travaille, tu sais.

— Ton travail est terminé. Ce gala est un succès. Tu devrais le fêter.

Michael prit une coupe de champagne au passage d'un serveur et la plaça dans sa main.

— A la réussite de ma petite sœur.

— Je n'ai pas tout organisé toute seule, protesta-t-elle. Je ne suis qu'un des nombreux rouages de la machine.

— Eh bien, levons nos verres à ce succès collectif. Comment s'est déroulé ton entretien professionnel ?

— Ça aurait pu mieux se passer.

Michael vida sa coupe d'un trait.

— Je ne comprends pas cette soudaine envie de travailler. Rien ne t'y oblige.

— J'ai un fils à élever, au cas où tu l'aurais oublié. Et je ne suis pas sûre de toucher un centime de l'assurance-vie.

David avait souscrit une police de deux millions de dollars quelques mois avant sa mort. Malgré les conclusions de la police, l'enquêteur de la compagnie était persuadé qu'il s'était suicidé et faisait tout pour retarder le versement de la prime.

— Tu finiras par toucher l'argent de l'assurance, dit Michael d'un ton rassurant.

— En attendant, cela m'aiderait si je pouvais récupérer la part que David possédait dans le cabinet Cecchi et Burke.

— Comment cela ? Ce n'est toujours pas réglé ? Si tu m'avais laissé m'en occuper…

— Non ! Je ne veux pas que tu t'en mêles.

— Très bien. Inutile de t'énerver.

Il héla un serveur et lui désigna sa coupe vide.

— Et ne t'en fais pas pour l'argent. Je te donnerai tout ce que tu veux. J'ai même une meilleure idée. Vends ta maison et viens t'installer avec moi au manoir. Depuis mon divorce, cet endroit est beaucoup trop grand pour moi.

Pour lui, son personnel et ses gardes du corps, songea ironiquement Simone, mais elle comprenait ce qu'il voulait dire.

Le manoir de Prairie Avenue, construit au début du vingtième siècle par un industriel fortuné, était déjà trop grand pour sa famille quand ils y vivaient tous ensemble. Après l'incarcération de leur père au pénitencier de Joliet, leur mère était partie s'installer dans leur résidence de Floride, et Michael avait conservé la maison, qui avait alors vu passer trois épouses successives.

— Drew et toi pouvez prendre tout le troisième étage, proposa-t-il.

Comme elle ne répondait pas, il insista :

— Penses-y. Drew a besoin d'une présence masculine.

A seize ans, son fils avait en effet grand besoin d'une figure paternelle, mais Michael n'était pas le mieux placé pour endosser ce rôle.

— Tu sais que ça m'ennuie de te demander de l'argent, dit-elle.

— C'est l'argent de la famille.

— Justement.

L'expression de Michael s'assombrit.

— Je suis un homme d'affaires honnête.

Simone décida prudemment de ne pas polémiquer sur ce sujet.

— J'ai besoin de me prouver que je peux prendre soin de Drew et de moi, Michael. Toute ma vie, quelqu'un a pris soin de moi, d'abord papa, puis toi, puis David… Je veux réussir par moi-même. Tu peux sûrement le comprendre.

Michael se radoucit.

— D'accord, petite sœur. Tu sais que je ne peux rien te refuser. Mais quand même, tu devrais me laisser m'occuper de Cecchi.

Simone préféra changer de sujet.

— Où est passée ta cavalière pour la soirée ? demanda-t-elle.

— Je n'en ai pas. Je me suis dit que cet endroit grouillerait de riches célibataires, et comme j'en ai assez qu'on veuille m'épouser pour mon argent…

Elle éclata de rire.

— Tu peux toujours demander au Père Noël de t'offrir une nouvelle femme.

— Inutile. Je crois que mes critères viennent de changer.

Simone le regarda se diriger vers une jeune femme qu'elle ne reconnut pas.

Avec ses cheveux teints en rouge, son débardeur court et moulant révélant un piercing au nombril et son short en jean porté sur un collant à résille, elle ne passait pas inaperçue parmi les invités d'un style beaucoup plus classique.

Ce n'était pas exactement le genre de Michael, mais si elle parvenait à le divertir en le tenant éloigné des fantômes du passé, c'était tout ce qui comptait.

— Cette garce a encore surenchéri !

Gideon se retourna pour voir qui avait fait ce commentaire, et découvrit un grand échalas au front dégarni qui ajoutait une offre pour le bureau victorien.

— J'ai besoin d'un remontant, marmonna l'homme.

Gideon fit signe à Blade de garder l'œil sur cet invité mal embouché. Doté d'un physique impressionnant, le barman d'origine amérindienne n'était pas du genre à se laisser marcher sur les pieds, et Gideon savait qu'il pouvait compter sur lui en cas de problème.

Balayant la salle du regard, il chercha à localiser Simone. Il ne l'avait pas revue depuis leur brève discussion, mais il doutait qu'elle ait quitté les lieux, dans la mesure où elle faisait partie des organisateurs du gala.

Il avait cependant aperçu Michael, songea-t-il avec morosité. Par chance, il avait réussi à rester hors de son champ de vision. Il n'avait pas envie que les choses dégénèrent ce soir. Cet événement caritatif lui tenait trop à cœur pour qu'il veuille tout gâcher.

— Tu en fais une tête !

Gideon réalisa que Gabe Connor, son responsable de la sécurité, se trouvait juste devant lui.

— C'est une soirée un peu spéciale, admit-il. J'ai revu quelques fantômes du passé.

— Je peux faire quelque chose ?

Gideon remarqua une blonde platine qui s'arrêtait devant le bureau et ajoutait une offre sur la liste. La concurrente de l'homme au bar, sans doute.

Voyant que Gabe attendait une réaction, il reporta son attention sur lui.

— Tu connais Michael DeNali ?

— Qui n'en a pas entendu parler ? Il est ici ?

Gideon hocha la tête, guida Gabe vers la rambarde de la mezzanine, repéra Michael dans la foule et le désigna.

— Il risque de nous poser des problèmes, et je tiens à la réputation de mon club.

— Je m'en occupe.

Equipé d'une discrète oreillette couplée à un micro, Gabe s'adressa aux vigiles postés à l'étage inférieur, et leur demanda de surveiller Michael.

— Tu veux m'en parler ? demanda-t-il à Gideon.

— Peut-être un autre jour.

Gideon avait conscience de la curiosité qu'il éveillait au sein des Infiltrés, comme se surnommaient entre eux les membres de son équipe.

Ses amis ne savaient rien de son passé, or il semblait précisément que son passé venait de le rattraper.

Mais au fond, n'était-ce pas pour cette raison qu'il était revenu à Chicago ?

Même s'il avait passé une partie de sa vie à fuir, et en dépit des menaces de vengeance de Michael, il avait toujours su qu'il devrait revenir pour affronter ce qu'il avait laissé derrière lui.

C'était une question d'honneur.

Et puisqu'il était incapable d'oublier Simone, il savait aussi qu'il devrait un jour se résoudre à l'affronter.

Depuis son retour en ville, il avait fait surveiller Simone

par un détective privé, et n'ignorait rien de sa vie. Tapi dans l'ombre, il attendait le bon moment, la bonne opportunité…

Pour quoi faire, exactement ?

Il n'en savait rien. Il avait failli repartir, jusqu'à ce qu'il se découvre une mission, une raison d'être, un prétexte pour ne pas fuir éternellement vers une autre ville, une autre existence dénuée de sens, comme il n'avait cessé de le faire durant tant d'années.

Les Infiltrés était un réseau de bénévoles qui aidaient les victimes d'erreur judiciaire, les personnes plongées dans des situations inextricables. Dans les situations désespérées, quand ils n'avaient plus personne vers qui se tourner, les démunis pouvaient s'adresser à lui et à ses associés.

C'était la raison pour laquelle il avait finalement accepté que le gala de charité se déroule au *Classé Confidentiel*. Porter secours aux femmes battues et à leurs enfants cadrait précisément avec la mission des Infiltrés.

Mais personne dans l'équipe ne connaissait la véritable identité de Gideon.

Peut-être était-il temps que la vérité éclate.

— Il ne vous reste que cinq minutes pour faire vos dernières enchères, annonça la voix de Galen au micro.

Simone essaya de se frayer un chemin à travers la foule qui jouait des coudes pour aller inscrire son offre sur les cartons.

Le micro grésilla, et on entendit un « zut ! » retentissant.

Galen venait de faire tomber quelque chose qui atterrit aux pieds de Simone.

— Je m'en occupe, dit-elle, en se penchant pour ramasser une dague ancienne.

Après avoir détaillé les ciselures et ornementations de pierres précieuses, elle la reposa sur la table.

— Voilà bien un objet peu commun !

— William collectionne les armes anciennes, précisa

Galen, en parlant de son mari. J'ai l'intention de lui offrir pour Noël. C'est une dague de cérémonie, mais on peut remarquer aux encoches sur la poignée qu'elle a déjà servi à tuer.

Simone ne demandait pas à en savoir autant. Jamais elle n'avait remarqué ce côté morbide chez Galen. D'ordinaire, la quadragénaire était plutôt timide, mais à cet instant précis, avec ses joues empourprées et ses yeux scintillants, elle semblait étrangement surexcitée.

— J'espère que vous remporterez l'enchère, dit-elle pour la forme.

Cherchant Albert Cecchi parmi les invités, elle remarqua qu'il avait retrouvé sa femme.

Teresa arborait une moue boudeuse tandis qu'elle rajustait son étole de cachemire rose poudre assortie à sa robe, et Simone décida d'intervenir avant que la situation ne s'envenime.

— Tu es complètement paranoïaque, s'exclama Albert, assez fort pour que Simone l'entende tandis qu'elle s'approchait.

— Je sais ce que je sais. J'ai senti du parfum sur ta veste.

— Un parfum que je voulais t'offrir pour Noël. En me faisant sentir différents flacons, la vendeuse a malencontreusement vaporisé du parfum sur ma manche. Mais toi, bien sûr, tu as pensé que j'avais une maîtresse, et tu as décidé de vendre le bureau de ma mère pour me blesser. Maintenant, il va falloir que je rachète mon propre bien.

Haussant les épaules, Teresa s'en alla d'un pas furieux.

Albert fit brusquement volte-face, et se trouva nez à nez avec Simone.

— Que voulez-vous ?

— Uniquement ce qui m'appartient.

Simone n'avait pas l'intention de lui parler d'argent en public, mais les mots lui avaient échappé.

Embarrassée, elle baissa la voix.

— Nous devons parler affaires, Albert. Pas ici, mais le plus vite possible. J'ai un enfant à élever.

— Je vous ai dit qu'il fallait attendre la fin de l'année fiscale.

— J'ai l'impression que vous faites traîner les choses. Cela fait déjà huit mois que ça dure.

— Je n'ai pas le temps d'en discuter !

— Les enchères sont closes ! annonça Galen au micro.

— Quoi ?

Le visage écarlate, les yeux étincelants de fureur, Albert se mit à vociférer.

— J'ai perdu le bureau de ma mère à cause de vous !

La poussée qu'il lui administra à l'épaule la fit chanceler. Retrouvant son équilibre, elle protesta.

— Comment osez-vous ?

Il recommença.

Perdant son sang-froid, Simone se mit à crier à pleins poumons :

— Touchez-moi encore une fois, et vous allez le regretter.

Réalisant soudain que plusieurs paires d'yeux s'étaient tournées vers eux, elle s'écarta de l'irritable avocat, lequel se dirigea alors vers le bar et commanda un double scotch.

La tête haute, regardant droit devant elle, Simone traversa la foule pour se rendre aux toilettes, le temps de se calmer. Distraite, elle percuta une volumineuse silhouette en costume rouge.

— Et alors, fillette ? dit avec une grosse voix le personnage barbu. Il faut regarder où on va.

— Désolée, Père Noël, marmonna-t-elle.

Une femme sortait de la pièce décorée comme une loge d'artistes, avec ses coiffeuses surmontées de miroirs lumineux et ses sièges capitonnés de velours rubis. Heureusement, il n'y avait personne d'autre dans les lieux.

Après s'être rafraîchie, Simone prit place devant une coiffeuse et consacra de longues minutes à recoiffer ses longs cheveux bruns, avant d'appliquer une nouvelle couche de fard couleur or sur ses paupières.

A vrai dire, elle n'osait pas retourner dans la salle.

Fermant les yeux un moment, elle s'obligea à respirer lentement, essayant d'employer la technique de méditation qui l'avait aidée après la mort de son mari.

Mais au lieu de la calmer, cette méthode éveilla dans son esprit une image qui accéléra dangereusement son pouls — l'image d'un homme aux cheveux noirs.

L'image de celui qui lui avait brisé le cœur.

Si elle ne faisait rien, si elle quittait le club maintenant et ne revenait jamais, serait-ce terminé pour toujours ?

Il le fallait. Elle ne voulait pas revivre le passé.

Que faisait-il à Chicago ? Etait-il revenu pour se venger ?

Tandis que les questions se bousculaient dans sa tête, Simone réalisa combien il était ridicule de rester cachée là, d'autant que cela ne l'aidait pas à se sentir mieux.

Elle ouvrit la porte et fit un pas dehors, mais trébucha sur quelque chose.

Elle recula et baissa les yeux.

Le temps qu'elle réagisse, le cri d'effroi d'une femme la figea sur place.

Nikki Albright se tenait à l'entrée du passage ouvrant sur la salle. Derrière elle, plusieurs personnes se rassemblaient précipitamment, et jetaient des regards avides par-dessus son épaule.

— Il est mort ? demanda quelqu'un.

— Je suis médecin, dit un homme. Laissez-moi passer.

La poignée sertie de pierres précieuses d'une arme blanche dépassait du torse d'Albert Cecchi. Le médecin s'agenouilla près de lui et vérifia son pouls.

3

— Elle l'a tué ! déclara Nikki Albright, après que le médecin eut prononcé la mort de l'avocat.

Se tournant vers les personnes amassées derrière elle, elle s'époumona.

— Simone Burke a tué Albert Cecchi.

— Quoi ?

Le cœur de Simone battait si fort qu'elle craignait de le voir s'échapper de sa cage thoracique.

— Non ! Je n'ai tué personne.

La foule grossissait à vue d'œil.

Tous les regards portés sur elle étaient franchement accusateurs. L'espace déjà étroit devenait confiné jusqu'à l'irrespirable, et Simone se sentait prise au piège.

Comme un avant-goût du cachot où elle finirait probablement ses jours si la police croyait Nikki.

— Tout le monde retourne dans la salle et y reste en attendant la police. Gabe, sécurise la zone et place tes hommes devant chaque sortie.

Dans un état second, Simone reconnut la voix familière qui donnait des ordres.

C'était impossible qu'une telle chose lui arrive à elle.

Elle était la seule de la famille à être irréprochable. La première DeNali depuis quatre générations à ne pas tremper dans des histoires douteuses.

Mais qui allait la croire ?

Surtout avec un père en prison.

— Viens, allons dans mon bureau.

Gideon lui tendit la main.

La gorge nouée, elle ignora son geste, et passa devant lui le dos raidi et la tête haute.

Elle ne pouvait ignorer qu'il se tenait juste derrière elle, si proche qu'elle percevait la chaleur et les mouvements de son corps, la voix si basse qu'elle ne pouvait être entendue que d'elle seule.

— Descends l'escalier, Simone, et dirige-toi vers l'entrée principale. Mon bureau est à droite, au bout du couloir qui longe le vestiaire.

Simone regardait droit devant elle comme si elle avait des œillères, en faisant abstraction de la cacophonie de voix autour d'elle.

Elle ignora les questions posées par un journaliste, tandis que Gideon se servait de son corps pour empêcher l'homme de l'approcher.

Cela faisait presque vingt ans qu'elle ne s'était pas sentie aussi vulnérable. Elle était alors assaillie de questions auxquelles elle ne pouvait pas répondre, au sujet de son père qui venait d'être arrêté pour un meurtre qu'il jurait ne pas avoir commis.

De rage, elle avait frappé un journaliste trop insistant, dont elle n'avait pas aimé le ton railleur et le sourire narquois. Lui arrachant son micro d'un geste rageur, elle lui avait tapé sur la tête. Michael avait dû intervenir, la soustrayant à la meute, avant de conclure un arrangement financier avec le journaliste pour qu'il ne porte pas plainte.

Et justement, en parlant de Michael… Où était-il passé ?

Elle tourna frénétiquement la tête en tous sens, mais son frère demeurait introuvable dans la foule.

Michael avait-il réglé le problème avec Cecchi comme il le lui avait proposé ?

Seigneur, elle espérait que non.

Tandis qu'elle se retournait pour vérifier si son frère se

trouvait à l'étage supérieur, elle trébucha et faillit manquer une marche.

Une main large et puissante lui prit le bras et l'empêcha de tomber.

— Fais attention.

Durant toutes ces années, elle n'avait fait que cela : *faire attention*.

Elle avait vécu une vie sans histoire, sans tache sur son casier judiciaire.

Comment pouvait-on la croire coupable de meurtre ?

Et si Nikki cherchait à se couvrir ?

Il y avait visiblement un différend entre Albert et elle. Sinon, comment expliquer cet acharnement qu'elle avait montré à remporter à tout prix les enchères ? A l'évidence, cela allait au-delà du désir de posséder un joli meuble.

Tandis qu'ils débouchaient au rez-de-chaussée du club, Gideon fut pressé contre elle à cause d'un mouvement de foule.

Malgré elle... malgré les résolutions qu'elle avait prises, malgré les années écoulées... elle sentit monter à la surface des émotions qu'elle croyait oubliées à jamais.

Elle essaya de ne pas paniquer, mais elle se sentait prise au piège. Elle n'avait aucun moyen de lui échapper.

Etait-ce l'état d'esprit de son propre père quand il avait été condamné pour le meurtre du père de Joseph Ruscetti ?

En proie à une vive agitation, Gideon avait l'impression d'avoir la main en feu. Après toutes ces années de séparation, il était toujours attiré par Simone.

Dès qu'ils furent à la porte de son bureau, Simone libéra son bras et, avec toute la dignité dont elle était capable, le précéda dans la pièce.

— Assieds-toi, dit-il.

Puis il prit son téléphone et appela Logan sur son portable. Appartenant à l'équipe, ce dernier était également inspecteur de police. Il tomba sur son répondeur et laissa un message laconique :

— J'ai besoin de toi au club.

Simone était toujours debout, et semblait distraite. Pensait-elle à lui, ou réfléchissait-elle à un alibi ?

— Pourquoi m'as-tu fait venir ici ? demanda-t-elle.

— J'ai pensé que tu apprécierais un peu de calme en attendant l'arrivée de la police.

— Quelle considération de ta part ! répliqua-t-elle d'un ton sarcastique. Mais au fait, comment dois-je t'appeler ?

— Gideon fera l'affaire.

— Gideon… On est loin de Joseph Ruscetti.

Il avait eu de nombreuses identités en dix-sept ans, mais il n'avait jamais pu oublier qui il était vraiment. Joseph Ruscetti, le fils d'un homme d'affaires véreux assassiné par son rival, Richard DeNali, le père de Simone.

Il avait été témoin du meurtre et son témoignage avait permis l'arrestation de Richard. Simone avait immédiatement rompu les ponts avec lui. Après le procès, sa mère, sa jeune sœur Angela et lui avaient bénéficié du programme de protection des témoins, et s'étaient installés loin de Chicago, sous un autre nom.

Malgré toutes les précautions dont ils s'entouraient, les hommes de Michael avaient réussi à retrouver leur trace, et sa famille avait de nouveau été déplacée.

A dix-huit ans, il était parti seul, conscient que sa présence faisait courir trop de risques à sa mère et à sa sœur.

Il avait changé de nom, d'occupation et de ville si souvent qu'il oubliait parfois qui il était supposé être.

Mais à présent, il savait qui il était, et il n'avait plus l'intention de fuir.

Seule Simone représentait un point d'interrogation dans sa vie.

Huit mois plus tôt, son mari était mort dans des circonstances mystérieuses.

Aujourd'hui, l'associé de David venait d'être assassiné.

— Tu l'as tué ? demanda-t-il de but en blanc.

Tandis qu'elle l'observait d'un air buté, Simone lui rappela l'adolescente qui avait ravi son cœur. Sa défiance ne tarda cependant pas à s'évanouir, et il vit s'embuer ses beaux yeux verts pailletés d'or.

Tout en secouant la tête, elle se laissa tomber dans un fauteuil.

— Je n'aimais pas Albert Cecchi, reconnut-elle, mais je ne l'ai évidemment pas tué.

Elle semblait étrangement déplacée dans son bureau, sa douce féminité s'accommodant fort peu des chromes, du verre trempé et du cuir noir qui peuplaient son univers masculin. Elle était faite pour les couleurs pastel, les bois précieux, la porcelaine et le cristal.

— Il n'y a rien d'évident dans cette situation, dit-il, en mettant un terme à ses propres divagations. Pas pour les flics, en tout cas.

— Parce que je suis une DeNali ?

— Entre autres, mais aussi parce que tu l'as menacé.

Elle plissa le front, comme si elle ne comprenait pas à quoi il faisait allusion, puis son expression changea, exprimant d'abord la surprise, puis l'inquiétude.

— Il m'a poussée. Deux fois. Je lui ai simplement dit de me laisser tranquille. On ne peut quand même pas me reprocher d'avoir remis un goujat à sa place.

— Quelqu'un prétend t'avoir entendue dire qu'il allait le regretter s'il recommençait.

— Je me suis un peu emportée. Mais ça arrive à tout le monde.

— Il a recommencé ?

— Non.

— Que s'est-il passé ?

Gideon observa attentivement Simone tandis qu'elle lui expliquait en détail de quelle manière les événements s'étaient déroulés.

Son instinct lui soufflait qu'elle disait la vérité.

Il savait qu'elle n'était pas comme son père ou son frère. Peut-être était-il trop sentimental, mais il avait l'impression qu'elle était restée la Simone naïve, gentille et tendre qu'il avait aimée.

— Quand tu étais dans le boudoir, as-tu entendu quelque chose ?

— Je n'ai pas fait attention.

Il eut une moue dubitative.

— Quelqu'un s'est fait tuer de l'autre côté de la porte. Il y a sûrement eu des bruits de lutte. Tu voudrais me faire croire que tu n'as rien entendu ?

— Tu mets ma parole en doute ?

— La question est de savoir si la police va te croire.

— Tu penses que ce ne sera pas le cas ?

— Tu avais un mobile ?

— Non !

— Tu as dit que tu n'aimais pas Cecchi. Pourquoi ? Il était l'associé de ton mari.

Simone écarquilla les yeux et Gideon réalisa qu'elle était sous le choc. Il pouvait presque voir les rouages de son esprit s'enclencher, assemblant les éléments.

— Tu savais ? demanda-t-elle finalement.

— Je sais beaucoup de choses, répondit-il d'un ton vague.

Pour commencer, il savait qu'elle n'avait pas attendu longtemps pour tomber amoureuse d'un autre homme et pour avoir un enfant avec lui.

Il savait que son mariage avait été heureux et qu'elle était dévouée à son mari et à son fils.

Il savait aussi qu'elle se débattait avec des problèmes d'argent depuis que David avait trouvé la mort dans un accident de voiture.

— Tu sais beaucoup de choses sur moi ? demanda-t-elle, après l'avoir observé d'un air inquiet.

— Je ne devrais pas ?

— Depuis combien de temps ?

— Depuis que je suis revenu à Chicago.

— C'est-à-dire ?

— Un peu plus d'un an.

— Pourquoi ?

Il haussa les épaules.

— La curiosité, je suppose.

Avant qu'elle ait eu le temps de lui demander autre chose, il changea de sujet.

— Revenons à Cecchi. Quelle est l'histoire ?

— Il me doit de l'argent.

— Combien ?

— La moitié des parts du cabinet d'avocats. Environ un million de dollars, j'imagine. Il n'a jamais voulu me communiquer les chiffres exacts.

Gideon siffla doucement.

— Un million ! Si ça, ce n'est pas un mobile !

Simone bondit de sa chaise.

— Je n'ai pas pour habitude de tuer les gens.

— Tu as menacé…

— De lui faire regretter de m'avoir touchée, oui.

Elle était rouge de colère, et ses yeux lançaient des éclairs.

— Je ne l'ai jamais menacé de mort.

C'était bien sa Simone… celle dont il se souvenait.

Résistant à l'envie de la prendre dans ses bras et d'écraser ses lèvres sur les siennes, il répondit :

— Je te crois.

Au moins, la police ne l'avait pas arrêtée.

Elle avait été interrogée comme toutes les autres personnes présentes, mais la garde à vue lui avait été évitée, et elle n'avait pas eu besoin d'être assistée d'un avocat.

Parfois, les choses ne se passaient pas aussi mal qu'on le craignait, songea Simone, en refermant la porte de son garage au milieu de la nuit.

Elle espérait que Drew dormait. Il savait qu'elle rentre-rait tard, mais pas à ce point. Si son fils l'avait entendue, il n'aurait pas manqué de venir la questionner, et elle n'avait pas envie d'en parler maintenant.

Evidemment, ce n'était pas quelque chose qu'elle pourrait lui cacher longtemps.

La situation était grave. On lui avait demandé de ne pas quitter la ville. Le temps qu'elle sorte du *Classé Confidentiel*, la presse s'était agglutinée dehors. Heureusement, elle était partie en même temps que d'autres membres du comité, ce qui avait évité que les journalistes s'acharnent sur elle.

Tandis qu'elle roulait à vive allure vers la maison, Mozart résonnant à plein volume dans l'habitacle, elle avait essayé de se laisser emporter par la musique, mais elle n'avait pu oublier qu'elle avait manipulé la dague.

Si la police relevait les empreintes…

Réprimant un frisson, elle ouvrit la porte de communication entre le garage et la cuisine — un rêve de cuisinière avec un îlot central, de nombreux placards et des appareils électroménagers dernier cri.

Sa maison, construite en grès brun, se composait de deux étages, et le jardin à l'arrière donnait sur le lac. Lincoln Park n'était qu'à cinq cents mètres à pied. Elle vivait dans un quartier de maisons du dix-neuvième siècle rénovées, dont la moins chère valait un million de dollars, entre le parc et la très animée Clark Street, où les restaurants huppés alternaient avec les boutiques de luxe.

Elle ne pouvait pas s'imaginer vivre ailleurs.

Et surtout pas en prison.

Elle se figea en entendant des voix, jusqu'à ce qu'elle réalise que la télévision était allumée dans le salon.

— Drew, chéri, que fais-tu debout ? demanda-t-elle dans la pièce, éclairée seulement par l'écran de la télévision. Il est tard.

Son fils s'étira sur le canapé.

— Je voulais t'attendre, mais je me suis endormi.

Devant ses cheveux emmêlés et ses yeux bouffis de sommeil, Simone sentit son cœur se gonfler de tendresse.

— Il ne fallait pas m'attendre.

— Papa l'aurait fait.

— Tu dois être au travail à 6 heures demain matin.

Simone était fière de l'insistance de son fils à participer aux frais de la maison.

Elle avait voulu refuser, puis elle avait réalisé qu'il grandissait et que cela ne pourrait pas lui faire de mal d'assumer quelques responsabilités.

Drew travaillait tous les week-ends ainsi que deux soirs par semaine dans les cuisines d'un restaurant très fréquenté de Clark Street, et trouvait quand même le temps de faire ses devoirs et de sortir avec ses copains. Elle n'avait accepté de prendre que la moitié de sa paie, en lui recommandant de profiter de son argent pour se faire plaisir. Mais elle savait qu'il l'économisait scrupuleusement.

Drew ressemblait tellement à David.

Même s'il était le fils de Gideon.

— Quels sont tes liens avec Simone Burke ?

— Qui a dit que j'en avais ? répliqua Gideon, que cet interrogatoire mettait mal à l'aise.

— Pourquoi l'aiderais-tu, sinon ?

Appuyé contre le mur dans une posture nonchalante, Blade avait croisé les bras sur son torse musculeux.

— Je pense peut-être simplement qu'elle est innocente.

— Je t'en prie, Gideon, intervint Cassandra. Tu connais le passé de chacun de nous. Quand vas-tu nous parler du tien ? J'ai senti un lien.

Gideon haussa les épaules, peu désireux de tout révéler.

— Tu sens toujours des liens.

— Seulement quand ils existent. Depuis quand connais-tu Simone ? Quand je vous ai présentés, l'air entre vous était si épais que j'aurais pu le couper au couteau.

— Simple attirance.

— Pas si simple, non.

Gideon crut que Cassandra allait insister, mais elle se contenta de soupirer.

— Très bien, conclut-elle. En tout cas, Simone Burke n'est pas une meurtrière. Ça, je le sais.

— Et c'est tout ce qu'il y a à savoir, répliqua Gideon.

— Mais alors, qui a assassiné Cecchi ? demanda Gabe.

— A nous de trouver la réponse.

Des flocons de neige tourbillonnaient dans le ciel nocturne, créant autour des réverbères un halo irréel.

Les pensées entièrement occupées par Simone, il rentrait chez lui après un match de basket. Il aurait voulu passer la nuit avec elle, mais elle avait refusé.

Elle s'était comportée bizarrement, comme si quelque chose l'ennuyait. Elle avait même dit qu'ils devaient avoir une conversation sérieuse. Mais pour finir, elle s'était rétractée.

Elle n'avait pas le temps, avait-elle dit, après avoir consulté sa montre. Elle avait plaqué un baiser rapide sur ses lèvres et avait quitté la voiture avant qu'il ait eu le temps de la retenir.

De ce fait, il s'était demandé durant tout le trajet ce qu'elle pouvait bien avoir de si important à lui dire ?

Etait-elle enfin prête à s'engager comme il le souhaitait ?

Si ses copains avaient su qu'il rêvait de se marier à son âge, ils l'auraient pris pour un fou.

« L'amour, c'est pour les idiots. Prends ce que tu peux prendre, et passe à une autre fille. » Voilà, ce qu'ils auraient dit.

Il secoua la tête.

Il ne voulait pas d'autre fille. Simone était la seule qu'il aimerait jamais.

Mais si ce n'était pas ça ?

Si elle voulait lui dire quelque chose qu'il n'avait pas envie d'entendre ? Par exemple qu'elle n'avait plus envie de sortir avec lui ?

Le cœur serré, l'estomac noué, il se demanda si elle ne faisait pas ça par noblesse d'esprit.

Il n'avait pas encore choisi son université, et repoussait sans cesse l'envoi de son dossier d'inscription. Il ne voulait pas quitter Chicago en laissant derrière lui la fille qu'il aimait, et Simone le savait... Peut-être avait-elle décidé de prendre les devants pour lui éviter de mettre son avenir en péril.

Il tourna dans sa rue, encombrée de voitures recouvertes d'une épaisse couche de neige et quasi impraticable car elle n'avait été ni déblayée ni salée.

Heureusement, ses parents avaient une vieille grange à l'arrière de la maison, suffisamment large pour accueillir trois voitures.

Une voiture qu'il ne reconnut pas était engagée dans l'allée, lui bloquant le passage. Le moteur tournait, les phares étaient allumés, mais elle n'était pas en manœuvre.

Il resta en travers de la rue et patienta.

Si la voiture était embourbée, c'était fichu. Il n'aurait plus qu'à faire marche arrière, ce qui était pour le moins périlleux avec ce verglas, et à essayer de trouver une place quelque part.

Au moment où il réfléchissait à cela, il vit un mouvement. Intrigué, il essuya d'un revers de manche l'intérieur du pare-brise couvert de buée, et réalisa que son père se trouvait devant la grange. Il était plongé dans une discussion animée avec un homme qui portait un imperméable et un chapeau de feutre noir.

L'homme tourna légèrement la tête, et le verre de ses lunettes à large monture scintilla dans la lumière de ses phares.

Richard DeNali.

Qu'est-ce que le père de Simone fichait là ?

Joey serra le volant entre ses doigts et se demanda s'il devait s'en aller.

Peut-être parlaient-ils affaires. Et Pop, le surnom qu'il

donnait à son père, ne mélangeait jamais le travail et la famille. Toutefois, Richard était venu sans garde du corps. Peut-être s'agissait-il d'une question personnelle.

Concernant Simone et lui, par exemple.

Peut-être Simone voulait-elle lui dire que son père lui interdisait de continuer à sortir avec lui.

C'était plausible. Depuis des années, leurs pères étaient rivaux en affaires, et Richard n'était pas à une intimidation près.

Joey commença à transpirer, mais décida qu'il ne s'enfuirait pas. A dix-sept ans, il était un homme, et il assumerait ses actes.

Avant qu'il ait eu le temps de sortir de la voiture, un éclair bleu le fit sursauter, avant de le figer sur son siège.

Il y eut un second éclair, mais aucun bruit.

Son père tituba en avant, et tomba dans la neige.

DeNali rengaina son arme et, de la main gauche, sortit un paquet de cigarettes de sa poche. Il le secoua pour en libérer une, porta le paquet à ses lèvres et en délogea ainsi la cigarette. Puis, toujours d'une seule main, il replaça le paquet dans sa poche, prit son briquet, fit jaillir la flamme, tira une bouffée de tabac et, le briquet calé dans la paume de sa main, reprit sa cigarette entre le majeur et l'index, avant de monter dans sa berline noire.

Le cœur battant à tout rompre, Joey ouvrit sa portière et se précipita dans l'allée, en dérapant sur la glace qui s'était formée sur la neige tassée.

La voiture démarra, et Joey eut le temps de voir la plaque RDN1, avant de se jeter à genoux près de son père, qui gisait à plat ventre dans une mare de sang.

Il le retourna et vit que son père avait été touché d'une balle dans la poitrine et d'une autre dans l'estomac.

— Pop ! cria-t-il. Tu m'entends ? Je t'en prie, réponds-moi.

Son père ouvrit les paupières, et essaya de se concentrer sur son visage.

— Joey…

— *Je vais chercher de l'aide, Pop. Je vais trouver quelqu'un.*

Mais son père lui prit le poignet pour le retenir.

— *Quoi, Pop ? Qu'est-ce qu'il y a ?*

— *DeNali...*

Puis son père rendit son dernier souffle.

Gideon se réveilla en sueur et jura avec force.

Il n'avait pas fait ce cauchemar depuis des années, mais il lui avait suffi de revoir Simone pour que tout lui revienne.

Se levant nu de son lit, il marcha vers la fenêtre et regarda dehors. Il avait neigé, et cette nuit était étrangement semblable à celle de son cauchemar.

Que voulait lui dire Simone avant de quitter la voiture ? Savait-elle que son père avait l'intention de tuer le sien ?

Il n'avait jamais pu lui poser la question. Après avoir refusé de le voir, elle avait finalement disparu.

Mais si elle savait...

Une poignante détresse lui déchira le cœur.

Encore une question à laquelle il allait devoir trouver une réponse.

4

Du haut de son promontoire rocheux, un lion rugit, et Simone se demanda si c'était pour exprimer sa désapprobation devant les guirlandes lumineuses qui éclairaient tout le zoo comme en plein jour.

Entre Thanksgiving et la nouvelle année, le zoo de Lincoln Park ouvrait en soirée plusieurs jours par semaine, et proposait différentes activités pour les familles.

Epoussetant les flocons accrochés à la manche de son manteau de lainage vert bouteille, Simone consulta sa montre et se demanda pourquoi Gideon avait insisté pour la voir aujourd'hui. *Le plus vite possible.*

Comme elle essayait d'oublier ce qui s'était passé la veille, y compris ses retrouvailles avec un homme qu'elle pensait ne jamais revoir, elle n'avait rien changé à son emploi du temps. Ainsi, puisqu'elle était chargée d'accompagner un groupe d'enfants au zoo, en compagnie d'autres membres du Club philanthropique, elle avait essayé de se servir de ce prétexte pour rembarrer Gideon, mais il avait insisté pour la rejoindre.

Malgré l'ambiance bon enfant et les chants de Noël diffusés par les haut-parleurs, elle se sentait tendue, mal à l'aise, et elle avait hâte de s'en aller.

Drew travaillait ce soir, ce qui lui offrait une bonne occasion de faire ses achats de Noël. Non qu'elle en eût particulièrement envie, mais elle aurait fait n'importe quoi pour se changer les idées.

Et puis, après tout, zut pour Gideon !

Elle s'apprêtait à partir, quand elle entendit sa voix juste derrière elle.

— Je n'étais pas sûr que tu sois restée, dit-il.

Son pouls s'emballa tandis qu'elle sentait la chaleur de son corps se communiquer au sien à travers l'étoffe de leurs vêtements. Par-delà le drame qui les avait séparés et les années passées, l'attirance était toujours là, et elle en était aussi surprise qu'embarrassée.

— Je ne sais pas pourquoi je t'ai attendu, reconnut-elle.

— Peut-être parce que tu tiens toujours à moi.

Elle pivota sur ses talons et le toisa.

— Tu n'aurais pas un peu la grosse tête ?

— Au moins, tu n'as pas nié, dit-il avec un sourire ironique.

Elle perdit patience.

— Qu'y a-t-il ? Qu'avais-tu de si important à me dire ?

Il garda le silence pendant quelques secondes, et Simone retint son souffle.

— Je voudrais t'aider.

— A quoi ?

— A prouver ton innocence.

— Tu crois vraiment que je fais partie de la liste des suspects ?

— Tout est possible. Tu as un avocat ?

Le meilleur avocat qu'elle connaissait, le seul en qui elle avait confiance était David.

— Non. Et je ne pense pas en avoir besoin.

— Prends-en quand même un.

Simone ne répondit pas et se mit à marcher.

Elle passa devant la sculpture de glace, devant l'animateur en costume de pingouin, devant le petit train décoré de guirlandes qui permettait aux enfants de faire le tour du zoo…

Gideon ne la lâchait pas d'une semelle. Allait-il la suivre ainsi jusque chez elle ?

Bizarrement, on aurait dit un rendez-vous amoureux qui s'était mal passé. Elle ne parvenait pas à se détacher de cette idée, et pourtant, il n'y avait plus rien entre eux.

A part Drew.

Soudain, il lui apparut que, si Gideon savait tout de sa vie, il devait également savoir qu'il était le père biologique de Drew.

L'anxiété la fit s'arrêter près du mur vitré derrière lequel une poignée de personnes regardait les ours polaires folâtrer dans l'eau glacée.

Elle vit le reflet de Gideon à côté du sien dans la vitre et tenta de déchiffrer son expression.

Savait-il ?

Etait-ce pour cette raison qu'il avait réapparu dans sa vie ?

— Tu as un sacré toupet de réapparaître de but en blanc après tout ce temps et de vouloir régenter ma vie, déclara-t-elle quand les autres spectateurs se furent éloignés.

— Tu ne vas quand même pas me reprocher de vouloir t'éviter la prison.

— Tu as des remords, c'est ça ? Tu penses à mon père et à tes mensonges qui l'ont mené derrière les barreaux.

— Je n'ai pas menti, et je n'ai aucun remords à avoir.

Elle avait envie de le croire, mais elle voulait aussi croire son père. Pourtant, un seul avait dit la vérité.

— Alors, pourquoi veux-tu m'aider ?

— Parce que je t'ai aimée, Simone.

Elle en eut le souffle coupé.

Elle était loin de s'attendre à cette réponse, mais comment pouvait-il dire cela alors qu'il l'avait trahie, s'assurant que son père pourrirait en prison jusqu'à la fin de ses jours ?

— Tu es sûr que tu n'as pas une autre raison ? Tu espères peut-être que je ne dirai pas à Michael où tu te trouves.

Il eut l'air choqué.

— Tu lancerais ton frère à mes trousses ?

Elle en aurait été incapable, mais elle ne le lui dit pas. Après tout, il pouvait bien penser d'elle ce qu'il voulait.

— Que les choses soient claires…

Il fit un pas vers elle, envahissant son espace personnel.

— Je n'ai pas peur de Michael. Je déteste ce qu'il représente. Je sais qu'il peut être dangereux, mais moi aussi.

Que voulait-il dire par « dangereux » ? Avait-il sombré dans l'illégalité ?

— Tu crois vraiment que tu peux prouver mon innocence ? demanda-t-elle. Comment ?

— En découvrant le véritable assassin.

— Serais-tu détective privé à tes heures perdues ?

— En quelque sorte. J'ai des connexions.

— De quel genre ?

— Disons que je travaille avec des gens qui veulent voir la justice triompher.

Il laissa passer quelques secondes de silence avant de reprendre :

— Ecoute, si tu ne le fais pas pour toi, fais-le pour ton fils. Tu as pensé à ce qui lui arriverait si tu allais en prison ?

— Michael…

— Justement ! Ne me dis pas que c'est ce que tu veux.

— Michael adore son neveu.

— Et il serait ravi de le façonner à son image. Tu sais que j'ai raison.

Il n'en fallut pas plus pour la décider. L'influence de Michael sur son fils était ce qu'elle redoutait le plus au monde.

— Très bien. Aide-moi à prouver mon innocence.

Ensuite, il aurait intérêt à sortir de sa vie avant de tout gâcher de nouveau.

— Nous devons rencontrer mes associés. Ce soir.

Simone eut une moue ennuyée.

— Et si j'avais d'autres projets ?

— Tu as quelque chose de plus important à faire que d'échapper à une accusation de meurtre ?

Devant son air dépité, Gideon se radoucit. Soudain, elle

avait l'air vulnérable, comme la fille apeurée qu'il avait vue au procès.

A l'époque, il avait eu envie de la prendre dans ses bras et de lui dire qu'il l'aimait. Mais Michael s'était interposé et avait fait en sorte que Simone ne revienne plus au tribunal. Et il avait veillé à ce qu'il ne puisse jamais la revoir.

Mais, aujourd'hui, Michael n'était pas là.

Gideon tendit le bras et lui caressa la joue.

Les yeux écarquillés de surprise, Simone le repoussa avec brusquerie.

— Que ça ne se reproduise plus !

D'un pas décidé, elle se dirigea vers la sortie.

— Le parking est par là, lui signala Gideon en la rattrapant.

— Je sais très bien où est le parking, mais je suis venue à pied.

— Pas moi. Et comme nous allons au *Classé Confidentiel*, une voiture s'impose. A moins que tu ne tiennes à casser les talons de tes coûteuses bottes.

Avec un soupir, Simone changea de direction, et Gideon fut ravi de l'occasion qui lui était donnée d'admirer ainsi l'ondulation de ses hanches.

Le club se situait à un angle de rue, à deux kilomètres à vol d'oiseau du centre-ville, dans le quartier de Wicker Park/Bucktown.

Autrefois refuge des artistes et des étudiants, le secteur avait pris de la valeur, et les cadres supérieurs commençaient à s'y intéresser. Pour le moment, un certain éclectisme social perdurait, mais il arriverait un moment où les loyers deviendraient inabordables pour le commun des mortels.

Bien qu'on fût dimanche, le club était si prisé qu'une file d'attente s'était déjà formée sur Milwaukee Avenue, et Simone fut ravie de pouvoir accéder à l'établissement par une porte dérobée.

— Mags, préviens tout le monde que je serai dans mon bureau, demanda Gideon à une serveuse arborant un dos-nu en lamé vert, un pantalon taille basse et des chaussures à plateforme.

— Ça marche, boss.

Simone le suivit dans la pièce, véritable ode au noir et à l'acier.

Avant qu'elle ait eu le temps de s'en rendre compte, elle fut submergée de testostérone : Blade Stone, le type qui tenait le bar la veille, Gabe Connor, le chef de la sécurité, John Logan, un inspecteur de la police de Chicago. Puis une brise d'air frais fit son entrée en la personne de Cassandra Freed.

— Tenez bon, dit gentiment la jeune femme, en lui tapotant l'épaule.

— Puisque nous sommes tous là, nous pouvons commencer, déclara Gideon. Logan, quelle tournure prend l'enquête officielle ?

— Plusieurs personnes sont suspectées, mais Simone figure en tête de liste. Vous avez manipulé la dague, n'est-ce pas ?

Simone sursauta.

— Oui, mais…

— Cela ne veut pas dire qu'il y aura une empreinte, continua Logan. Ou bien elle pourrait être partielle, et donc inexploitable. De toute façon, ça prendra du temps pour faire une recherche via l'AFIS — c'est la base de données des empreintes digitales.

— Attendez un instant ! protesta Simone, tout en toisant sévèrement Gideon. Tu as mis ton équipe au travail avant même que j'aie donné mon accord ?

— Chaque décision est soumise à un vote. Il fallait qu'ils soient d'accord avant que je t'en parle.

— Tu as un curieux sens des priorités.

Elle regarda les autres.

— Alors, pourquoi avez-vous accepté ? Surtout vous,

ajouta-t-elle en s'adressant à Logan. Vous pourriez être radié de la police s'ils apprenaient ce que vous faites.

— C'est pour ça que nous ne faisons pas de publicité, dit Gideon.

— Tu permets ? C'est à lui que je parle. Alors, pourquoi ?

— Gideon a dit que vous n'étiez pas coupable, et ça m'a suffi.

— Pareil, dit Blade.

— Idem, ajouta Gabe, en haussant les épaules.

— Moi aussi, conclut Cassandra.

— Qu'attendez-vous en retour ? Malheureusement, je ne suis pas riche.

— Nous ne faisons pas ça pour l'argent, protesta Cassandra.

— Bien. Alors, par quoi commençons-nous ?

— Il faut passer en revue tous les suspects, expliqua Logan.

— Combien sont-ils ?

Gabe ricana.

— Combien de personnes ont-elles des raisons de tuer un avocat ?

— Hé, dis donc ! protesta Blade.

— Désolé, je ne parlais que des spécialistes du pénal. Je n'incluais pas Lynn.

— Lynn Cross s'occupe uniquement de divorces, expliqua Cassandra. C'est la fiancée de Blade.

— Mon mari était avocat, dit Simone. Et c'était un homme bien.

— Bon, c'est compris, dit Gideon. Pas de blagues sur les avocats. Simone, si je te demande de me donner un nom, comme ça, sans réfléchir. Qui en voulait le plus à Albert Cecchi ?

— Nikki Albright. Son ex-mari était accusé de harcèlement sexuel par une de ses employées, et Cecchi a obtenu un arrangement à l'amiable. La somme versée en réparation était considérable, et lors du divorce, Nikki a vu sa prestation compensatoire grandement diminuée. Elle voulait se venger, et c'est pour cela, je pense, qu'elle était aussi déterminée à acheter le bureau d'Albert.

— Est-ce une personne violente ? demanda Logan.

Simone secoua la tête.

— Uniquement avide d'argent, pour autant que je sache. Et menteuse. Elle ne peut pas m'avoir vue poignarder Albert, parce que je ne l'ai pas fait.

— Elle a déjà reconnu qu'elle vous avait seulement vue vous pencher sur le corps, confirma Logan.

— Dieu, merci.

— Cela ne vous innocente pas pour autant. Plusieurs personnes vous ont entendue vous disputer à propos d'argent. Et on vous a vue manipuler la dague.

— Je l'ai ramassée par terre. Galen O'Neill l'a touchée aussi. Elle disait qu'elle voulait l'acheter pour son mari, mais je me demande... J'ai eu une drôle d'impression, comme si elle la voulait pour elle.

Logan hocha la tête.

— Elle a remporté l'enchère.

— Dans ce cas, ne devrait-elle pas être considérée comme suspecte ? demanda Blade.

Simone n'imaginait pas la timide Galen capable d'un acte d'une telle violence, mais il pouvait tout aussi bien s'agir d'autodéfense.

— Ils avaient eu des mots en début de soirée. Albert l'a peut-être poursuivie dans le couloir en l'accusant de lui avoir fait perdre son bureau. S'il a bousculé Galen comme il l'a fait avec moi, elle a peut-être riposté...

— Cecchi cherchait des noises à tout le monde, dit Blade. Y compris à sa femme.

— Nous devrions nous concentrer sur elle, suggéra Gideon.

— Et ensuite ? demanda Simone.

— Je vous tiendrai informée des nouveaux développements de l'enquête, promit Logan.

Gabe leva la main.

— Si vous avez besoin de matériel d'espionnage high-tech, je suis votre homme.

— Je peux jouer les renforts n'importe où, offrit Blade. Si vous voulez que je suive quelqu'un…

— Et moi, je voudrais que vous me parrainiez comme membre du Club philanthropique, dit Cassandra.

Simone la considéra avec étonnement.

— Pour quoi faire ?

— Je veux ressentir les vibrations des différents suspects.

— Elle est voyante, précisa Gideon.

Cassandra eut un sourire modeste.

— Il exagère. Je suis simplement plus intuitive que la moyenne des gens.

— Eh bien, c'est parfait, conclut Simone. Il ne nous reste plus qu'à nous mettre au travail.

5

Tandis qu'ils roulaient vers le quartier de Central Station, afin de rendre une visite surprise à Teresa Cecchi, Simone réalisa qu'elle aurait dû se douter qu'accepter l'aide de Gideon aurait pour conséquence une plus grande proximité avec lui.

Etait-ce pour cela qu'il s'était porté volontaire ?

— Alors, que penses-tu de la veuve Cecchi ? demanda-t-il.

— Teresa ? Je n'ai rien de particulier à lui reprocher. Nous n'avons jamais été proches, mais elle s'est toujours montrée agréable avec moi, comme le sont généralement les épouses d'associés en affaires.

Simone détestait l'intrusion qu'ils allaient faire dans la vie de cette femme, mais Gideon avait affirmé que c'était nécessaire.

Après trente ans de vie commune, son mariage avec Albert battait peut-être de l'aile, et il ne fallait pas négliger la possibilité qu'elle l'ait tué.

D'ailleurs, d'après Logan, la police avait envisagé cette possibilité et l'avait déjà interrogée.

— Tu la crois capable de meurtre ? demanda Gideon, comme s'il lisait dans ses pensées.

Simone sentit sa gorge se serrer.

— Je pense que beaucoup de gens peuvent tuer dans des circonstances extrêmes, mais je ne veux pas être celle qui décide qui pourrait le faire et qui ne le pourrait pas.

— Je te demandais simplement ton opinion.

— Et ça m'ennuie de la donner.

Ce qui n'était visiblement pas le cas de Gideon.

Il n'avait eu aucun scrupule à témoigner contre Richard. Peut-être avait-il des raisons de penser que ce dernier voulait éliminer son père, ce qui avait façonné son esprit de sorte qu'il voie ce qu'il voulait voir cette nuit fatale.

Elle avait le plus grand mal à croire que l'homme qu'elle aimait ait pu mentir délibérément et préférait penser qu'il avait été la victime involontaire d'une erreur de jugement.

— Tu sais, Simone, remarqua Gideon après un court instant, les enquêtes ne sont jamais une partie de plaisir. En dehors de la recherche d'indices, il faut bâtir différents scénarios avant de passer à l'étape suivante, soupçonner même les personnes qui semblent les plus irréprochables...

Détachant son regard de la route, il tourna brièvement la tête vers elle.

— Malheureusement, la vérité ne se présente jamais toute seule, enveloppée dans un joli papier cadeau.

— Je le sais bien, mais je pensais que nous allions simplement interroger Teresa à propos des ennemis éventuels d'Albert, des menaces qu'il aurait pu recevoir...

— Nous le ferons. Mais tu dois ouvrir ton esprit à toutes les éventualités. Si tu te bloques dès le départ, je ne vois pas l'intérêt d'enquêter.

Elle soupira.

— Moi non plus. J'ai l'impression que c'est une perte de temps. Il vaut peut-être mieux laisser la police faire son travail, et lui faire confiance.

— Personne ne t'oblige à jouer les détectives.

Son sentiment d'être prise au piège s'intensifia.

— J'aimerais tellement que ce soit vrai.

Un silence tendu plana dans la voiture pendant le reste du trajet.

Ils avaient tourné dans State Street et traversaient un

nouveau quartier composé de petits immeubles et de maisons de ville mitoyennes.

Situé à l'ouest de Museum Campus, un vaste parc fleuri à profusion et décoré de statues, qui longeait les rives du lac Michigan et reliait le Field Museum à l'aquarium et au planétarium, ce programme immobilier bénéficiait d'un cadre si bucolique qu'on avait peine à se croire en ville.

Perdue dans ses pensées, Simone ne voyait rien. Tout à coup, un panneau indicateur attira son regard. Gideon avait déjà freiné et s'engageait dans une rue calme bordée d'arbres aux branches dénudées.

Le regard aux aguets, Simone scruta la succession de maisons victoriennes, d'étranges bâtisses de style gothique, de cottages typiquement britanniques, et finit par désigner une immense maison en briques et grès brun qui évoquait une forteresse.

Gideon siffla entre ses dents.

— C'est un vrai blockhaus.

— Oui, c'est assez grand, admit Simone. Surtout pour deux personnes. Leurs trois enfants vivent chacun de leur côté et leur rendent très rarement visite.

Bien qu'il fût passé 21 heures, une femme d'une cinquantaine d'années, sanglée dans une sévère robe grise, leur ouvrit la porte.

Ce devait être une nouvelle employée, songea Simone en se rappelant que la précédente était plus jeune et plus jolie. Compte tenu de l'heure, l'employée de maison devait résider sur place.

Simone lui adressa un sourire façonné par de longues années de mondanité.

— Je sais que Teresa est en deuil, mais auriez-vous l'obligeance de lui dire que Simone Burke souhaiterait la voir ?

L'employée fronça les sourcils.

— Je regrette, mais Madame ne veut recevoir personne.

— Mme Cecchi et Mme Burke sont associées en affaires, intervint Gideon. Il s'agit d'un problème urgent.

— Bien. Je vais voir ce que je peux faire. Veuillez attendre dans le petit salon.

Elle leur désigna une pièce à droite du hall, où un feu pétillait dans l'âtre.

Simone connaissait déjà les lieux, et ne fut pas impressionnée par les bibelots hors de prix et autres bouquets de fleurs, coussins, tableaux et petits meubles en marqueterie, sur fond de murs tendus de soie ivoire.

Dès que l'employée se fut éloignée, elle se pencha vers Gideon.

— Associées en affaires ?

— David et Albert étant tous deux décédés, le cabinet d'avocats revient à leurs épouses.

— Je n'avais pas vu les choses sous cet angle. D'autant que nous ne sommes avocates ni l'une ni l'autre.

— Les clients font partie de ton patrimoine potentiel. Il va falloir songer à protéger tes intérêts.

Mais, sans personne pour faire tourner le cabinet, Simone voyait déjà arriver la faillite.

En outre, elle craignait de ne jamais recevoir l'argent de l'assurance-vie.

Quelques minutes plus tard, l'employée revint et les invita à la suivre à l'arrière de la maison.

Gideon posa une main au creux de la taille de Simone pour la guider, et elle en éprouva une troublante impression, qui persista plus longtemps qu'elle ne l'aurait voulu.

L'effet qu'il produisait sur elle après toutes ces années restait une perpétuelle source d'étonnement.

Retranchée dans son jardin d'hiver, derrière la cuisine et la salle à manger familiale, Teresa Cecchi ne ressemblait pas à l'idée qu'on se faisait d'une veuve éplorée.

Loin d'être effondrée en larmes dans un fauteuil, entourée de membres de la famille venus la réconforter, Teresa chantonnait en vaporisant au-dessus de l'évier un volumineux cactus de Noël, dont la luxuriante floraison rouge était exactement assortie à son pull.

— Toutes mes condoléances, Teresa, dit-elle, un peu moins gênée à présent de venir la déranger. Je suis désolée pour Albert.

Comme Teresa ne répondait pas, elle échangea un regard avec Gideon, avant de murmurer :

— Cette plante est de toute beauté.

— Je devine à quoi tu penses, Simone, répliqua la veuve d'Albert, sans se retourner. Mais cette plante est à moi.

— Bien sûr.

— Comme tout ce que tu vois ici. La maison, les meubles… *Tout.*

Teresa posa son vaporisateur et se tourna vers eux, en s'accotant à l'évier.

— Tu ne fais pas les présentations ?

— Je suis Gideon…

Teresa ne le laissa pas terminer.

— Ton nouvel amant, Simone ? Eh bien, tu ne perds pas de temps.

Simone resta sans voix.

— Vous me flattez, dit Gideon, mais Teresa ne fit pas attention à lui.

— Tu es une vraie garce !

— Pardon ?

— Cela fait combien de temps que David est mort ? Six mois ?

— Huit, répondit Simone d'une voix étranglée.

— Et tu en es déjà à son deuxième remplaçant.

— Le deuxième, murmura Gideon, en dévisageant Simone avec étonnement.

Cette dernière semblait totalement perdue.

— Ecoute, Teresa, je ne sais pas ce que tu essaies de sous-entendre, mais…

— Tu me prends pour une idiote ? Je suis au courant de ce qu'il y avait entre Al et toi.

Elle écarquilla les yeux, médusée.

— Il n'y avait rien entre nous !

Se souvenant qu'Albert lui avait dit que sa femme le soupçonnait d'avoir une maîtresse, elle ajouta :

— S'il voyait quelqu'un, ce n'était pas moi.

— Et tous ces déjeuners que vous preniez ensemble ?

— C'étaient des déjeuners d'affaires. Nous parlions argent.

Teresa eut un rire sarcastique.

— Ça, je n'en doute pas. Combien Al te payait-il ? Que lui faisais-tu en échange ?

Simone hoqueta.

— Je ne couchais pas avec Albert.

— Allons donc ! Je sais bien qu'il plaisait aux femmes, et que toutes ces garces étaient prêtes à me le voler.

— Eh bien, je n'étais pas du tout attirée par lui.

Simone réprima un frisson de dégoût en songeant au physique ingrat d'Albert et à son odieux caractère.

— J'aimais sincèrement David, insista-t-elle. Et je n'ai toujours pas surmonté sa disparition.

Elle eut conscience que Gideon s'agitait derrière elle, comme si le sujet le mettait mal à l'aise.

— Je connais les femmes comme toi, insista Teresa. Tu ne peux pas rester sans homme. Tu as mis le grappin sur mon mari.

— Tu te trompes, Teresa. J'essayais simplement d'obtenir d'Albert qu'il me verse les dividendes revenant à David, en attendant qu'un nouvel associé rachète ses parts du cabinet ou qu'Albert puisse le faire lui-même.

— Cette histoire n'a rien de crédible.

— C'est pourtant la vérité. Ecoute, Teresa, ne te laisse pas aveugler par ta jalousie. Tout ce que je veux, c'est l'argent qui me revient de droit.

— Tu n'obtiendras rien de moi. Je te prie de quitter ma maison immédiatement.

— Ce n'est pas terminé, intervint Gideon. Nous devons essayer de déterminer l'identité de l'assassin de votre mari.

— Qui me dit que ce n'est pas elle qui l'a fait ? De toute façon, la mort d'Al ne vous regarde pas.

— Vous vous trompez. Je possède le club *Classé Confidentiel* où il a été assassiné. Que je le veuille ou non, je suis de fait impliqué dans cette affaire.

Teresa haussa les épaules avec indifférence.

— J'ai déjà parlé à la police.

— Nous espérions que tu accepterais également de discuter avec nous, dit Simone, d'un ton diplomatique.

— Pourquoi le ferais-je ?

— Vous voulez que l'assassin de votre mari soit arrêté, n'est-ce pas ? demanda Gideon d'un ton doucereux.

Simone observa attentivement la réaction de Teresa, mais le visage de la veuve était indéchiffrable.

— Naturellement, dit-elle.

Elle toisa Simone avec défi.

— Al était *mon* mari.

— Et je n'étais pas sa maîtresse. Je ne l'ai pas non plus tué, contrairement à ce que prétend Nikki Albright. Aussi, je t'en prie, Teresa, parle-nous.

La veuve s'accorda un long moment de réflexion.

— Très bien.

Teresa se dirigea vers une porte et l'ouvrit.

— Venez par ici. J'ai besoin d'un verre.

Le temps que Simone et Gideon la rejoignent dans un bureau aux murs lambrissés de panneaux de chêne et pourvu d'une imposante cheminée en marbre noir, d'un canapé et de fauteuils de cuir bordeaux, de rayonnages garnis de livres et d'une grande table de travail, Teresa avait déjà un verre à la main.

Sans leur en proposer un, elle prit place dans l'un des fauteuils et leur désigna le canapé.

Simone se recroquevilla contre un accoudoir, en espérant que Gideon s'assiérait à l'autre bout, mais il prit place à côté d'elle, collant sa cuisse à la sienne.

Elle s'efforça de conserver un masque d'indifférence en dépit du vertige brûlant qu'elle éprouvait.

— Qu'attendez-vous de moi ? demanda Teresa.

Gideon prit le premier la parole.

— Votre mari avait-il des ennemis ?

— Il défendait des criminels, la lie même de la société, répondit Teresa d'un ton sarcastique. A votre avis ?

— Il a reçu des menaces, dernièrement ?

— Des menaces sérieuses, vous voulez dire ? Pas que je sache.

Elle but la moitié de son verre d'un trait.

— Mais Al ne me disait pas tout.

— C'est pour cela que vous avez mis son bureau en vente ?

— Après ce qu'il m'avait fait, ce salaud méritait de souffrir, dit-elle en portant un regard insistant sur Simone.

— Je t'en prie, fais-moi un peu confiance, protesta l'intéressée. S'il avait une liaison, je te répète que ce n'était pas avec moi. Et d'ailleurs, comment peux-tu être sûre qu'il te trompait ?

— Je ne suis pas idiote. Un homme ne téléphone pas en pleine nuit sans raison.

— Il pouvait s'agir d'appels professionnels.

— Chaque fois que j'étais dans les parages, il raccrochait précipitamment.

— Tu te fais peut-être des idées.

— Il rentrait de plus en plus tard, en prétendant avoir du travail, mais il n'était pas à son bureau. J'ai vérifié. Et puis, j'ai remarqué que de grosses sommes d'argent disparaissaient régulièrement de notre compte, mais ce n'était pas pour régler des factures.

Teresa termina son verre et soupira.

— Et bien sûr, le parfum sur sa manche n'était pas un cadeau qu'il me destinait. J'ai toujours préféré les senteurs florales légères, et il s'agissait d'une fragrance exotique et capiteuse. Et ce n'était pas la première fois que je la sentais sur lui.

Ses yeux s'emplirent soudain de larmes, et elle parut faire un effort pour se contrôler.

— C'est tout, dit-elle en se levant brusquement. Vous devez partir, maintenant.

Simone sentit qu'elle était à bout de patience et n'insista pas.

— Merci, Teresa. Si tu penses à quelque chose d'autre...

— Je ne manquerai pas de prévenir la police.

— Ça aurait pu se passer plus mal, remarqua Gideon d'un ton moqueur, alors que l'employée de maison refermait la porte derrière eux.

— Nous avons presque failli apprendre quelque chose que nous ne savions pas déjà, répondit Simone sur le même ton.

— En tout cas, elle n'a pas l'air rongée par le chagrin, constata-t-il, en lui ouvrant la portière.

— Je ne suis pas d'accord. Je pense qu'elle est blessée dans son orgueil et qu'elle essaie de donner le change. Mais elle était sur le point de craquer, à la fin.

— Je n'ai pas remarqué.

Il se mit au volant et démarra.

— Si ça se trouve, c'est elle qui l'a tué dans un accès de jalousie.

— J'y ai pensé, reconnut Simone, mais j'ai du mal à l'imaginer en meurtrière.

— Personne ne sait ce que les gens sont capables de faire dans le feu de la passion.

Gideon lui glissa un regard en biais, et Simone se trémoussa nerveusement sur son siège, mal à l'aise devant la tournure que prenait la conversation.

— Il y a quand même quelque chose d'intéressant dans

ce qu'elle a dit, reprit-il sans s'appesantir sur le sujet. De grosses sommes d'argent ont disparu de leurs comptes.

— Elle avait l'air de penser qu'Albert entretenait une autre femme.

— C'est possible. Ce qui expliquerait pourquoi il se faisait tirer l'oreille pour te verser les dividendes de David.

— Ou alors, suggéra Simone, il avait des dettes de jeu.

— Ah ! dit Gideon d'un ton triomphal. Tu vois que tu peux le faire, finalement.

— Quoi ?

— Spéculer. Analyser les éléments en ta possession pour passer à l'étape suivante.

— Je devrais peut-être songer à devenir détective privée.

— C'est une opportunité de carrière.

Pendant un quart de seconde, Simone étudia cette option, avant de décider que c'était une idée stupide.

— Quelle est la prochaine étape ? demanda-t-elle. Comment trouve-t-on un meurtrier ?

— Je crois que cela pourrait nous aider de jeter un coup d'œil aux dossiers. Si un de ses clients le menaçait, il avait peut-être laissé une note ou quelque chose. Logan m'a dit que les flics chargés de l'enquête attendaient une commission rogatoire pour fouiller son bureau.

— Je n'ai pas besoin de mandat. J'ai les clés.

— Eh bien, allons-y ! Donne-moi l'adresse.

— Je n'ai pas les clés sur moi.

Simone consulta sa montre et réalisa que Drew devait être rentré à présent.

— Il faut que je fasse un saut à la maison, de toute façon. Mais je peux te rejoindre plus tard.

— Quand ?

— Tu as quelque chose de prévu à minuit ?

Lorsque Simone arriva chez elle en taxi, elle ne s'attendait pas à trouver la voiture de son frère garée dans l'allée.

Pourquoi, au nom du ciel, fallait-il qu'il ait choisi cette soirée entre toutes ?

Heureusement qu'elle avait refusé la proposition de Gideon de la raccompagner.

Pour rien au monde, elle n'aurait voulu prendre le risque d'une confrontation entre Drew et lui. Elle avait donc insisté pour qu'il la dépose à l'angle de North et Clark, non loin du zoo, en songeant qu'il lui suffisait de prendre la rocade ouest pour arriver directement au club.

Elle avait bien vu qu'il voulait protester et qu'il prenait sur lui. Grand bien lui en avait pris ! Sinon, il se serait retrouvé nez à nez avec Michael.

Elle réalisa avec étonnement que c'était la deuxième fois qu'elle pensait à protéger Gideon de son frère.

Il allait bien falloir, à un moment ou à un autre, qu'elle fasse le point sur ses sentiments pour Gideon.

Mais pas ce soir, ni dans les jours à venir, décida-t-elle, tandis qu'elle longeait la maison pour entrer par la cuisine.

Un homme à la stature de colosse était appuyé contre la rambarde de la terrasse couverte. Il se redressa en la voyant, dans un semblant de garde-à-vous qui allait de pair avec ses cheveux blonds rasés à la militaire.

— Ulf, marmonna-t-elle, en reconnaissant l'un des gardes du corps de Michael.

Il hocha la tête.

— Madame.

Simone retint un soupir. « Madame » faisait la paire avec le « dame patronnesse » de la journaliste. Non qu'elle fût obsédée par la jeunesse éternelle, mais elle n'était quand même pas si vieille que ça, et elle commençait à se demander si les soucis ne lui avaient pas rajouté quelques années.

— Vous n'en avez jamais assez d'attendre mon frère ?

L'homme haussa ses larges épaules.

— Il y a des métiers plus difficiles. Et je n'ai pas l'intention de faire ça toute ma vie.

— Je m'en doute.

Mais il le ferait probablement.

Les employés de Michael semblaient inexplicablement liés à lui. Un jour, il avait dit en riant que, lorsqu'il engageait quelqu'un, c'était « jusqu'à ce que la mort les sépare ». Malheureusement, Simone était persuadée qu'il ne plaisantait pas.

Lorsque Ulf lui ouvrit la porte, des rires masculins s'échappèrent dans la nuit. Simone esquissa un sourire, ravie d'entendre son fils rire de nouveau.

— Quelqu'un vient de raconter une histoire drôle ? demanda-t-elle.

— Moi, dit Michael. Mais c'est une histoire de garçons.

— Voyez-vous ça !

Après avoir balayé du regard le carton de pizza presque vide et les cannettes de bière et de soda qui traînaient sur la table basse, elle leva les yeux vers son fils.

Drew affichait une mine renfrognée.

— Pourquoi tu ne me l'as pas dit, m'man ?

— Quoi ?

— Qu'Albert avait été assassiné la nuit dernière, et que tu risquais d'être arrêtée. Je ne suis plus un enfant. Tu comptais me le dire quand ?

— Un peu de respect vis-à-vis de ta mère, l'admonesta Michael. Elle n'a tué personne.

— Des gens le pensent.

— Quels gens ? voulut savoir Simone, en se demandant avec angoisse si son fils en faisait partie. On parle de moi dans les journaux ?

— Non, répondit Michael. Ils savent qu'ils risquent des poursuites pour diffamation. Tu n'as pas été arrêtée.

Pas pour le moment, songea-t-elle.

— Tout le monde en parle, maman. Tous mes amis savent que Nikki Albright t'a accusée. Pourquoi a-t-elle fait ça ?

— Je n'en sais rien !

Elle était énervée, et sa voix avait grimpé dans les aigus.

— Peut-être qu'elle essaie de se couvrir.

Les mots lui avaient échappé avant qu'elle réalise ce qu'elle disait. Son intention n'était pourtant pas d'accuser quelqu'un sans preuve, comme on l'avait fait avec elle.

Elle consulta sa montre.

— Il est tard.

Drew lui lança un regard en coin, offrant alors une telle ressemblance avec Gideon qu'elle en eut le souffle coupé.

— Désolé, oncle Mike, dit-il. Je dois me lever aux aurores demain pour aller travailler.

— Tu n'es pas obligé de faire ça.

Michael passa un bras autour des épaules de son neveu, et l'attira brièvement contre lui d'un geste bourru.

— Je peux te trouver un emploi bien payé et pas fatigant.

— Michael ! protesta Simone, en toisant furieusement son frère.

— Ça va, oncle Mike. J'aime mon travail.

— En tout cas, si tu changes d'avis…

Drew lui adressa un clin d'œil complice et se rua dans l'escalier, montant les marches deux par deux, sans même un regard en arrière pour Simone.

Elle prit une profonde inspiration pour apaiser la sensation de nœud qu'elle avait à l'estomac.

— Je n'aime pas que tu fasses ça.

— Quoi ? Le laisser manger des pizzas ? C'est délicieux. Tu devrais goûter.

— N'essaie pas de changer de sujet. Tu sais très bien de quoi je parle. Drew a des valeurs, et je veux qu'il les garde.

Le visage de Michael s'assombrit.

— Tu es en train de dire que je n'en ai pas ?

Simone n'eut pas la force d'affronter le regard de son frère.

Il savait ce qu'elle pensait de ses affaires, même s'il affirmait haut et fort qu'il avait tout remis à plat lorsqu'il avait pris la succession de leur père et qu'il ne faisait rien d'illégal.

L'origine de la fortune familiale avait toujours été un sujet tabou, et cela faisait des années que Simone avait cessé de se mêler de la façon dont son frère gagnait sa vie.

D'ailleurs, elle ne pouvait rien y changer. Les DeNali avaient toujours réglé leurs affaires entre hommes.

En outre, Michael l'avait toujours protégée depuis qu'ils étaient petits. Il avait été si bon avec elle. Et avec Drew et David. Elle l'aimait tendrement et ne voulait pas se fâcher avec lui.

Et si se voiler la face était le prix à payer…

— Tu sais que David et moi avons essayé de lui inculquer le sens de l'effort, dit-elle, en jonglant habilement avec la vérité. En lui proposant un travail facile et bien payé, je trouve que tu lui donnes le mauvais exemple.

— Tu es trop sévère. J'aimerais quand même bien pouvoir gâter mon neveu de temps en temps.

— C'est un gentil garçon, Michael, et je n'ai pas envie qu'il sombre dans la facilité.

— Très bien. J'ai compris le message. Au fait, désolé de ne pas avoir été là hier pour te soutenir.

— Où étais-tu passé ?

Il eut un sourire satisfait.

— J'ai fait une rencontre… intéressante.

— Nombril à l'air et cheveux rouges ?

— Exactement. Elle n'était pas vraiment à sa place dans cette soirée et moi non plus. On a donc décidé de changer d'air.

Il se rembrunit soudain.

— Heureusement que je n'étais pas là, ou la police m'aurait encore cherché des noises.

— Oui, marmonna Simone. Heureusement.

— Tu ne pensais quand même pas que j'avais quelque chose à voir dans cette histoire ?

— Bien sûr que non.

En réalité, elle y avait songé et se sentait maintenant vaguement coupable d'avoir soupçonné son frère.

— Donc, tu n'as dit à personne que j'avais proposé de régler le problème avec Cecchi ?

— Bien sûr que non !

— Bon, dis-moi quel est le problème entre Simone et toi, insista Cassandra.

Elle avait repéré Gideon au bar, en train de siroter une tequila d'un air morose.

Gideon avala une gorgée d'alcool.

— Qui a dit qu'il y a un problème ?

La jeune femme haussa les sourcils et fixa le verre qu'il tenait à la main.

— C'est vieux tout ça, dit-il en grommelant.

Il finit son verre et fit signe à Blade de lui en servir un autre.

— Ton premier amour ? demanda Cassandra, en se hissant sur le tabouret à côté de lui.

— Quelle importance ?

— Je me soucie de toi, Gideon. J'ai envie de te voir heureux. Tu es seul et…

Il éclata de rire.

— Comment je pourrais être seul quand une certaine personne ne cesse de se mêler de mes affaires.

— Personne ne t'attend chez toi le soir.

— Toi non plus.

Cassandra haussa les épaules.

— On ne parle pas de moi. En tout cas, quoi qu'il se soit passé entre vous, Simone a toujours des sentiments pour toi.

Gideon lui lança un regard incrédule.

— Même si tu es douée, tu ne peux pas voir ce genre de choses.

— Il n'y a pas besoin d'être voyante pour le savoir. Il suffit d'observer la façon dont elle te regarde. Ses yeux sont emplis de regrets et de tristesse. Comme les tiens quand ils se posent sur elle.

Blade posa un autre verre devant Gideon mais ne s'attarda pas. Il y avait un monde fou au club ce soir-là et il était débordé par les commandes.

— Certaines choses ne doivent pas se faire, dit Gideon d'un ton fataliste.

— Peut-être, mais tu ne peux pas affirmer que votre histoire appartient à cette catégorie. Simone est réapparue dans ta vie de façon dramatique, et le destin avait peut-être prévu cela pour attirer ton attention. Tu as réagi en acceptant de l'aider, et c'est peut-être l'occasion pour vous deux de voir à côté de quoi vous êtes passés.

Elle lui posa gentiment la main sur le bras.

— Je crois aux secondes chances, Gideon, et je sais que toi aussi. Sinon, tu n'aurais pas fondé les Infiltrés. Depuis que je te connais, tu ne vis que pour offrir une seconde chance aux personnes qui font appel à toi. Tu ne crois pas que ton tour est venu ?

Une seconde chance ?

Gideon y réfléchit longuement en terminant son verre. Seul.

Cassandra avait raison. Il était toujours seul. Même au milieu d'une foule comme ce soir.

Et tous ces inconnus qui l'entouraient, le bruit, le travail acharné, ne pouvaient combler le vide qu'il sentait au fond de lui.

Pourtant, il n'avait pas toujours éprouvé cette sensation de vide.

A une époque, avant qu'il soit obligé de vivre comme un éternel fugitif, il était heureux et l'avenir lui apparaissait radieux.

A quoi ressemblerait sa vie s'il pouvait oublier le passé, faire revenir Simone dans sa vie, non pas comme une victime qui avait besoin de son aide, mais comme une femme qui le voulait en tant qu'homme ?

Il posa son verre et se demanda ce qu'il avait à perdre en essayant de le découvrir.

6

Lorsque Simone se gara à proximité de l'immeuble qui abritait les bureaux de David, Gideon l'attendait devant la porte d'entrée.

Il se dégageait de lui une telle assurance, une telle impression de force virile, que son cœur se mit à battre à vive allure.

Adolescent, il était déjà séduisant, mais à présent qu'il avait mûri, son charme s'était encore accentué et lui conférait une sorte de gravité mystérieuse.

Mais l'enchantement fut rompu lorsqu'il l'accueillit par ces mots accusateurs :

— Tu es en retard !

— J'ai été retenue ! répliqua-t-elle sèchement. Michael est passé à la maison.

— A l'improviste, bien sûr, commenta Gideon d'un ton narquois. Juste après qu'un de ses avocats a été assassiné.

— Albert n'était pas l'avocat de Michael.

— Il a travaillé pour LaFuria et Mazzoni, qui représentaient ton père.

— Je l'ignorais. Albert était déjà associé avec David quand je l'ai rencontré. Et Michael n'a jamais fait partie des clients du cabinet.

Elle passa la carte magnétique dans le lecteur, attendit le déclic et poussa la porte.

— Ce n'est pas sécurisé, la nuit ? s'étonna Gideon.

— Il y a bien un gardien, mais il passe le plus clair

de son temps enfermé dans son bureau à téléphoner à sa petite amie ou à regarder la télévision. Il ne risque pas de nous surprendre durant une ronde. Et, de toute façon, j'ai le droit d'être là.

L'immeuble, d'une trentaine d'étages, datait des années 1920, et le hall récemment restauré avait retrouvé ses éléments Art déco : formes cubiques, ornementations géométriques dans des tons noirs et verts, lustres et veilleuses en pâte de verre…

Les portes à peine ouvertes, Simone se précipita au fond de l'ascenseur, en se tenant aussi loin que possible de Gideon. Mais sa présence rendait l'exiguïté de la cabine de plus en plus oppressante à mesure que l'appareil s'élevait vers le dixième étage, avec une lenteur qui relevait de la torture.

Loin de lui, elle pouvait à la rigueur se donner l'illusion de contrôler ses sentiments à son égard, mais quand il envahissait ainsi son espace personnel, l'obligeant à respirer la fragrance subtilement boisée de son eau de toilette…

C'était à se demander s'il ne le faisait pas exprès pour la rendre nerveuse.

A moins qu'il ne soit tout simplement inconscient de l'effet qu'il produisait sur elle.

En observant l'expression neutre de Gideon tandis qu'ils sortaient de l'ascenseur, elle opta pour la seconde hypothèse.

Il faisait à peine attention à elle.

Elle plongea la main dans sa poche pour y prendre le trousseau qui avait appartenu à David et trouva la clé qui ouvrait la porte extérieure.

— Je suis surpris que Cecchi n'ait pas changé les serrures quand il s'est retrouvé seul à diriger le cabinet, remarqua Gideon.

— Il n'y était pas légalement autorisé jusqu'à ce que notre différend soit réglé.

— Es-tu en train de me dire qu'Albert Cecchi respectait les règles ?

— Je l'espère, en tout cas.